LA COULEUR
DE LA HAINE

*Ce livre est dédié, avec tout mon amour,
à Neil et Elizabeth qui portent toutes les couleurs
de l'arc-en-ciel et d'autres encore.
Et un grand merci à tous ceux qui ont demandé :
« Et après, que se passe-t-il ? »*

Traduit de l'anglais par
Amélie Sarn

Titre original : *Knife Edge*
Copyright © Oneta Malorie Blackman, 2004
*First published in Great Britain by Doubleday,
a division of Transworld Publishers*
Le prologue du présent ouvrage a été publié sous forme de tiré à part
au Royaume-Uni sous le titre de *An eye for an eye*.

Pour l'édition française :
© 2006, Éditions Milan, pour le texte et l'illustration
300, rue Léon-Joulin, 31101 Toulouse Cedex 9, France
Loi 49-956 du 16 juillet 1949
Sur les publications destinées à la jeunesse
ISBN : 978-2-7459-2035-5
www.editionsmilan.com

MALORIE BLACKMAN

LA COULEUR DE LA HAINE

MILAN

L'auteur a construit sa trilogie
autour de trois grands sentiments :
L'Amour : *Entre chiens et loups*
La Haine : *La couleur de la haine*
L'Espoir : *Le choix d'aimer*

Trois volumes de la collection

MILAN

He who binds himself to a joy
Does the wingèd life destroy ;
But he who kisses the joy as it flies
Lives in eternity's sun rise.
William Blake

Celui qui veut conquérir la joie,
Malgré lui, la brisera ;
Celui qui, quand elle passe, sait doucement l'embrasser
Pourra toute sa vie en profiter.

PROLOGUE

Œil' pour œil'

Jude

C'était la fin de l'hiver. La fin d'un hiver glacial et sombre. Une nuit de février. Une nuit parfaite. Je roulais doucement, très doucement, derrière la fille enceinte. Elle avait un très gros ventre. Je la suivais. J'avais éteint mes phares et je prenais garde de ne pas faire gronder le moteur de ma voiture. Je maintenais juste assez de pression sur l'accélérateur pour l'empêcher de caler. Je devais me montrer extrêmement prudent. Si elle se retournait, les vitres teintées du véhicule l'empêcheraient de me reconnaître, mais si j'étais encore en vie aujourd'hui, c'est parce qu'en toute occasion, j'avais su éviter les risques inutiles. Et je ne voulais pas qu'elle sache qu'elle avait de la compagnie. Pas encore.

Elle portait avec peine deux gros sacs de courses. Son pas était lent et lourd, ses épaules accablées. J'ai plissé les yeux. Perséphone Mira Hadley. La Prima qui avait eu l'effet d'une tornade dans la vie de ma famille, ne laissant après son passage que mort et désolation.

Sephy Hadley, responsable de la mort de mon frère, Callum McGrégor.

Sephy qui, ce soir, allait payer.

Œil pour œil, dent pour dent. Une vie pour une vie, une mort pour une mort. C'était la base. C'était simple.

J'ai appuyé sur le bouton pour baisser ma vitre, qui a émis un très léger sifflement. L'air glacial m'a caressé le visage. C'était bon. Le froid ne me dérangeait pas, au contraire. La température et le temps s'accordaient parfaitement à mon humeur, à mon insatiable soif de vengeance. J'attendais ce moment depuis des semaines et j'avais l'intention d'en savourer chaque seconde. Je ne sais pas qui a affirmé que la vengeance est un plat qui se mange froid, mais il savait de quoi il parlait. Un Nihil, sans doute. J'avais dû me montrer patient, très patient, mais l'instant dont je rêvais depuis la mort de mon frère était enfin arrivé.

Sephy s'est arrêtée devant un immeuble qui avait connu de meilleurs jours, et qui n'en connaîtrait pas beaucoup de pires. Elle a grimpé les marches de pierre, puis a posé ses sacs à ses pieds en prenant garde de plier les genoux et pas le dos. J'ai observé l'immeuble délabré. Le quartier était principalement habité par des Nihils. Les Primas qui vivaient là étaient rares et, pour la plupart, c'étaient des soi-disant libéraux ou des va-nu-pieds, de toute façon trop pauvres pour vivre ailleurs. Je me suis demandé une nouvelle fois pourquoi Sephy s'était installée dans un endroit aussi miteux au lieu de vivre dans la grande maison familiale comme la petite princesse gâtée qu'elle était. Je ne voyais qu'une raison. Son père et sa mère l'avaient jetée dehors en découvrant sa grossesse.

En découvrant sa grossesse, ou en découvrant qu'elle était enceinte d'un Nihil ? Les Primas n'ont pas intérêt à se mélanger avec des Nihils, à moins de chercher les ennuis. Surtout quand ils s'appellent Hadley. La carrière du père de Sephy n'avait pas tant souffert de son divorce et il était même sur le point d'être désigné chef de son parti aux prochaines élections internes. Comment s'en était-il tiré ? En jouant la bonne vieille carte du politicien : celle du « eux et nous ».

Comment c'était déjà, son dernier discours à la télé ?

« Tous les gens sensés de ce pays s'inquiètent, avec raison, du flot d'immigrants illégaux qui franchissent chaque jour nos frontières. »

(Là, bien sûr, on voyait en arrière-plan des pauvres Nihils entassés sur un minuscule voilier sur le point de couler.)

« Avec la meilleure volonté du monde, nous ne pouvons pas accueillir tous les déshérités de la planète. Nous n'avons ni assez de place, ni assez de ressources. La criminalité augmente (une image d'un Nihil en train de se battre, appréhendé et menotté par deux policiers primas), *les listes d'attente pour les logements sociaux sont interminables alors que les immigrants illégaux sont traités en priorité et obtiennent ces logements en premier. C'en est trop ! Au gouvernement nous sommes prêts à endiguer... et bla bla bla... ! »*

Dans le genre j'attise la haine entre Nihils et Primas, on trouvait difficilement mieux. Je lui tirais mon chapeau. Le juste équilibre d'indignation et d'images fortes, le « flot » de Nihils illégaux, l'inquiétude de tous les gens « sensés » du pays, le bon vieux « si vous n'êtes pas avec nous, vous êtes contre nous ». Rien de mieux qu'une bonne dose de haine raciale pour faire marcher l'économie.

Le père de Sephy. Je le haïssais presque autant que Sephy elle-même. La haine... quel mot ridiculement faible. Tellement loin de ce que je ressentais pour Sephy. Il n'était ni assez puissant, ni assez profond pour exprimer mes sentiments envers la meurtrière de mon frère.

– Dépêche-toi ! ai-je articulé silencieusement, alors que Sephy fouillait dans une des immenses poches de son manteau à la recherche de sa clé.

Ça lui a pris du temps. Elle a enfin ouvert la porte, soulevé de nouveau ses sacs de courses et disparu à l'intérieur de l'immeuble. J'imagine que ça ne doit pas être facile de se pencher avec un ventre comme un ballon de plage. Je me suis garé face à l'immeuble et j'ai coupé le moteur au moment où Sephy refermait la porte. J'ai vérifié les alentours dans mes rétros. Parfait. Tout se passait bien. Je n'avais attiré aucune curiosité déplacée. En fait, la rue était presque déserte. J'ai de nouveau observé l'immeuble. Je savais que Sephy vivait au premier étage. Je connaissais le numéro de son appartement. Je connaissais ses habitudes, celles du jour et celles de la nuit. Je savais presque tout sur elle. Après qu'elle a assassiné mon frère, son père la faisait accompagner partout par des gardes du corps. Mais ça n'avait pas duré plus d'un mois. Elle avait emménagé dans cet appartement, la semaine où elle avait tué mon frère. Mes camarades de la Milice de libération et moi-même avions passé beaucoup de temps à établir son emploi du temps et celui de ses proches. Nous ne sommes peut-être pas nombreux, mais nous sommes parfaitement organisés. La police et le gouvernement le savent très bien.

Sephy ne va pas tarder à l'apprendre.

Une minute plus tard, une de ses fenêtres s'est éclairée, comme un chat paresseux qui n'ouvrirait qu'un œil. Sephy était chez elle. Seule. Sa silhouette est passée devant la fenêtre. Elle a tiré les rideaux.

Avait-elle regardé dans ma direction ?

Reprends-toi, Jude. Elle ne sait même pas que tu es là. Elle ne sait pas si tu es mort ou vivant. Elle ne peut pas te voir. Ne perds pas les pédales. Pas maintenant.

Je te regarde, Perséphone Hadley. Je suis en bas de chez toi et je te regarde. Plus tard, cette nuit, quand le moment sera venu, je te rendrai une petite visite. Perséphone Hadley. Dix-huit ans. Enceinte de six mois. Celle qui a tué mon frère. Celle dont les mains sont couvertes du sang de mon frère.

Perséphone Hadley.

Celle qui va mourir cette nuit.

Minerva

– Sephy, où étais-tu ?

J'ai frissonné. L'appartement de Sephy n'était pas telle-ment plus chaud que le hall de son immeuble. Je l'avais attendue devant sa porte pendant des heures, à me geler les fesses et à subir les regards des autres locataires.

– Comment tu es entrée dans l'immeuble ? m'a demandé Sephy en fermant ses rideaux.

– Je me suis glissée à l'intérieur au moment où un autre rési-dent sortait.

En réalité, je n'étais pas sûre que Sephy me laisserait entrer si je me contentais de sonner à l'interphone. En arrivant direc-tement chez elle, j'avais plus de chances de ne pas me faire jeter. Mais je n'avais pas prévu qu'elle ne serait pas là. Ni que la nuit serait aussi froide. Alors, je m'étais postée devant sa porte, assise sur le paillasson, emmitouflée dans mon manteau.

Le palier du premier étage était sombre et lugubre. Apparemment, personne n'avait pensé à installer une ampoule de plus de quarante watts pour l'éclairer mieux. Dans la semiobscurité, les murs semblaient vert boue, ce qui expliquait peut-être pourquoi on ne s'était pas donné la peine de mettre une lumière plus forte. Mais même dans le noir, on sentait les odeurs d'humidité et de moisi. Sephy est enfin arrivée. Quand elle m'a vue, elle n'a pas dit un mot. Elle a ouvert la porte, laissé tomber ses sacs sur le canapé et elle a commencé à fermer tous les rideaux. Je ne pouvais pas dire qu'elle m'avait accueillie à bras ouverts, mais elle ne m'avait pas non plus mise à la porte. Du moins, pas encore.

– Je t'attends depuis une heure. T'étais où ?

Je regrettais déjà mon ton plaintif.

Sephy m'a jeté un regard froid.

– J'étais partie faire les courses, ça ne se voit pas ?

Intérieurement, j'ai poussé un soupir. Je n'avais pas vraiment prévu de me disputer avec Sephy une minute après avoir mis les pieds chez elle. J'ai réessayé :

– Tu ne devrais pas porter des sacs si lourds dans ton état.

– Je ne peux pas me nourrir d'air, Minnie, m'a rétorqué Sephy en se dirigeant vers sa minuscule cuisine.

Une cuisine plus petite que ma salle de bains à la maison. L'appartement de Sephy était si exigu et si mal éclairé ! On devait se cogner les coudes en enfilant son pull-over. Comment ma sœur pouvait-elle vivre ici ? Et le quartier était plein de Nihils !

– Qu'est-ce que tu veux, Minnie ? m'a lancé Sephy.

À son ton méprisant, j'ai compris qu'elle avait deviné ce que je pensais de son appartement. J'avais sans doute fait une grimace dégoûtée. Elle a commencé à empiler des boîtes de conserve sur un plateau, devant elle.

– Nous voulions savoir comment tu allais, me suis-je lancée.

– Nous ?

– Maman et moi, ai-je répondu. Nous aimerions que tu rentres à la maison.

– Fais ci, fais pas ça, achète ce vêtement... a riposté Sephy. Non merci. Très peu pour moi.

– Nous voudrions oublier le passé, ai-je hasardé. Repartir de zéro.

Au moment où les mots ont quitté ma bouche, j'ai su que c'étaient exactement ceux que je n'aurais pas dû prononcer. Sephy m'a jeté un regard si venimeux que j'ai eu un mouvement de recul.

– Repartir de zéro, a lentement répété Sephy. Et quelle partie du passé souhaitez-vous effacer ? Le fait que mon meilleur ami était un Nihil ? Ou que mon amant était un Nihil ? Ou qu'il m'a kidnappée ? Ou que je suis enceinte de lui ? Laquelle de ces choses êtes-vous prêtes à oublier et pardonner ?

– Sephy, ce n'est pas ce que je voulais dire, je...

– Bien sûr que si ! a craché Sephy.

– Écoute, Sephy, je fais de mon mieux, laisse-moi au moins une chance.

– Pourquoi je ferais ça ?

J'ai soupiré. Sephy et moi n'avions jamais été très proches, et Dieu sait que je faisais de mon mieux pour améliorer nos relations. Mais elle refusait de faire un pas vers moi.

– Je vais t'aider à ranger, ai-je proposé en désignant les sacs.

Je les lui ai pris des mains et j'ai commencé à remplir le minuscule réfrigérateur. Vraiment minuscule. J'avais porté des bas plus hauts que ce frigo ! Les achats de Sephy consistaient en une brique de jus d'orange bon marché, un carton de deux litres de lait demi-écrémé, un petit morceau de fromage à pâte dure, une mini-quiche lorraine à faible teneur en sel, une demi-douzaine d'œufs, un sachet de salade déjà lavée (en solde) et une tranche de pain brun. L'autre sac contenait des produits ménagers. Tant mieux, parce que le réfrigérateur était plein à craquer.

– Sephy, pourquoi ne rentres-tu pas à la maison ? ai-je de nouveau essayé. Tu serais plus que la bienvenue.

– Ce n'est pas ce que vous avez dit quand vous avez appris que je portais l'enfant de Callum, a-t-elle rétorqué.

– C'était avant, maintenant c'est différent, ai-je lancé en vidant le second sac.

Sephy m'a à peine entendue. Elle s'est dirigée vers la fenêtre du salon et a entrouvert un des rideaux. Ça n'a duré qu'une fraction de seconde. Elle a jeté un coup d'œil dehors et a refermé le rideau.

– Il faut que tu partes ! Maintenant ! m'a-t-elle ordonné.

– Non. Nous voulons que tu rentres à la maison. Cette fois, Maman n'acceptera pas le moindre refus.

– Et Papa, il dit quoi ?

– On ne lui a pas demandé son avis. C'est la maison de Maman, à présent.

– Tu l'as vu depuis le divorce ?

– Une fois.

Sephy m'a regardée droit dans les yeux.

– Est-ce qu'il a parlé de moi ?

– Non, ai-je menti.

Sephy a souri. C'est tout. Elle a souri. Nous savions toutes les deux que je mentais. J'avais toujours tellement mal menti.

– Tu ne demandes pas de nouvelles de Maman ? ai-je grommelé.

– Non.

– Tu lui manques, figure-toi.

Le désespoir s'entendait dans ma voix.

– Elle est bouleversée que tu n'aies pas essayé de l'appeler.

– Je l'ai déçue, n'est-ce pas ? a lancé Sephy sérieusement.

Voilà ce que je suis : une déception pour Maman, une gêne pour Papa. Et les deux pour toi.

– C'est faux… ai-je tenté.

– Arrête tes salades, m'a interrompue Sephy, repoussant mes protestations de la main. La prochaine fois que tu verras Papa, dis-lui… dis-lui… non, rien. Ça n'a pas d'importance.

– Il va venir te voir, ai-je dit tristement. Dès qu'il aura un peu de temps, dès que…

– Ça m'est égal.

Sephy a secoué la tête.

– Vous pensez tous que j'ai besoin de votre pardon, n'est-ce pas ? Vous considérez que je vous ai trompés ! Ce serait presque drôle si ça n'était pathétique.

– Sephy, tu es injuste, je…

Je me suis tue. À chaque fois, je mettais les pieds dans le plat.

– Je n'ai plus envie de discuter de tout ça, Minnie, a dit Sephy d'une voix lasse. Ça n'a plus d'importance. Plus rien n'a d'importance. Tu devrais partir. Tu n'es pas en sécurité ici.

J'ai froncé les sourcils.

– Pourquoi ?

J'ai eu un frisson.

– Parce que c'est comme ça. Va-t'en, maintenant.

– Si moi je ne suis pas en sécurité, toi non plus…

– Minnie, je t'ai demandé de partir avant qu'il soit trop tard.

Je me suis mordu la lèvre.

– Tu me fais peur, Sephy. Je ne pars pas sans toi.

– Si tu ne pars pas maintenant, tu ne pourras peut-être plus jamais partir.

– Qu'est-ce que…

Soudain, on a frappé à la porte. Une étrange expression de résignation s'est peinte sur le visage de ma sœur. J'étais glacée à présent.

– Viens ici ! m'a soufflé Sephy en se dirigeant vers la porte.

Surprise par son ton autoritaire, j'ai obéi sans ciller.

– Écoute, a-t-elle continué à voix basse, quand je vais ouvrir la porte, tu vas partir tout de suite. Sans poser de questions. Tu pars et c'est tout, d'accord ?

J'ai acquiescé. Sephy a ouvert la porte. Un Nihil qui m'était vaguement familier se tenait dans l'encadrement. Il était grand et large d'épaules. Il portait un jean sale et usé jusqu'à la corde et une veste noire munie d'au moins cinquante poches. Il avait aussi un feutre noir qui dissimulait si bien ses cheveux qu'on avait l'impression qu'il était collé sur sa tête. Je l'ai examiné, essayant de me rappeler où je l'avais déjà croisé.

– Au revoir, Minerva, m'a lancé Sephy.

Elle s'était écartée pour me laisser passer. On aurait pu couper au couteau la tension qui s'était soudain installée dans la pièce. Ou même à la petite cuiller. J'ai de nouveau regardé ma sœur, puis l'étranger.

– Au revoir, Minerva, a insisté Sephy.

– Je crois que je vais rester encore un peu…

Je n'avais absolument pas prévu de prononcer cette phrase.

– Oui, bonne idée, a reparti l'homme.

Il est entré dans la pièce et a fermé la porte derrière lui.

– Hé, vous n'avez pas le droit d'entrer comme ça chez les gens ! ai-je crié.

– J'ai tous les droits ! a-t-il riposté en levant nonchalamment la main vers une de ses poches.

Une seconde plus tard, il a sorti la main de sa poche et ses doigts étaient crispés sur la crosse d'une arme automatique. Son index caressait la détente.

Jude

Du coup, elle a fermé sa gueule. Cette sale petite pute prima. Je ne m'attendais pas à trouver la sœur de Sephy dans l'appartement, mais c'était comme un bonus. Deux pour le prix d'une, que demandait le peuple ? Alors là, mon vieux Hadley, tu allais avoir du mal à t'en remettre. Le regard effaré et terrifié de Minerva quand elle a aperçu mon arme valait le déplacement. En revanche, j'ai été surpris par l'attitude de Sephy. Et je déteste les surprises.

Pas d'étonnement. Pas d'horreur. Pas de panique incontrôlable. Juste un regard comme je n'en avais jamais vu auparavant. Comme si elle avait été… contente. Elle ne souriait pas, mais elle était comme éclairée de l'intérieur. Je ne peux pas le décrire autrement.

J'ai serré la mâchoire. Je voulais qu'elle soit submergée par la peur et elle n'était même pas nerveuse.

C'est à ce moment que Minerva s'est mise à hurler. Cette sale petite pute !

– Ta gueule ! ai-je crié.

Mais elle a continué à pousser des cris perçants. Je n'étais pas d'humeur à lui demander de se taire deux fois de suite. J'ai levé mon arme, prêt à la descendre, mais Sephy s'est plantée devant elle et l'a giflée. Si fort que j'ai cru que la tête de Minerva allait se détacher de son cou. J'ai eu moi-même un mouvement de recul.

– Tais-toi, Minnie, sinon il te tuera, a-t-elle sifflé.

Minnie a étranglé un sanglot et s'est mordu la lèvre. Elle ressemblait à un lapin effrayé. C'est comme ça que je voulais voir Sephy. L'émotion parfaite, mais sur la mauvaise sœur.

– Laisse-la partir, Jude. Elle n'a rien à voir dans tout ça. C'est moi que tu veux, a calmement dit Sephy.

– Tu sais pourquoi je suis ici… ?

Sephy a haussé les épaules.

– Tu me suis depuis deux ou trois jours. Bien sûr que je sais pourquoi… Et je me doutais que tu agirais aujourd'hui, a-t-elle ajouté.

Elle savait que je la suivais ? Pourquoi n'avait-elle pas alerté la police ou son père ?

Mais peut-être l'avait-elle fait ?

– Toutes les deux, sur le canapé ! ai-je ordonné en me plaçant rapidement sur un côté de la porte.

Sephy m'a obéi. Minerva était toujours immobile, sidérée. Elle ne m'avait même pas entendu. Sephy l'a tirée par le bras et l'a entraînée. J'ai inspecté du regard le minuscule appartement, sans cesser de tenir Sephy et sa sœur en joue. Nous étions seuls. Mais pour combien de temps ?

– Je t'attendais ce matin, m'a dit Sephy pendant que j'inspectais les lieux.

– Alors tu te rappelles quel jour on est ?

– Comment aurais-je pu oublier ?

Je l'ai dévisagée. Une fois de plus, elle me surprenait.

– Sephy… a marmonné Minerva dans un souffle.

– Jude, laisse-la partir. Je ne te créerai aucun souci, je te le promets, a dit Sephy.

– Non, elle sait qui je suis.

J'ai regardé Minerva et j'ai réalisé que, jusqu'à cet instant précis, elle n'en avait pas été sûre.

– Jude McGrégor… s'est-elle étranglée.

Sephy a secoué la tête devant la stupidité de sa sœur. Je n'ai pas pu m'empêcher de sourire. Le mouton qui avait donné sa laine pour mon pull était sans doute plus vif d'esprit.

– Sephy, qu'est-ce qu'il fait là ? Qu'est-ce qui se passe ? Est-ce que tu t'es réconciliée avec lui ?

Sephy a toisé sa sœur avec un tel mépris que je pense que si elle avait eu mon arme, elle aurait fait le boulot à ma place.

– Je suis désolée, s'est rapidement reprise Minerva. Je ne sais plus ce que je dis. Que se passe-t-il ? Pourquoi est-il ici ?

– Je lui dis ou tu t'en charges ? m'a défié Sephy.

– C'est toi la fille qui a réponse à tout. On t'écoute.

Le canon de mon arme était pointé sur son cœur et le resterait jusqu'à ce que j'aie fini mon travail.

– Jude est là pour me tuer, a dit Sephy en me fixant.

Les yeux de Minerva se sont tellement agrandis qu'on avait l'impression qu'ils emplissaient son visage.

– P… pou… pourquoi ? a bégayé Minerva. Pourquoi maintenant ?

Une fois de plus, j'ai été frappé par la différence entre les deux sœurs.

– Réponds-lui, ai-je ordonné à Sephy.

Sephy m'a observé, elle était étrangement impassible.

– Parce qu'aujourd'hui, c'est l'anniversaire de Callum.

Minerva

– « *Je sais un lieu appelé "le faux est vrai"*
Où la nuit, le soleil éclaire les bosquets... »
J'ai regardé ma sœur, estomaquée. Elle chantait. Dans un moment pareil, elle chantait. Et en plus, elle chantait n'importe quoi. Les vraies paroles étaient : « *Je connais un lieu appelé "le vrai est faux", où les oiseaux bourdonnent et où les abeilles jouent du pipeau !* » J'ai secoué la tête. Qu'est-ce qui m'arrivait ? Jude McGrégor était sur le point de nous tuer toutes les deux, ma sœur et moi, et je pensais à une stupide chansonnette de gamin. J'ai jeté un coup d'œil à Jude. Et s'il tirait juste parce que ma sœur chantait ?

– Est-ce que tu acceptes de la laisser partir ? a demandé Sephy.

– Je ne vais nulle part sans toi ! me suis-je écriée.

– Crois-moi, tu n'as aucune envie de me suivre là où je vais, m'a assuré Sephy.

J'ai ressenti une peur terrible, j'étais submergée par cette peur. Je n'avais plus peur pour Sephy mais de Sephy. Elle avait un air féroce, déterminé. J'ai compris à cet instant que je ne connaissais pas ma sœur. Je ne la connaissais pas du tout. Elle était d'un côté de la galaxie et moi de l'autre.

– Alors, Jude, a insisté Sephy, tu la laisses partir ?

– Non.

– Dans ce cas, ligote-la et mets-la dans la salle de bains, mais s'il te plaît, ne lui fais pas de mal.

– Non, a répété Jude d'un ton qui reflétait une parfaite indifférence.

Il a avancé d'un pas, l'index fermement fixé sur la détente.

– Attends, non, s'il te plaît, attends.

J'ai tendu les bras comme si j'avais ainsi le pouvoir d'arrêter les balles.

– Jude, attends. Mon père te donnera tout ce que tu veux. Une grosse somme d'argent. Ou de la publicité. Ou il relâchera des membres de la Milice de libération. Tu n'as qu'à demander.

J'étais complètement paniquée, ma voix était stridente. Je ne voulais pas mourir.

Je ne voulais pas mourir.

– Ça fait quoi quand on sait qu'on va vivre ses derniers instants sur terre ? a demandé Jude d'une voix doucereuse.

Je n'ai pas répondu. Qu'aurais-je pu répondre ?

– Maintenant, tu sais ce que mon frère a ressenti pendant qu'on lui passait la corde au cou, a poursuivi Jude. Je vais te faire souffrir comme il a souffert. Rien de trop rapide, pas de fin expéditive. Tu vas agoniser lentement. Je dois bien ça à mon frangin.

– S'il te plaît, ai-je supplié, mon père te donnera tout ce que tu veux...

– Je ne veux qu'une chose, a lentement prononcé Jude.

– Dis-le ! Dis-le, tu l'auras !

Une poussée d'adrénaline a traversé mon corps.

– Je veux que mon frère revienne. Est-ce que ton père peut faire ça ?

J'ai vomi. J'ai vomi sur mes genoux, sur le plancher. Panique, terreur, adrénaline, soulagement, déception, désespoir – le cocktail d'émotions qui bouillait en moi devait sortir d'une manière ou d'une autre. J'ai rendu mes tripes.

Sephy s'est levée.

– Où tu vas ? lui a lancé Jude.

– À la salle de bains, chercher des serviettes pour nettoyer ma sœur, a répondu Sephy sans s'arrêter.

– Tu restes où tu es !

– Sinon, tu fais quoi ? Tu me tires dessus ? C'est ce que tu vas faire de toute façon !

Sephy a continué d'avancer vers la salle de bains.

– Ne bouge plus ! a rugi Jude.

Sephy s'est arrêtée. Un pas de plus, et elle prenait une balle dans le dos.

– S'il te plaît, ai-je murmuré, Sephy, ça va, ça va, s'il te plaît, ne bouge pas.

Mais elle ne m'a même pas entendue. Elle s'est lentement tournée vers Jude.

– De quoi as-tu peur ? lui a-t-elle lancé. Je n'ai pas l'intention de fuir, ni d'appeler à l'aide ou quoi que ce soit d'aussi stupide. Il est...

Sephy a jeté un coup d'œil à sa montre.

– ... il est dix heures et demie. Puisque tu es venu si tard, je suppose que tu veux me tuer avant minuit. C'est ce que je ferais à ta place. C'est plus symbolique. Callum n'a pas atteint son anniversaire et je ne vivrai pas au-delà de cette date. Si j'étais toi, je tirerais une ou deux secondes avant minuit. Ce serait ton cadeau à Callum. Je suis sûre que tu es sensible à la justice poétique de cet acte.

Mon cœur battait si fort que j'entendais à peine les mots de Sephy. Mais j'en savais assez. Sephy savait que Jude allait la tuer. Et s'il la tuait, il me tuerait aussi. Avant ou après. D'une façon ou d'une autre, je ne verrai pas le prochain lever de soleil. Des images de toutes les choses qui allaient me manquer me sont apparues : Maman et Papa, ma maison, les glaces au chocolat, le saumon fumé, le porridge. Des tas d'autres petites choses sans importance. J'en avais l'estomac retourné. J'ai avalé ma salive. J'avais peur de vomir à nouveau. J'aurais voulu me fondre dans le canapé, disparaître jusqu'à ce que tout soit fini. Pourquoi est-ce que Sephy ne faisait rien ? Avait-elle un plan ? Elle attendait peut-être des gens. Elle essayait peut-être juste de gagner du temps. Est-ce que Jude croyait ce qu'elle venait de dire ? Sephy se tenait devant lui comme si tout ça était l'évidence même.

– Alors, si on attend la dernière minute, en quoi ça te dérange que je nettoie un peu ma sœur ?

– C'est pas la peine, a répondu Jude.

Le message était clair. Sephy a haussé les épaules et est revenue vers moi. Elle a pris un mouchoir en papier dans sa poche et me l'a tendu avant de se rasseoir. Je me suis essuyé le visage.

– Je pensais seulement nous épargner l'odeur, a dit Sephy.

– J'ai senti des odeurs plus nauséabondes, j'ai vécu des situations plus nauséabondes, a répliqué Jude.

Sephy a acquiescé sombrement :

– Je n'en doute pas.

Je ne pouvais pas en entendre plus. Je me suis mise à pleurer. Des sanglots étouffés que j'essayais de contrôler de toutes mes forces. Jude pouvait nous tuer à tout moment. Il nous restait peut-être une minute, ou soixante, à vivre mais le compte à rebours avait déjà commencé. Précieuses, précieuses minutes. J'ai essayé de nettoyer le vomi sur mon pantalon avec le mouchoir en papier, mais il était déjà imbibé. J'ai essuyé mes mains sur le sol, pour qu'elles ne soient pas couvertes de salissures, mais je ne pouvais pas me débarrasser de l'odeur. L'odeur aigre et chaude du vomi de pizza, de salade caesar et de gâteau au chocolat, qui me donnait envie de rendre à nouveau.

– « *Je sais un lieu appelé "le faux est vrai"*
Où la nuit, le soleil éclaire les bosquets…

Ma sœur a recommencé à chanter.

– *… où le bas est en haut et dedans le dehors*
Où quand tu veux chuchoter, tu cries très FORT
Où la haine, c'est merveilleux, et l'amour c'est hideux… »

– Tu as une jolie voix, a dit Jude.

J'étais une fois de plus ébahie.

Sephy a haussé les épaules et soudain elle s'est figée.

– Callum aussi trouvait que j'avais une jolie voix, a-t-elle dit.

J'ai grimacé et j'ai mentalement maudit Sephy pour avoir mentionné le nom de Callum. Ça ne pouvait que nous faire tuer un peu plus vite. J'osais à peine respirer en attendant la réaction de Jude, mais il est resté là, son arme pointée sur le cœur de Sephy, à la regarder sans ciller. Ce moment de silence est vite devenu oppressant et personne ne reprenait la parole.

– J'aimais Callum, tu sais, a dit Sephy tout à coup. Je l'aime toujours.

Je n'osais pas respirer.

– Tu es une Prima, mon frère est… était un Nihil. L'amour entre les Nihils et les Primas n'existe pas, a calmement objecté Jude.

– C'est drôle, un jour, Callum m'a dit la même chose.

– Tu vois.

– Et puis, il s'est aperçu qu'il avait tort. Complètement tort. Il me l'a dit aussi, a continué Sephy.

– Et quand cette soi-disant révélation a-t-elle eu lieu ? a ricané Jude.

– Dans la cabane où vous m'aviez enfermée, après m'avoir enlevée pour extorquer de l'argent à mon père, a dit Sephy.

Elle a ajouté avec un sourire délibéré :

– La nuit où il m'a dit qu'il m'aimait. La nuit où nous avons fait l'amour.

Jude s'est raidi.

– Callum t'a dit ça parce qu'il voulait te baiser, c'est tout ! Callum ne t'a jamais aimée. Tu mens !

– Non, je ne mens pas. Callum m'aimait et je l'aimais. Et mon ventre où grandit notre enfant en est la preuve.

J'ai pris une grande inspiration, autant par peur que pour remplir mes poumons d'air. Sephy essayait-elle de provoquer Jude ? Si c'était ce qu'elle voulait, elle y arrivait particulièrement bien.

– Callum ne t'aimait pas, a lâché Jude avec mépris. Il haïssait les Primas autant que moi. Pourquoi crois-tu qu'il s'est enrôlé dans la Milice de libération ?

– Désespoir ? Colère ? Peur ? Je ne sais pas, a lancé Sephy. Mais il a fini par admettre qu'il s'était trompé. Il a fini par comprendre que votre manière d'agir n'apporterait aucune amélioration. Tôt ou tard, toi et ceux de ton espèce vous réveillerez et comprendrez que deux erreurs ne font pas une chose juste.

– Ceux de mon espèce ? a grogné Jude. De quelle espèce s'agit-il ?

– Sephy, s'il te plaît, ne l'agresse pas, ai-je supplié ma sœur en posant ma main sur son bras.

Elle m'a repoussé et a repris :

– Les gens de ton espèce sont ceux qui pensent qu'ils ont le droit de tuer et blesser les autres pour obtenir ce qu'ils veulent. Ceux qui croient que la fin justifie les moyens. Ceux qui…

– Assez !

Jude s'est avancé d'un pas.

– Ceux qui sont prêts à tuer l'enfant de leur propre frère…

Jude a appuyé le canon de son arme sur le front de Sephy.

– Non… ai-je marmonné.

Un tic nerveux agitait la joue de Jude. À part ça, il était parfaitement immobile.

– Qu'est-ce qui t'arrive, Jude ? Tu es jaloux ? C'est ça ton problème ?

Un sourire éclairait le visage de Sephy. Elle semblait… presque heureuse. Extatique.

– Callum a caressé de ses mains blanches de Nihil mon corps noir de Prima… Imagine sa langue dans ma bouche, son corps contre le mien pendant qu'il murmurait sans fin à mon oreille à quel point il m'aimait, à quel point il m'adorait, que j'étais plus importante pour lui que le reste du monde… plus importante que toi… surtout plus importante que toi…

– SEPHY, NON… ai-je hurlé.

Jude a pressé la détente.

Jude

Mon flingue s'est enrayé. Je n'arrivais pas à y croire. Il ne m'avait jamais fait ça. Mon cœur battait si vite qu'on aurait dit un bolide lancé à pleine vitesse. Je respirais si fort que ma poitrine se soulevait au rythme de pistons emballés. Je n'arrivais pas à croire que Sephy avait réussi à me faire à ce point perdre mon self-control. Je suis un soldat de la Milice de libération. Un soldat entraîné. J'ai subi des interrogatoires menés par des experts, qui n'ont jamais rien pu tirer de moi, mais Sephy était parvenue à me faire sortir de mes gonds avec quelques mots choisis. Je la haïssais avant, mais à présent ma haine était multipliée par dix, par cent.

J'avais laissé mon doigt sur la détente, prêt à appuyer de nouveau… à tirer, tirer, jusqu'à ne plus avoir de balles. Mais cette stupide petite pute de Minerva s'est jetée sur moi, comme dans un feuilleton télé à l'eau de rose, et a essayé de détourner ma main. Moins d'une seconde plus tard, Sephy s'était levée à son tour. Minerva hurlait, pleurait et luttait pour maintenir mon bras dirigé vers le plafond, mais j'étais beaucoup plus fort qu'elle. J'allais m'occuper d'elle d'abord, de Sephy tout de suite après. Je m'attendais à ce que Sephy aide sa sœur, mais une fois de plus, elle m'a surpris. Elle tirait sa sœur en arrière. Elle n'a d'ailleurs eu aucun mal à l'obliger à reculer parce que Minerva ne s'y attendait pas.

Sephy a jeté sa sœur sur le canapé et s'est campée devant moi.

– Vas-y, Jude, m'a-t-elle demandé, vas-y. Qu'est-ce que tu attends ? TUE-MOI !

Et j'étais sur le point de le faire. À deux doigts. Mais ma tête a repris le contrôle. J'avais enfin compris. Quand Sephy affirmait ne pas vouloir s'échapper ou appeler à l'aide, elle ne mentait pas.

– Tu veux que je te descende, hein ? C'est ça ?

Ébahi, je n'arrivais toujours pas à y croire.

– Tu me suis depuis des jours. J'aurais pu te dénoncer ou te faire arrêter n'importe quand. Mais je ne l'ai pas fait. Nous avons les mêmes envies, Jude, alors vas-y !

– Sephy, non… a murmuré sa sœur sous le choc.

– Tais-toi, tu m'entends ! Tais-toi ! a crié Sephy à sa sœur. Je ne veux pas de toi ici. Je ne veux personne de ma soi-disant famille auprès de moi. Je vous déteste tous et vous êtes trop stupides pour le comprendre. Je ne vous pardonnerai jamais la manière dont vous nous avez traités, Callum et moi. Vous l'avez laissé mourir... Et je suis pire que vous, j'aurais pu... j'aurais pu le sauver ! Mais je ne l'ai pas fait. Je n'ai pas pu. Et je ne veux plus vivre avec cette idée.

Sephy a enfoui son visage dans ses mains et son corps a été pris de soubresauts. Elle est tombée à genoux. Son corps entier était secoué de sanglots et d'angoisse. J'ai baissé mon arme et je l'ai regardée. Nous étions tous là, silencieux, comme des acteurs qui auraient oublié leur texte.

Sephy a levé son visage baigné de larmes vers moi.

– Alors, vas-y, Jude McGrégor, a-t-elle prononcé d'une voix redevenue calme. Tu le dois à ton frère et tu me fais une faveur. Considère que c'est un *coup de grâce**, le seul acte de pitié de ta misérable vie.

– Sephy, tu oublies ton enfant, est intervenue Minerva.

Sa voix m'a fait sursauter. J'avais oublié sa présence.

– Ton enfant a besoin de toi, a-t-elle continué. Et c'est l'enfant de Callum aussi.

– C'est son enfant, mais ce n'est pas lui ! Est-ce que tu ne comprends pas ça ? J'aurais pu sauver Callum si j'avais accepté de me faire avorter. Papa m'a proposé ce marché, mais je n'ai pas pu...

– Ton père t'a proposé quoi ?

Mon sang s'était figé dans mes veines.

* En français dans le texte.

– Papa n'aurait jamais fait ça, a protesté Minerva. Tu dois te tromper, tu as mal compris…

– Minerva, grandis ! a lancé Sephy. D'une manière ou d'une autre, Papa nous a tous sacrifiés pour arriver au sommet. Est-ce que tu ne t'en es pas encore rendu compte ?

Minerva n'arrivait peut-être pas à y croire, mais moi si. Kamal Hadley aurait pu sauver mon frère, mais il avait proposé un ignoble marché : son petit-fils contre Callum. Il était aussi responsable de la mort de Callum que Sephy.

– Tu as donc laissé mourir mon frère, ai-je sifflé.

– Oui.

Sephy a levé le menton pour me regarder en face.

– Alors fais ce pour quoi tu es venu et qu'on n'en parle plus !

– Non, Jude, ne l'écoute pas ! a crié Minerva. Elle ne sait pas ce qu'elle dit. Sephy et Callum avaient le choix mais pas leur enfant. Sephy devait choisir l'enfant, c'était lui la priorité.

– Son enfant plutôt que mon frère ?

– Callum et moi n'avons jamais été très amis, mais je le connaissais assez bien pour savoir qu'il aurait voulu que son enfant vive, a murmuré Minerva d'une voix craintive. Et Sephy porte en elle ton neveu ou ta nièce. Tu penses vraiment que tuer l'enfant de Callum t'aidera à te sentir mieux ?

– Je ne fais pas ça pour moi, ai-je répondu.

– Pour qui alors ?

Si Minerva pensait éveiller en moi un quelconque sentiment de honte, elle était loin du compte. Des bons sentiments, je n'en avais pas.

– Écoute, Jude, a-t-elle repris. Tuer Sephy ne te ramènera pas Callum. Il ne reposera pas plus en paix dans sa tombe. Cet acte ne servira à personne.

– Tu ne sais même pas de quoi tu parles !

– C'est vrai ! a rétorqué Minerva. Tu accuses Sephy d'être responsable de la mort de ton frère et tu cries vengeance. C'est pour toi que tu veux tuer Sephy, pour te sentir mieux, aie au moins l'honnêteté de le reconnaître.

– Tu crois que c'est à ça que sert la Milice de libération ? À nous aider à nous sentir mieux ?

Minerva m'a regardé mais, sagement, n'a pas répondu.

– Vas-y, alors, puisque tu sais tout, ai-je continué, puisque tu sais ce que je ressens et ce que je pense, explique-moi pourquoi je me suis engagé dans la milice ?

Silence.

– Réponds ! ai-je rugi.

– Pour quelle raison rejoint-on un groupe terroriste... a-t-elle commencé.

– Nous ne sommes pas des terroristes ! Nous sommes des combattants de la liberté !

– Ce qui est bon pour l'un est un poison pour l'autre, a jeté Minerva d'une voix cinglante. Vous posez des bombes et vous tuez des innocents...

– Et combien de Nihils sont tués chaque jour par l'oppression prima ? Combien d'entre nous meurent physiquement et mentalement par la faute de votre système injuste ? Mais tant que ça ne vous touche pas directement, c'est comme si ça n'existait pas. Vous ne nous écoutez pas quand nous essayons de vous faire entendre ce que nous ressentons. Nous sommes obligés de crier et de crier fort.

– Poser des bombes et tuer des innocents, c'est votre façon de crier ? a demandé Minerva.

– Ça attire votre attention.

– Et ça vous prive de notre sympathie.

– On s'en tape de votre putain de sympathie, ai-je rugi. Nous, ce qu'on veut, c'est l'égalité, nous voulons les mêmes droits et les mêmes libertés que les Primas ! Allez vous faire foutre avec votre sympathie !

– Ma sœur n'est pas ton ennemie, a repris Minerva. Elle a essayé d'aider Callum. Elle a dit à tous ceux qui voulaient l'entendre qu'il était innocent.

– Si elle n'avait pas existé, mon frère serait encore en vie. Elle l'a assassiné.

– Il a été pendu…

– Si elle lui avait fichu la paix, Callum l'aurait oubliée et ne se serait pas fait prendre ; il serait en vie aujourd'hui.

Minerva n'avait rien à répondre à ça.

– Arrêtez de discuter ! Jude, fais ce que tu as à faire, m'a demandé Sephy d'une voix lasse.

– Sephy, non, a crié Minerva. Pense à ton enfant !

– Je ne pense à rien d'autre ! a hurlé Sephy. Et à chaque seconde qui passe, je déteste un peu plus ce bébé qui grandit en moi. Ce bébé qui vit, alors que Callum est mort !

Minerva a secoué la tête.

– Tu n'as pas le droit de dire ça…

Sephy s'est relevée.

– Minnie, fiche-moi la paix ! Tu as toujours détesté Callum, alors pourquoi tu te préoccupes de moi et de cet enfant, maintenant ?

– Tu es injuste, je…

– Taisez-vous toutes les deux ! ai-je ordonné.

J'en avais assez. J'avais besoin de rassembler mes idées.

J'étais venu dans le but de tuer Sephy et à présent, je n'étais plus sûr de rien. Pourquoi ? Parce qu'elle voulait mourir. Si je la descendais, je lui rendais service. Et ce n'était pas tout à fait le but recherché. Mais que décider, alors ?

Sephy me regardait.

– Tu ne vas pas le faire, c'est ça ? Tu ne vas pas le faire...

Elle s'est mise à crier.

– Pourquoi ? Tu te dégonfles ? Est-ce que ça t'aiderait si je me mettais à genoux devant toi et que je te suppliais. Ou alors je pourrais te supplier de me laisser la vie sauve. C'est ce que tu veux ?

– Sephy, tais-toi ! l'a rembarrée Minerva.

– C'est ça, Jude, a insisté Sephy. Tu veux que tes victimes soient désespérées et suppliantes. Je peux, si tu veux, je peux.

Minerva s'est placée devant sa sœur.

– Si tu veux tuer quelqu'un, a-t-elle dit, je suis en face de toi. Mais tu ne blesseras ni ma sœur, ni son bébé. Je jure sur la tombe de Callum que tu ne feras pas ça.

Et à ce moment, cette stupide Prima s'est jetée vers la porte en criant de toutes ses forces. Alors j'ai fait ce que j'avais à faire. J'ai levé mon arme et j'ai appuyé sur la détente. Cette fois, mon revolver ne s'est pas enrayé.

Minerva est lourdement tombée par terre. Elle s'est recroquevillée, puis immobilisée.

Minerva

– Minerva ! Minnie, parle-moi !

J'ai doucement ouvert les yeux. J'avais si froid. Pourquoi avais-je si froid ? Le visage de Sephy était au-dessus de moi et ses yeux étaient pleins de larmes. Elle avait posé ma tête sur ses genoux. Et derrière elle… Jude. Debout. Tout à coup, tout m'est revenu. Il y avait eu un bruit sec, comme une porte que l'on claque. Et une douleur avait broyé mon épaule, comme si une petite boule avait explosé sous ma peau.

– Seph…

J'ai essayé de parler mais mes lèvres semblaient collées l'une à l'autre. Gelées elles aussi. Pourquoi faisait-il si froid ? Très précautionneusement, Sephy a bougé ma tête et l'a reposée sur la moquette avant de se redresser.

– Espèce de salaud ! Meurtrier ! a-t-elle crié.

– Si j'avais voulu tuer ta sœur, elle serait morte, a-t-il répliqué.

– Et tu vas la tuer ?

– Non.

– Tu vas me tuer, moi ?

– Non. Ce n'est plus la peine. Regarde-toi : ton père t'a jetée dehors et tu as l'air d'avoir cent ans. Je pense que tu souffriras davantage si je te laisse la vie sauve.

– Mon père ne m'a pas jetée à la porte. C'est moi qui suis partie. Je ne veux plus rien avoir à faire avec ma famille.

– Mais bien sûr, a raillé Jude.

J'ai essayé d'ouvrir la bouche pour dire à Jude que ma sœur ne mentait pas, mais ma langue n'a pas réussi à former les mots. J'ai essayé de m'asseoir, mais une douleur m'a transpercée et je suis retombée sur le sol. Et tout à coup, la douleur a cessé et j'ai eu froid de nouveau.

– Si tu ne veux pas nous tuer, a dit Sephy, s'il te plaît, laisse-moi appeler une ambulance.

– Qui t'en empêche ? a lâché Jude.

Les yeux mi-clos, j'ai regardé Sephy se diriger d'un pas lourd vers le téléphone. Elle a posé sa main sur le combiné et a hésité.

– Vas-y, l'a encouragée Jude. Personne ici ne le fera pour toi. Nous les Nihils, on s'occupe de nos propres affaires. On aura au moins appris ça de vous les Primas.

– Je voulais qu'on me fiche la paix, c'est pour ça que j'ai emménagé ici, a dit Sephy.

– Si tu le dis.

– Oui, je le dis, a affirmé Sephy avant d'ajouter : tu vois, je savais que tu viendrais.

Jude et Sephy se sont regardés. Je saignais, j'allais peut-être mourir et ils m'avaient oubliée.

– Allez, vas-y, appelle ton ambulance, a enfin craché Jude.

Sephy a composé le numéro du service d'urgence. Elle s'est tournée vers moi et m'a adressé un sourire qui se voulait rassurant. Puis elle a parlé dans le téléphone. Mais je ne l'entendais pas et sa voix me semblait de plus en plus lointaine. La pièce s'effaçait. J'étais en train de mourir. La dernière chose que j'ai vue, c'est Jude qui s'approchait de ma sœur, son arme à la main. J'ai voulu crier, la prévenir, mais mes yeux se sont fermés...

Jude

Minerva ne me causerait plus de souci. Elle était hors jeu, mais elle survivrait. J'avais vu assez de blessures par balle dans ma vie pour savoir que celle-ci n'était pas fatale. J'ai attendu que Sephy raccroche avant de poser le canon de mon arme sur sa tempe. Elle s'est immobilisée.

– Tu as peut-être envie de mourir, Perséphone Hadley, mais malgré tes beaux discours, tu ne te fiches pas de ta sœur. Et puis, tu peux essayer de me convaincre du contraire, mais tu ne te fiches pas du tout du bébé qui pousse en toi.

J'ai baissé mon arme et à la place, j'ai posé mes lèvres sur la tempe de Sephy. Je lui ai murmuré d'une voix mielleuse :

– C'est comme ça que je vais me venger de toi. J'utiliserai ton enfant.

– Si tu touches à un cheveu de cet enfant, je te tue. Je te jure que je te tue, a sifflé Sephy entre ses dents.

Elle s'est reculée et m'a jeté un regard féroce de lionne.

– Tiens, tu n'es pas si différente de moi, on dirait, ai-je souri. Et tu n'as finalement pas tant envie de mourir.

– Jude, laisse mon enfant tranquille ! Je te préviens...

J'ai souri, j'avais déjà une nouvelle idée.

– Je vais te pourrir la vie. La tienne et celle de tous ceux que tu aimes. Et ton gosse m'y aidera.

Au loin, j'entendais les hurlements des sirènes qui se rapprochaient. J'ai regardé Sephy. Et enfin, j'ai obtenu ce pour quoi j'étais venu. Enfin, Sephy avait peur. Elle était terrifiée. Elle tremblait de la tête aux pieds. Oui, j'avais un plan. Un plan magnifique. Ça me prendrait du temps, j'allais devoir me montrer patient. Plus patient que je ne l'avais jamais été. Mais ça fonctionnerait. Et mon frère Callum serait enfin vengé.

– Laisse-nous, laisse-nous tranquilles, a murmuré Sephy.

J'ai réenclenché la sécurité de mon revolver, que j'ai glissé dans ma poche. J'ai posé ma main sur le ventre de Sephy. Elle a tressailli, mais n'a pas reculé. J'ai senti un mouvement sous ma paume. Le bébé bougeait.

– On se retrouvera, Sephy, l'ai-je prévenue. Toi et ton enfant.

Et j'ai quitté l'appartement au moment où les sirènes poussaient leur cri sous les fenêtres de Sephy.

THE DAILY SHOUTER

www.dailyshouter.new.id   Mercredi 12 mai

Un terroriste nihil abattu

Par Jon Gresham

© PHOTOS.COM

Hier soir, un terroriste suicide nihil, muni d'une ceinture d'explosifs, a été abattu à la gare d'Hackton. Un porte-parole de la police nous a déclaré : «*Nous avions été prévenus que ce terroriste avait l'intention de monter dans le prochain train, pour déclencher l'explosion juste après le départ. C'était en pleine heure de pointe et les conséquences auraient été désastreuses. C'est le genre d'actions lâches auxquelles la Milice de libération nous a habitués.*»

Un témoin nihil, choqué, nous a raconté : «*Quatre policiers en civil ont ouvert le feu dès que l'homme est entré dans la gare. Ils ne lui ont pas laissé une chance. Tout le monde hurlait et courait dans tous les sens. C'était terrifiant. On se serait cru dans un film.*»

Mais, comme le porte-parole de la police l'a immédiatement fait remarquer : «*Ne vous y trompez pas :*

si nous avions lancé la moindre sommation, le terroriste se serait immédiatement fait exploser avec sa bombe, faisant un grand nombre de victimes. Ne valait-il pas mieux un terroriste nihil mort que des centaines d'innocents, parmi lesquels des enfants ?»

La Milice de libération a envoyé un communiqué de presse condamnant la mort d'un de ses membres.

«*Il a été assassiné. On ne lui a même pas laissé une chance de se rendre. Tant que le gouvernement continuera d'agir ainsi, la guerre entre les Nihils et les Primas n'est pas près de cesser.*»

Le Premier ministre, Kamal Hadley, a immédiatement réagi à cette provocation :

«*Ces terroristes nihils sont des sous-hommes et ils ne gagneront jamais. Leur mépris de la vie humaine, que ce soit celle des Nihils ou des Primas, causera leur perte.*»

Si l'on considère que la fille de Kamal Hadley, Perséphone Hadley, a été enlevée l'an dernier, par la Milice de libération, on peut estimer qu'il a montré beaucoup de retenue dans ses propos. Perséphone Hadley s'est retrouvée enceinte après avoir été violée par Callum McGrégor, un des terroristes qui l'avaient kidnappée.

Quand Callum McGrégor a été pendu l'an dernier pour enlèvement et terrorisme politique, un grand…

(suite en p. 5)

ROUGE

Douleur
Colère
Rage
Sang
Tempête/orage
Arme
Révolte
Cris/hurlements
Assourdissant
Incendie/détonations/explosions
Naissance
Tornades/combats
Feu
Écarlate/bordeaux/cramoisi/rose
Trahison
Guerre
Haine

Jude

– S'te plaît! J'ai mal aux jambes! a grogné Morgan.

Allongé dans un des deux lits de la chambre d'hôtel, j'ai lâché:

– Mon pauvre chéri! Ne bouge pas de cette fenêtre. Je ne veux pas de surprise.

– Ça fait trois heures que j'y suis!

– Et t'as encore une heure à tenir, alors arrête de te plaindre, ai-je ordonné.

Il commençait à me taper sur les nerfs.

Morgan a soupiré et a soulevé le rideau brun pour surveiller la rue. Il a bu une gorgée de bière. Sans doute tiède, car il tenait sa cannette à la main depuis au moins une heure.

Je lui ai lancé un regard noir avant de me tourner vers la télé. J'ai zappé pendant cinq minutes sans rien trouver d'intéressant. Je me suis arrêté sur un feuilleton débile du genre qui n'oblige pas à réfléchir. J'avais besoin de mon cerveau pour des choses plus importantes.

Andrew Dorn, par exemple.

C'était ma priorité immédiate. Si nos informations étaient justes – et j'en étais de plus en plus convaincu –, le bras droit du général était un traître. C'est à cause de lui que l'enlèvement de Sephy Hadley avait tourné à la catastrophe. À cause de lui, tous les membres de ma section ont été tués ou arrêtés. Tous, sauf Morgan et moi. Le général l'ignorait mais Andrew Dorn travaillait main dans la main avec les autorités primas, et en particulier avec Kamal Hadley, le Premier ministre à qui on doit la plupart des lois racistes. L'enlèvement de Sephy Hadley était un acte politique mais il visait aussi son père personnellement.

Toute l'opération a mal tourné.

Par la faute d'Andrew Dorn.

Et je n'ai aucune idée de l'endroit où il se cache maintenant.

L'idée que ce type ait un poste si haut placé dans la hiérarchie de la Milice de libération me donne envie de vomir. Combien d'autres membres a-t-il trahis ? Combien d'hommes et de femmes a-t-il condamnés à la corde ? S'il me tombe sous la main, je n'aurai pas besoin de plus de trois secondes pour lui régler son compte. La Milice de libération doit se ressaisir, se réorganiser. Depuis que mon frère Callum est mort, rien ne va plus. La police a promis une énorme récompense à tous ceux qui donneraient une information permettant notre arrestation. Les médias nous appellent les « terroristes impitoyables ». Nous ne sommes pas des terroristes. Nous ne faisons que nous battre pour nos droits. Naître Nihil ne devrait pas nous fermer toutes les portes, avant même que nous ayons poussé notre premier cri. Être Nihil ne devrait pas automatiquement faire de nous des citoyens de seconde zone. En quoi notre peau claire fait-elle de nous des êtres si effrayants pour les Primas ? Nous nous battons pour nos droits. Mais les autorités ne voient pas les choses de cette manière. Le gouvernement a ouvert la chasse aux membres de la Milice de libération. Toutes les trahisons sont permises. Et s'ils peuvent nous pendre au passage...

Pendant que nous essayons de chasser pour notre propre compte, nous sommes devenus des proies. Mais les Primas ont commis une grossière erreur en tuant mon frère. À présent, Callum est un martyr, et les martyrs sont encore plus dangereux que les terroristes. Beaucoup de Nihils ont réclamé justice pour la mort de Callum – et pas seulement des membres de la Milice de libération. Mais ça m'est égal. De toute façon, chaque soir avant de m'endormir et chaque matin en m'éveillant, je promets à mon frère que je ferai payer les responsables de sa mort. Tous. Sans en épargner aucun.

Mais avec les sections de la milice éparpillées aux quatre vents et réduites à lutter pour leur survie, c'est difficile de concevoir une stratégie à long terme. Et même d'imaginer vivre à long terme. Il n'y a qu'à voir cette histoire avec ce prétendu terroriste nihil tué à la gare. Bel exemple de la nouvelle répression. Les flics ne lui ont pas laissé une chance. Leur tactique peut se résumer à : tire et après va boire un coup à la santé du mort. C'est pour ça que Morgan et moi sommes ici, planqués dans un hôtel miteux. Mais dans un quartier où nous avons quelques alliés.

Morgan mélangeait le contenu de son dîner déshydraté dans un petit pot en plastique en marmonnant. Je ne lui ai pas prêté attention. Parfois, il me tapait vraiment sur les nerfs. Plus d'une fois, depuis cet enlèvement raté, il a fallu que je me concentre et que je me rappelle qu'il est censé être un ami. Fuir d'hôtel miteux en meublé misérable, toujours sur le qui-vive, rendrait n'importe qui nerveux.

Mais on nous a enfin confié une nouvelle mission. Après des mois de silence total, on nous ramenait à la vie. On nous avait demandé de réserver la chambre 14 de cet hôtel et d'attendre. C'est ce que nous avions fait. Nous attendions depuis deux jours.

Je me suis levé pour prendre mon journal sur la table. Je l'avais déjà lu, mais bon…

– On va avoir de la compagnie, a annoncé Morgan sans quitter la fenêtre des yeux.

Il n'a pas eu besoin de me le répéter.

– Combien ?

– Deux... non, trois voitures.

Trois voitures de police devant l'hôtel, ça voulait dire qu'il y en avait au moins une quatrième derrière.

– Comment ont-ils su que nous étions là ? a demandé Morgan en se précipitant vers sa besace.

– On se posera la question quand on aura réussi à se tirer d'ici, ai-je rétorqué. Si on y arrive.

J'ai pris mon sac à dos sur le lit et j'ai emboîté le pas à Morgan.

Nous avons couru jusqu'à la sortie de secours. Quand je réservais dans un hôtel ou une pension de famille quelconque, je m'assurais toujours que notre chambre se trouvait près d'une issue.

Cette fois, nous n'avions pas choisi notre repaire, mais, coup de chance, trois mètres seulement nous séparaient de la porte. Est-ce que tout cela avait été préparé ? Et dans ce cas, pourquoi ne pas nous avoir collés à un endroit d'où nous n'aurions pas pu nous échapper ? Et pourquoi avoir attendu deux jours avant de prévenir la police ? À moins qu'ils aient pensé que nous baisserions notre garde. Encore un coup d'Andrew Dorn. Morgan a poussé la porte de secours et a sauté sur l'escalier de ciment. Je l'ai imité aussitôt.

J'ai tiré sur sa chemise et je lui ai fait signe de rester silencieux. Morgan s'est immobilisé. Au-dessous de nous, résonnait le bruit inimitable de pas qui se ruaient à notre recherche. Ils avaient tout prévu. J'avais la réponse à une de mes questions. J'ai pointé mon doigt vers le haut. En silence mais avec rapidité, Morgan et moi avons monté jusqu'au deuxième étage.

Et maintenant ? Morgan était censé établir un plan d'évacuation pour chaque endroit où nous nous trouvions. J'allais savoir s'il avait bossé correctement.

– Suis-moi, a-t-il sifflé.

Je n'avais rien de prévu pour la soirée, alors j'ai obtempéré. On a traversé le couloir en courant. Morgan s'est arrêté devant la chambre 25. Il a frappé à la porte pendant que je surveillais les alentours. J'avais la main sur la crosse de mon revolver. J'avais l'impression de tenir un morceau de glace ; elle était dure et froide. Et rassurante. Quoi qu'il arrive, je ne mourrais pas une corde autour du cou.

La porte s'est ouverte presque aussitôt ; Morgan s'est précipité à l'intérieur. J'ai hésité une demi-seconde avant d'en faire autant.

J'ai refermé la porte et je me suis plaqué contre le mur. Il était loin d'être impossible que la police tire sur la porte d'un innocent. Tant pis pour celui qui se trouvait derrière. Un Prima d'une quarantaine d'années, avec une moustache et des cheveux courts, se tenait au milieu de la pièce et nous regardait. Il avait eu le réflexe de s'éloigner quand Morgan s'était rué vers lui. J'ai collé mon oreille à la porte. Je n'entendais personne courir, ni marcher, mais je restais sur mes gardes.

– Ils doivent être au premier étage dans notre chambre, ai-je murmuré à Morgan.

Il a hoché la tête mais j'ai remarqué avec surprise qu'il n'avait pas sorti son arme. Le Prima ne nous quittait pas des yeux mais il ne semblait pas effrayé le moins du monde. Ni même inquiet.

– Faut qu'on sorte d'ici, ai-je dit.

– Chauffeur et secrétaire ? a proposé le Prima.

– Ça te va, chef ? m'a demandé Morgan.

J'ai observé le Prima et j'ai acquiescé. Alors comme ça, ce Prima était là pour nous aider. Je ne connaissais pas son nom et je ne voulais pas le connaître, mais apparemment, Morgan avait bien prévu un plan de secours. Chauffeur et secrétaire, c'était le truc habituel. Le problème, c'est que l'hôtel était cerné et que ça ne fonctionnerait peut-être pas.

– Je m'appelle Dylan Hoyle, s'est présenté le Prima.

Il m'a tendu la main. Je ne l'ai pas prise. Morgan a tendu la sienne. Je lui ai jeté un regard noir, il l'a laissée retomber. Le regard de Dylan est allé de Morgan à moi, et il a haussé les épaules.

– Je pensais seulement… a-t-il commencé.

– Vous vous êtes trompés, l'ai-je sèchement interrompu.

– Pas de problème.

Le Prima a de nouveau haussé les épaules.

– Vous travaillez tous les deux pour moi depuis un an et demi. Vos papiers sont dans la poche de ma veste.

Il a sorti les documents et nous les a donnés.

– Vous feriez mieux de vous bouger. Dans cinq minutes, ils commenceront à fouiller toutes les chambres. Essayez de faire en sorte de ressembler au maximum à ces photos.

– Vous croyez qu'on a une chance ? a demandé Morgan.

– Si vous faites ce que je dis, oui, a répondu Dylan.

Il s'est tourné vers moi et a ajouté :

– Si vous faites exactement tout ce que je dis. Il y a des vêtements dans le placard, mettez-les. Vous trouverez des perruques et des lunettes dans la salle de bains.

Morgan et moi étions entre les mains de ce Prima. Ça ne m'enchantait guère, mais nous n'avions pas le choix. Dylan

Hoyle était un Prima. Je n'avais aucune confiance en lui. Pas plus qu'en aucun Prima. Et si on avait la chance de s'en tirer, je ne lui laisserai pas l'occasion de nous aider à nouveau.

Sephy

Je t'ai tenue dans mes bras et j'ai attendu. J'ai attendu de ressentir quelque chose. N'importe quoi. J'ai attendu et attendu. Rien n'est venu. Ni plaisir. Ni peine. Ni joie. Ni angoisse. Pas d'amour. Pas de haine non plus. Rien. J'ai plongé mon regard dans tes yeux bleus, bleus comme un océan à la tombée de la nuit et ton regard a happé le mien. Comme si tu espérais que je... te reconnaisse. Je ne trouve pas d'autre explication. Mais je ne te reconnaissais pas. Tu étais une étrangère. Je me suis sentie coupable. J'avais la même impression quand tu étais dans mon ventre. Aujourd'hui encore, j'échangerais volontiers tous mes demains avec toi contre un seul après-midi avec Callum. Et ce n'est pas ce que je suis censée ressentir. C'est pour ça que je me sens coupable. Je ne suis faite que de regrets et de culpabilité.

– Vous devriez la nourrir, a suggéré Mlle Fashoda, l'infirmière, en souriant.

Je n'avais pas envie de m'occuper du bébé mais l'infirmière ne me quittait pas des yeux. Je ne voulais pas qu'elle devine ce qui se passait dans ma tête. Une jeune maman n'est pas supposée ne rien éprouver pour son enfant.

– Vous avez un biberon ? ai-je demandé d'une voix mal assurée.

– Les biberons ne sont pas préconisés dans cet hôpital. On n'en donne que sur prescription d'un médecin et seulement s'il y a une bonne raison, m'a répondu l'infirmière.

Elle a ajouté d'un ton légèrement dédaigneux :

– D'ailleurs seules les femmes riches utilisent des biberons, de façon à pouvoir confier leur bébé à une nourrice avant qu'il ait fait sa première crotte !

Elle me toisait. Je n'étais pas riche et je n'avais pas l'impression d'être une femme. J'avais à peine dix-huit ans, je n'étais pas encore une femme. Pas du tout même. J'étais exactement le contraire : une toute jeune fille qui courait pieds nus sur le fil d'un rasoir.

– Alors, comment dois-je faire pour lui donner à manger ? ai-je demandé.

– Vous n'avez qu'à utiliser ce que les femmes utilisaient pour nourrir leurs enfants bien avant l'invention du biberon, a répondu M\ieFashoda en désignant mes seins.

Elle ne plaisantait pas. J'ai replongé mon regard dans le tien, Callie, et tu me fixais toujours. Je me demandais pourquoi tu ne pleurais pas. Les bébés pleurent tout le temps normalement, non ? Alors pourquoi restais-tu silencieuse ? J'ai poussé un profond soupir avant de baisser un coin de ma chemise de nuit. J'étais trop fatiguée pour être en quoi que ce soit gênée par la présence de l'infirmière. Trop écœurée de tout pour être pudique. Je t'ai soulevée pour te mettre à la bonne hauteur. Mais tu tournais la tête. J'ai pris ton menton et je l'ai dirigé vers mon sein.

– Sephy ! on dirait que vous êtes en train de dévisser une ampoule, m'a grondée l'infirmière. Ne lui secouez pas la tête de cette façon. Ce n'est pas une poupée. Soyez délicate.

– Si je m'y prends aussi mal, vous n'avez qu'à le faire vous-même ! ai-je rétorqué sèchement.

– Ce n'est pas ainsi que les choses fonctionnent, a calmement répondu l'infirmière.

J'ai levé les yeux vers elle et j'ai compris que je ne savais rien de la manière dont je devais m'occuper de toi, Callie. Ni d'aucun autre bébé d'ailleurs. Tu n'étais plus une chose sans nom, sans réalité. Tu n'étais plus un idéal romantique ou une simple manière de punir mon père. Tu étais une vraie personne. Et tu avais besoin de moi pour survivre.

Et, mon Dieu, je n'avais jamais eu aussi peur de ma vie.

Je t'ai de nouveau regardée et cette vérité m'a frappée. Violemment. En plein cœur, avant de se répandre dans mon corps tout entier. Callie Rose. Tu étais… tu es ma fille. Ma chair et mon sang. À moitié Callum, à moitié moi, et cent pour cent toi. Pas une poupée, pas un symbole, ni une idée, mais une vraie personne avec une vie toute neuve qui s'ouvrait à elle.

Et sous mon entière responsabilité.

Des larmes coulaient sur mes joues. J'ai esquissé un sourire à ton intention et, malgré ma vue qui se brouillait, je jurerais que tu m'as souri en retour. Ce n'était qu'un minuscule sourire, mais c'était un sourire quand même.

Je t'ai doucement serrée contre moi, en tournant délicatement ta tête vers mon sein. Tu l'as pris dans ta petite bouche et aussitôt tu t'es mise à téter. Apparemment, tu savais comment t'y prendre et c'était tant mieux parce que je n'en avais pas la moindre idée.

Cette fois, je te regardais parce que je ne parvenais pas à te quitter des yeux. Je te regardais boire, les paupières closes, ton petit poing fermé et posé sur ma peau. Je sentais ton odeur, notre odeur. J'avais le sentiment que tu prenais de moi plus que du lait. À chaque nouvelle respiration, je sentais les neuf derniers mois s'éloigner, jusqu'à ne plus former qu'un lointain souvenir. Mais tu n'as pas tété très longtemps. Quelques minutes, pas plus.

– Essayez de la mettre à l'autre sein, a dit l'infirmière.

C'est ce que j'ai fait. Je t'ai tournée comme si tu étais en porcelaine. Mais tu n'avais plus faim. Tu reposais sur ma poitrine, les yeux toujours fermés, et tu t'es assoupie. J'ai moi aussi fermé les yeux, je me suis appuyée contre mes oreillers et j'ai essayé de m'endormir. J'ai senti l'infirmière qui te prenait. J'ai aussitôt rouvert les yeux et mes bras se sont serrés autour de toi, instinctivement.

– Qu'est-ce que vous faites ?

– Je vais recoucher le bébé dans son berceau, au pied de votre lit. Le travail a été long et vous devez vous reposer. Vous serez une piètre maman si vous êtes épuisée, a répondu l'infirmière.

– Je ne peux pas la garder sur moi ?

– Le lit est trop étroit, elle risquerait de tomber. Vous devrez attendre d'être rentrée chez vous et de retrouver votre grand lit pour ça !

J'ai dévisagé l'infirmière, me demandant pourquoi elle était sur la défensive.

– Ce n'était pas une critique, ai-je lâché.

– Regardez autour de vous, vous êtes dans un hôpital communautaire et nous n'avons pas la moitié du matériel ou du personnel dont vous auriez pu bénéficier dans un hôpital réservé aux Primas. C'est assez peu fréquent qu'un Prima mette les pieds ici.

– Eh bien, j'y suis, moi !

– Oui, mais vous êtes la seule Prima dans toute la maternité. Et quand vous sortirez, vous rentrerez dans votre grande maison, vous retrouverez vos voisins dans votre joli quartier, et quand vous aurez pris une bonne douche chaude, vous nous aurez tous oubliés.

Voilà, j'avais été jugée et condamnée. En deux temps, trois mouvements. Cette infirmière ne savait rien de moi, ni de ma vie. J'étais une Prima, elle en concluait qu'elle connaissait tout de ma vie. Ce que j'avais vécu et ce que j'allais vivre. Je n'ai pas pris la peine de lui dire que le lit dans mon appartement était bien plus étroit que celui dans lequel j'étais allongée en ce moment même. Ni de lui expliquer que mon studio, chambre, salle de bains et cuisine compris, était moins grand que cette salle de travail. C'était inutile. Mlle Fashoda ne m'aurait pas écoutée. Elle n'était capable d'entendre que ce qu'elle voulait bien, ce qu'elle « savait » déjà. Je connaissais ce genre de personnes.

Et puis, j'étais trop fatiguée pour discuter. Elle t'a installée dans ton berceau et quand tu as été enveloppée dans ta douillette couverture blanche, j'ai refermé les yeux. Mais dès que l'infirmière eut quitté la pièce, je les ai rouverts. Les jambes tremblantes, je me suis mise à genoux pour te regarder. Je t'ai touché la joue, j'ai caressé tes courts cheveux brun foncé. Je n'arrivais plus à détacher mes yeux de toi. Et même quand mes larmes ont brouillé ma vue, j'ai continué à t'admirer.

Jude

J'avais une perruque de longs cheveux blonds. Morgan portait des lunettes à monture noire. J'ai chaussé les lunettes de soleil. Puis je les ai remontées sur mon front en attendant d'en avoir vraiment besoin. Nous avons échangé notre jean et notre chemise contre un costume foncé, bon marché mais efficace. Le pantalon de Morgan était gris anthracite, sa chemise bleu marine. Il avait également un imperméable. Nous avions empaqueté nos vieux vêtements dans une des valises. Je n'avais pas eu le temps de vérifier le contenu des autres valises.

– Fais-toi une queue-de-cheval, m'a conseillé Dylan en me tendant un élastique.

Je me suis mordu la langue et j'ai obéi.

– Je ferais mieux de reprendre les cartes d'identité, a-t-il ajouté.

Morgan a immédiatement donné la sienne. J'ai fait de même, avec réticence.

– Chacun d'entre vous portera une valise et vous marcherez derrière moi. Vous ne prononcerez pas un mot sans me demander la permission. C'est clair ? a continué Dylan.

Morgan a acquiescé. La soumission ne m'était pas aussi naturelle. J'étais habitué à donner des ordres, pas à en recevoir. Encore moins d'un Primate ! Mes poings me démangeaient.

– Si tu veux vivre, tu vas devoir agir comme je te le dis, m'a lancé Dylan. N'oublie pas que je suis là pour vous aider. Si on se plante, ils ne m'épargneront pas.

– D'accord, ai-je craché. On fait comme ça. Mais écoute-moi bien, Dylan, si jamais tu essaies de nous trahir, tu le regretteras.

– Pourquoi est-ce que je vous trahirais ?

Je n'ai pas répondu.

– Oh, je vois. Si je trahis ma propre espèce, ça signifie que personne ne peut me faire confiance !

Règle n° 2 de Jude : *Ne jamais, jamais, faire confiance à un Prima.*

– Il ne t'est pas venu à l'idée que je pouvais trouver ce système aussi injuste que toi ? a poursuivi Dylan.

– Ah oui ? Tu trouves le système injuste ? ai-je ricané. Et ça fait quoi, de ta place de privilégié ?

– Je m'en veux d'interrompre votre débat hautement philosophique, a sifflé Morgan, mais je voudrais qu'on se tire d'ici !

Dylan et moi nous sommes fusillés du regard. Mais nous avons enterré la hache de guerre. Ce n'était pas le moment.

Dylan nous a détaillés d'un œil critique.

– Morgan, prends cette valise, toi, Jude, prends l'autre. On n'aura qu'une seule chance, alors pas d'erreur.

Dylan s'est dirigé vers la porte. Il a pris une longue inspiration avant de l'ouvrir. Il est sorti de la chambre et a marché sans hésiter jusqu'à l'ascenseur au milieu du couloir. Morgan et moi restions à deux pas derrière lui. Il a appelé l'ascenseur en sifflotant. Je devais reconnaître qu'il feignait la nonchalance avec talent. L'ascenseur est arrivé au bout de quelques secondes. Nous sommes tous montés dedans. Dylan a appuyé sur le bouton du sous-sol, qui donnait directement sur le petit parking de l'hôtel.

Pendant la descente, mon cœur s'est mis à battre un peu plus vite. De ma main libre, j'ai touché mon revolver dans la poche intérieure de ma veste. Sensation rassurante. Mon arme avait quatorze balles en magasin et une dans la chambre.

J'avais quatre chargeurs sur moi : un dans chaque chaussette, un dans l'autre poche de ma veste et un glissé dans ma ceinture. Meggie McGrégor n'avait pas élevé des enfants stupides. Seulement malchanceux.

– Sors les mains de tes poches, a lancé Dylan sans même prendre la peine de me regarder.

J'ai obéi de mauvaise grâce. La porte de l'ascenseur s'est ouverte. Nous avons traversé la réserve. D'un côté étaient empilées des boîtes de métal et des caisses de bois, de l'autre des sacs de draps et de serviettes sales ainsi que des cartons emplis d'œufs et de saucisses sous cellophane. Un mélange d'odeurs, pour la plupart désagréables, m'a assailli les narines. Nous avons atteint la porte à double battant qui donnait sur le parking. Nous suivions Dylan sans avoir aucune idée de ce qui nous attendait. J'ai ressenti une émotion familière : ma panique était remplacée par une excitation déplacée. Mon adrénaline était sous pression. J'ai décidé qu'il était temps de mettre mes lunettes de soleil.

– Excusez-moi, monsieur.

Un flic prima, armé, venait vers nous. Un autre, les jambes légèrement écartées, était campé quelques mètres derrière lui. Il avait déjà sorti son arme.

Seul un acte de suprême volonté m'a empêché de prendre mon revolver dans la poche de ma veste.

Dylan s'est arrêté.

– Oui, officier ? Je peux vous aider ?

– Nous recherchons deux terroristes qui se cachent dans l'hôtel, a répondu le policier. Avez-vous remarqué des personnes suspectes en descendant ?

– Mon Dieu, non, s'est exclamé Dylan, choqué.

Quel acteur ! Prochaine étape : la remise des césars !

Le policier a fait un pas de côté pour pouvoir nous observer, Morgan et moi, tout en vérifiant la feuille qu'il avait à la main. Même d'où j'étais, je voyais nos photos. Soudain, nos déguisements m'ont paru dérisoires. Il n'y avait pas de doute, on avait été donnés. Je pensais que nous allions réintégrer la Milice de libération mais j'avais commis une grossière erreur. Andrew Dorn se contentait de laisser les autorités primas faire le sale boulot à sa place.

Dylan a eu un regard inquiet.

– Vous ne pensez tout de même pas qu'ils sont cachés dans le parking ?

– Non, monsieur, du moins...

Le policier nous a dévisagés comme si on venait d'écraser son chien.

– Et vous êtes... m'a-t-il interrogé directement.

Je n'avais pas oublié mon rôle. J'ai regardé Dylan comme si je lui demandais le droit de prendre la parole.

– Voici Ben, mon chauffeur, et John Haliwell, mon secrétaire, a répondu Dylan. Je me porte garant d'eux.

– Je vois, a marmonné le policier en se tournant de nouveau vers moi. Puis-je vérifier vos papiers ? Les vôtres également, s'il vous plaît, a-t-il ajouté à l'adresse de Morgan.

– Quand ils sont avec moi, je garde leurs cartes d'identité, est intervenu Dylan.

– Pourquoi ? a demandé le policier avec une curiosité qui frôlait la suspicion.

J'ai retenu mon souffle.

– L'expérience m'a appris que quand on tient un Néant par sa carte d'identité, on peut être sûr de son obéissance, a souri Dylan. Je ne prends jamais de risque avec mon personnel nihil quand je lui confie ma voiture ou des documents importants.

– Je vois, a répété le policier en retournant son sourire à Dylan qui fouillait dans la poche intérieure de sa veste.

Il a tendu nos papiers au flic qui les a examinés avant de les lui rendre.

– C'est tout, officier ? a demandé Dylan.

– Oui. Une dernière question. Pourquoi avez-vous deux valises ?

Quel sale petit fouineur ! Ce flic va apprendre que la curiosité est un défaut très dangereux s'il continue.

– Je suis en voyage d'affaires – du moins, c'est ce que pense ma femme, a lancé Dylan avec un clin d'œil.

– Je vois. Et si je vous demande de vérifier le contenu des valises, ça ne vous pose pas de problème ?

– Bien sûr que non. Si vous avez à ce point envie de regarder mon linge sale. John, ouvrez mon bagage.

Morgan a tiré la fermeture Éclair et soulevé le couvercle. Le tout sans une parole. Il n'y avait que des chaussettes, des chemises, des pantalons et des caleçons. Un magazine économique roulé dans un coin et un roman policier coincé dans un autre.

– Ben, ouvrez l'autre.

Je me suis agenouillé et j'ai doucement tiré la fermeture Éclair. Cette valise contenait nos affaires à Morgan et à moi.

– C'est bon, monsieur, vous pouvez y aller, a soudain dit le flic.

J'ai refermé la valise aussi lentement. Pas d'empressement, pas de hâte, pas de suspicion.

– Vous rentrez chez vous, monsieur ? a demandé le flic.

– Oui, officier, et si j'arrivais sans mon chauffeur et mon secrétaire, ma femme aurait des doutes, a acquiescé Dylan. Au moins, ces deux Néants savent tenir leur langue.

– Ça change des autres, a ricané le flic primate.

Dylan a ri avec lui de cette bonne blague.

– Merci officier, a souri Dylan d'un air complice.

Ils se comprenaient si bien ! Évidemment, un crétin de Néant n'avait pas assez de cervelle pour capter la finesse de leur humour.

Dylan a repris sa marche nonchalante jusqu'à la luxueuse voiture noire garée près de la sortie. Il a sorti sa clé, débloqué le verrouillage centralisé. Puis il m'a jeté la clé et a attendu.

Pourquoi est-ce qu'il me regarde comme ça ? me suis-je demandé.

Et tout à coup, j'ai compris. J'ai lutté contre une incommensurable envie de lui cracher à la figure et je lui ai ouvert la porte en m'inclinant légèrement. Il s'est glissé à l'arrière comme si c'était parfaitement naturel. J'ai pris la valise des mains de Morgan et je l'ai déposée dans le coffre. J'avais besoin de tout mon self-control pour ne pas me retourner et jeter un coup d'œil aux flics derrière nous. Que faisaient-ils ? Est-ce qu'ils m'observaient ? Pouvaient-ils sentir l'adrénaline monter en moi ? Entendaient-ils mon cœur battre comme celui d'un boxeur prêt pour son dernier combat ? Ou étaient-ils déjà partis rejoindre leurs collègues dans l'hôtel ? Morgan a pris place près de moi. J'ai démarré.

– Conduis droit devant toi comme si tu n'avais nulle part où aller, m'a soufflé Dylan.

Et c'est ce que j'ai fait. C'était facile parce que c'était vrai. Je n'avais nulle part où aller.

Sephy

Chère Callie,

Nous sommes ensemble depuis quelques heures maintenant. On m'a sortie de la salle de travail pour me réinstaller dans une chambre. C'est le soir du premier jour de ta vie. Tu dors dans un berceau de plastique au pied de mon lit et je n'arrête pas de te regarder ; je n'arrive pas encore à réaliser que tu es à moi. J'écris ces mots tout en levant de temps en temps la tête pour observer les autres mamans. Elles reçoivent leurs parents, maris, compagnons, enfants... Chacune a au moins un visiteur. Pas moi.

Je n'arrête pas de penser à Callum – ton père. J'aimerais tellement qu'il soit là avec nous. Mais au moins, je t'ai toi, Callie. Toi et moi contre le reste du monde, hein ? Comment est-ce que je me sens ? Je ne suis pas sûre. Mon cerveau est encore engourdi. À moins qu'il ne soit bloqué sur la position neutre.

Mais je te regarde de nouveau et je me dis que nous sommes là, toutes les deux. Nous sommes en vie. Nous sommes ensemble. Est-ce que c'est ce que Callum voulait ? Je crois que oui. J'espère que oui.

Toi et moi contre le monde entier, mon cœur.

Toi et moi contre le monde entier.

Jude

Nous avons croisé de nombreuses voitures de police. Je n'ai pas quitté la route des yeux. Je ne voulais surtout pas regarder les flics et encore moins qu'ils me regardent. Au bout de la rue, j'ai tourné à gauche, vers le centre-ville.

Je conduisais depuis cinq minutes, quand Dylan a pris la parole.

— Prochaine à gauche, a-t-il ordonné.

J'ai fait comme il disait et j'ai continué ma route toujours à la même vitesse. Juste à la limite autorisée.

À présent, Dylan était penché en avant et m'indiquait le chemin à suivre. Un quart d'heure plus tard, nous arrivions sur le parking d'un supermarché. Il était à moitié plein. La plupart des voitures étaient garées près de l'entrée du magasin. J'ai roulé jusqu'à la partie la plus déserte du parking. Des caddies avaient été abandonnés, trop loin pour que quelqu'un se préoccupe de les rapporter.

— C'est là que nos chemins se séparent, a déclaré Dylan quand je me suis garé.

— Merci Dylan, a dit Morgan avec gratitude. Je te revaudrai ça.

— Au centuple, j'espère bien, a souri Dylan.

Il s'est tourné vers moi. J'ai gardé les lèvres serrées.

— Vous pouvez récupérer la valise avec vos affaires dans le coffre, a repris Dylan. Mais j'aimerais que vous me rendiez la perruque et les lunettes de soleil. Je pourrais en avoir à nouveau besoin.

— Tu me donnes des ordres ? ai-je craché.

— C'est une simple requête, a rétorqué Dylan.

Nous avons enlevé nos déguisements et nous sommes sortis de la voiture. Le soleil de cette fin d'après-midi était doux et agréable, mais je transpirais désagréablement. Les nerfs, sans doute. Ne plus agir pour la milice pendant tout ce temps m'avait rendu méfiant. Nerveux. J'ai regardé autour de moi. Je n'aurais pas aimé que des flics planqués derrière des voitures surgissent pour me tirer dessus. Morgan et Dylan se sont serré la main.

– À la prochaine ? a dit Morgan.

– À la prochaine, a acquiescé Dylan d'un air sérieux.

Il a hoché la tête vers moi. Je l'ai ignoré. Pas question de taper la discute avec un Primate. Dylan est remonté dans sa voiture, cette fois à la place du conducteur. J'ai ouvert le coffre et pris la valise qui contenait nos vêtements. J'avais à peine eu le temps de refermer le coffre qu'il avait déjà démarré. Ses pneus ont crissé légèrement sur le gravier. Je me suis tourné vers Morgan.

– Depuis quand tu fais copain-copain avec les Primates ? lui ai-je demandé.

– Tu m'accuses, Jude ? a laissé tomber Morgan.

– Non. Je devrais ?

Morgan a secoué la tête.

– Dylan est un contact que je connais depuis des années. Bien avant que tu rejoignes la milice. J'étais chargé de gérer les contingences en cas de problème, c'est ce que j'ai fait. Je l'avais installé, lui et d'autres Primas, dans tous les hôtels miteux où nous avons dormi ces dernières semaines. Au cas où…

– Je vois…

Oui, je voyais, très bien. J'avais laissé Morgan se charger de nos possibilités d'évasion en cas d'arrivée inopinée des flics. Je ne lui avais jamais posé une seule question à ce propos. C'était son affaire. Et de plus, je devais admettre que sans ce Prima, on aurait vraiment eu du mal à se tirer de cet hôtel. Mais cette pensée me brûlait les tripes comme de l'acide.

– Je n'aime pas m'en remettre aux Primates, ai-je reconnu. On ne peut pas leur faire confiance.

– Jude, parfois, nous devons travailler avec des Primas prêts à nous aider.

– « Primas » et « prêts à nous aider » sont des expressions qui s'excluent mutuellement. Ils détiennent le pouvoir depuis des siècles. Ils n'ont aucune raison de vouloir l'abandonner maintenant. Pas pour nous – notre peau est trop claire.

– La Milice de libération ne demande pas aux Primas d'abandonner le pouvoir. J'ignore pour quoi tu te bats, mais en ce qui me concerne, je désire seulement obtenir l'égalité. Tout ce que nous voulons, c'est avoir les mêmes chances que les Primas. Jouer dans la même cour.

– Tu devrais te réveiller de ton doux rêve, ai-je ricané. Jouer dans la même cour, mon cul ! Je vais t'apprendre un truc : on n'est même pas admis sur le terrain !

– Mais si ! Grâce à des Primas comme Dylan ! a répliqué Morgan. Et le genre d'attitude négative à laquelle tu t'accroches empêche tout le monde d'avancer.

J'ai ricané. Morgan a repris :

– J'ai travaillé avec Dylan et d'autres Primas à plusieurs reprises.

– Et ça ne te gêne pas ?

– Rien de ce qui peut améliorer notre condition et notre avenir ne me dérange !

– Même si tu dois faire la pute pour ça !

– Je ne suis pas assez... stupide pour penser que tous les Primas de la planète sont contre nous, a renchéri Morgan.

– Grand bien te fasse ! ai-je lâché avec mépris.

Morgan m'a fixé.

– Tu ferais bien de faire attention à toi, Jude.

– Ce qui veut dire ?

– Je fais partie de la Milice de libération pour obtenir l'égalité des droits entre les Primas et nous. Et toi ?

J'ai haussé les épaules :

– Pareil.

– Tu en es sûr ? Ou est-ce que la milice n'est pour toi qu'un moyen de te venger de tous les Primas qui croisent ton chemin ? Parce que c'est à ça que ça ressemble !

– Tu devrais t'enlever la merde que tu as dans les yeux.

– Réponds, Jude ! Qu'est-ce qui est le plus important pour toi ? La cause ou ta vengeance ?

Comment osait-il me demander ça ?

– Je ne me donnerai même pas la peine de répondre à cette question, ai-je lâché avec tout le dédain dont j'étais capable. On a des choses plus urgentes à régler ! Par exemple, comment les flics ont-ils su que nous étions planqués dans cet hôtel ?

Silence. Puis Morgan a hoché la tête et a accepté de changer de sujet.

– Oui, j'y ai réfléchi. Je pense que c'est l'œuvre d'Andrew. Il doit commencer à vraiment flipper.

– Ce qui le rend plus dangereux que jamais, ai-je fait remarquer.

– Oui, je sais.

– La police sait que nous sommes ensemble. Nous devons nous séparer, ai-je proposé avec réticence. On utilisera nos téléphones portables pour rester en contact, et on se filera rencard au moins une fois par mois. De cette façon, on pourra coordonner nos efforts pour débarrasser la milice d'Andrew Dorn.

– Je ne prendrai pas de repos tant qu'il n'aura pas payé pour ce qu'il nous a fait. Pete est mort, Leila pourrit en prison et ton frère a été pendu.

– La mort de Callum n'a rien à voir avec Dorn. Du moins, pas seulement avec lui. Mon frère est mort à cause de Perséphone Hadley, ai-je dit durement.

– Ce n'est pas le propos, a tranché Morgan. Nous avons tous les deux beaucoup perdu. C'est tout ce qui importe.

Nous sommes restés silencieux, à penser à tout ce que nous avions perdu. Morgan n'avait plus la stabilité que lui apportait sa position au cœur de la Milice de libération. Moi, on m'avait enlevé ça et plus encore. Morgan ne me comprenait pas mais comment aurait-il pu ? Personne ne pouvait ressentir à ma place la haine profonde que je vouais à Sephy Hadley et à tous les Primates. Surtout à Sephy Hadley. Tout a commencé par sa faute. Et voilà comment ça s'est terminé. Callum est mort. Sephy doit payer. La détruire est ma mission. La seule mission importante de ma vie.

– On est d'accord, alors ? On fait profil bas jusqu'à ce qu'on ait les moyens de confondre Andrew Dorn ? a répété Morgan.

J'ai acquiescé.

– Et on reste en contact ?

– Oui.

Je parlais d'une voix sèche.

– Ça va aller pour toi ?

Morgan a hoché la tête.

– On se retrouve où ?

– Le deuxième jour du mois prochain, au centre commercial de Dundale, ai-je décidé. Et on ne se téléphone qu'en cas d'urgence. Si la police récupère la puce de ton portable, elle peut localiser tous tes appels.

– On continue de changer de téléphone régulièrement.

– On improvisera, OK ? Mais quoi qu'il arrive, on ne perd pas contact.

Morgan a opiné.

– Ça marche, et toi, jusqu'à ce qu'on se retrouve, garde la tête froide !

– Toi aussi.

Sur ces mots, j'ai tourné les talons en faisant crisser les graviers sous mes pas.

Je me suis retenu de regarder derrière moi. Je sentais les yeux de Morgan sur ma nuque, mais je ne me suis pas laissé aller. Règle de Jude n° 5 : *Ne sois jamais proche de quelqu'un au point de ne pas pouvoir le quitter sans une once d'hésitation.*

Sans une once d'hésitation.

S e p h y

Chère Callie,

J'ai tant de choses à te dire. Tant de choses que j'aimerais savoir t'expliquer. Tant à partager avec toi. Ça m'effraie de sentir grandir en moi l'amour que je te porte. Tu n'as que deux jours et je voudrais… que ton cœur et le mien soient accrochés l'un à l'autre. C'est absurde. Non, peut-être pas.

Quand tu liras ces lignes, tu penseras sans doute que ta mère raconte n'importe quoi. Les mots qui parlent de l'intime, les mots vrais, sont si difficiles à prononcer. Si j'utilisais des mots qui n'avaient pas de sens pour moi, ils ne me déchireraient pas de cette façon. Un jour, j'ai lu que quand une abeille pique, elle laisse un morceau d'elle-même sur sa victime. C'est ce que la vérité a fait à ma vie.

Et je n'ai pas encore fait le tour de cette vérité. Loin de là !

Callie, je veux être honnête avec toi. Je veux toujours l'être. Mais ce n'est pas facile. Quand j'étais enceinte, que tu étais en moi, je te détestais. Tu étais en vie alors que ton père ne l'était plus. Je te détestais et je détestais le monde entier pour cette raison. Mais à présent que tu es près de moi, contre mon cœur, j'éprouve une espèce de paix. Comme si tout avait été écrit. C'est étrange que je puisse me sentir aussi calme. Peut-être que c'est juste le calme avant la tempête. Après tout, je suis sur le point de me faire expulser de mon appartement, je n'ai presque plus d'argent et je ne peux même pas faire bouillir la marmite, faute de marmite ! Je devrais être en train de paniquer. Mais non. Tout se passera bien pour toi et moi, je crois. J'espère. Je prie.

Je suis assise dans mon lit d'hôpital, tu es dans mes bras et je te regarde. Je te regarde, j'absorbe chaque ligne, chaque courbe de ton visage. Tu as les yeux de ton père, la même forme et la même expression de curiosité. La seule différence, c'est que les tiens sont bleus, bleu foncé, alors que les siens étaient gris pâle. Tu as mon nez, un nez décidé et fier. Tu as le front de ton père, large et intelligent, tu as mes oreilles – et pourtant tu ne ressembles à aucun de nous deux. Tu es unique et originale. Ta peau est plus claire que la mienne. Beaucoup plus claire. Mais tu n'es pas nihil, tu n'es pas blanche comme ton père. Tu es une pionnière. Tu es neuve, avec ta couleur propre, ton physique qui n'appartient qu'à toi. Tu représentes peut-être un espoir pour le futur. Une personne différente et spéciale. Un symbole destiné à perdurer alors que nous disparaîtrons, notre ignorance et notre haine devenues obsolètes. Nous serons comme les dinosaures, des êtres voués à l'extinction. Une extinction programmée. Pourtant, je ne peux pas m'empêcher de m'inquiéter. Tu devras vivre dans un monde divisé en deux : les Primas et les Nihils. Biologiquement, tu appartiens à ces deux parties et socialement, à aucune. Un mélange de races. Un héritage double : des étiquettes que les autres te colleront et dont tu ne pourras te défaire. Tu devras te défendre contre les *a priori* absurdes que les gens auront à ton égard. Tu devras trouver ta propre identité. J'espère, je prie pour que tu parviennes à trouver ta place.

Mais je ne peux m'empêcher de m'inquiéter.

Je te regarde et les larmes roulent sur mes joues. Pourtant, je ne veux pas que tu me voies pleurer. Je ne veux rien de mauvais ou de négatif dans ta vie. Je veux t'entourer d'amour, de chaleur et d'écoute bienveillante. Je veux compenser le fait que jamais tu ne connaîtras ton père. Son nom était Callum. Il avait les cheveux châtains et raides, des yeux gris, solennels, un humour pince-sans-rire et un immense sens de la justice. Il était unique. Je te parlerai de lui chaque jour. Chaque jour que Dieu fait. Je te prendrai sur mes genoux et je te raconterai comment le coin de ses yeux se plissait quand il riait. Comment le muscle de sa mâchoire se tendait quand il était en colère. Il savait me faire rire comme personne. Il savait me faire pleurer comme personne. Je l'aimais tellement. Je l'aime tellement. Je l'aimerai toujours. Il n'est plus là. Mais toi, oui. Je veux te serrer fort contre moi et ne jamais te lâcher. Je ne laisserai jamais personne te faire de mal. Jamais. Je te le promets.

C'est étrange, mais avant de t'avoir, je pensais être une personne pacifique. Je croyais que je ne pourrais jamais délibérément blesser quelqu'un. Mais j'ai changé. Tellement changé que ça m'effraie. Je mourrais pour toi. Mais ce qui est encore plus effrayant, c'est que je tuerais pour toi. Je n'hésiterai pas. Je le sais aussi sûrement que je sais mon propre nom. Je ne laisserai jamais personne te faire du mal.

Jamais.

Mes émotions me terrifient. L'incommensurable amour que je te porte me terrifie ; je n'ai aimé qu'une seule personne comme je t'aime, et c'était ton père. Mon amour pour lui n'a semé que tristesse et malheur. L'amour est comme un mauvais sort. Du moins, celui que je porte aux gens. Et maintenant, je suis là, dans ce lit, si triste que Callum ne soit pas avec moi. Je sais que tu es là, toi, Callie Rose, mais ton père me manque tellement.

Il me manque tellement.

À chaque fois que je respire, à chaque fois que mon cœur bat, il me manque.

Jude

Je suis assis dans ma nouvelle voiture. Face à sa maison. Je ne sais pas depuis combien de temps j'attends, mais j'attends. J'attends et je regarde. Si l'on me demandait ce que j'attends et ce que je regarde, je serais incapable de répondre. J'espère l'apercevoir. Juste pour savoir si elle va bien. Mon véhicule – je n'en ai jamais eu d'aussi récent – a environ cinq ans. C'est une petite voiture quatre portes, noire. Je l'ai trouvée sur un parking en ville. J'ai crocheté la portière et je l'ai volée. Je ne vole jamais de voiture neuve, elles sont trop voyantes. Une voiture de plus de cinq ans n'attirera pas trop l'attention. Je dois me fondre dans le paysage. Surtout ici, devant sa maison. Sait-elle à quel point elle me manque ? Peut-elle sentir mon regard sur sa porte d'entrée ?

J'ai renversé la tête en arrière sans cesser de fixer la maison de Maman. Espérant la voir jeter un coup d'œil par la fenêtre ou ouvrir la porte. Espérant qu'elle me voie. Cette situation est bizarre. J'y ai pensé de plus en plus souvent ces derniers mois. Je suis un bateau sans gouvernail et sans voiles, dérivant au gré du courant. Même la compagnie de Morgan me manque. Mais, séparés l'un de l'autre, nous sommes plus en sécurité. Je n'ai pas d'amis, je n'ai pas de foyer. Je ne me sens même plus chez moi au sein de la Milice de libération. Pas tant qu'Andrew Dorn sera le bras droit du général. Ma vie est devenue surréaliste. Du moins, c'est l'impression que j'ai la plupart du temps. La plupart du temps. Sauf dans les moments où je revois le corps de mon frère se balancer au bout d'une corde et la réalité, la douloureuse réalité me revient en plein cœur.

Callum McGrégor, mon frère. Il était un négatif de moi-même. Un négatif positif. C'était celui de la famille qui devait réussir. Qui devait s'en sortir. Qui devait avancer. Mais il n'a pas réussi. Et si lui n'a pas réussi, quel espoir nous reste-t-il à nous ? S'il est possible de détester et d'aimer quelqu'un en même temps, alors c'est ce que je ressens pour mon frère. Il avait tout.

Et ça l'a tué.

Maman, je suis là. Je ne t'ai pas abandonnée. J'espère que, d'une façon ou d'une autre, mes pensées te parviennent et que tu sais que je pense à toi.

Est-ce que tu as de l'argent ? Je n'en envoie pas toutes les semaines, et les montants varient selon mes possibilités. C'est parfois peu, mais au moins, j'essaie. Maman, j'aimerais tellement sortir de l'ombre et frapper à ta porte. Mais c'est impossible. Je suis recherché. Par le gouvernement, la police et même par certains de la Milice de libération. Mais je suis toujours là, Maman. Je pense à toi, malgré ma règle n° 4 : *Aimer, c'est être vulnérable, et il ne faut jamais se rendre vulnérable.* Mais tu es tout ce que j'ai au monde. Et c'est important pour moi. J'aimerais qu'il en soit autrement, mais je n'y peux rien. C'est pour ça que je suis devant chez toi, assis dans une voiture volée, à regarder et attendre, et à regretter que nos vies n'aient pas été différentes.

Je ferais mieux d'y aller avant d'être repéré. Je ne serais pas surpris d'apprendre qu'ils surveillent toujours ta maison, en espérant que je vienne te rendre visite. Attends, Maman. Et ne t'inquiète pas. Je n'ai plus qu'un désir, plus qu'une ambition. Je les ferai tous souffrir.

Je les ferai tous payer.

Mais… sa porte s'ouvre. Elle sort les poubelles.

Oh, mon Dieu ! Elle a tellement vieilli. Depuis quand est-elle si vieille ? Elle a la nuque courbée, les épaules voûtées, elle traîne les pieds comme une vieille femme. Pourtant, la dernière fois que je l'ai vue, c'était il y a seulement quelques mois. Quelques années. Une éternité. Maman. Elle lève la tête, regarde dans ma direction. Est-ce qu'elle me voit ? Oui, bien sûr. Mais à quoi est-ce que je pense ? Il faut que je parte d'ici. J'ai été fou de venir.

Elle m'appelle. Pour l'amour de Dieu, Maman, ne fais pas ça. Tu ne sais pas qui nous surveille ! Mais à quoi pense-t-elle ? Elle laisse tomber son sac poubelle et elle court vers moi à présent.

Démarre la voiture et barre-toi, Jude. Tout de suite !

Casse-toi.

Pars.

Ne pleure pas, Maman. Je t'en supplie. Ne pleure pas.

Je suis désolé.

C'était une erreur.

Je suis désolé.

J'ai enfreint la règle n° 1, la règle cardinale : *Ne t'autorise jamais à ressentir quoi que ce soit. Les sentiments tuent.*

S e p h y

Callie, ma chérie,

Pendant que tu dormais :

J'ai pensé à Callum.

J'ai téléphoné à trois journaux et j'ai utilisé ma carte de crédit pour faire publier un encart annonçant ta naissance. Si mon père croit que je vais disparaître dans les limbes, à présent que je t'ai, il se trompe lourdement. Je le hais.

J'ai pensé à Callum.

J'ai posé mes lèvres sur ton front. Et j'ai inhalé ton souffle.

J'ai pensé à Callum.

J'ai discuté avec Mina dans le lit d'à côté. Elle a une petite fille, elle aussi, elle l'a appelée Jorja.

C'est un joli nom, tu ne trouves pas ?

J'ai pensé à Callum.

J'ai pris une douche rapide parce que je ne voulais pas rester loin de toi trop longtemps. De toute façon, on ne peut pas vraiment prendre le temps, dans les douches. Il y a toujours la queue. Il faut se dépêcher et se glisser entre deux femmes de mauvaise humeur. Certaines frappent contre les portes en se plaignant que les douches ne sont pas assez chaudes.

Et j'ai pensé à Callum.

Dans cet ordre.

Jude

Assis au bar de l'Œil d'or, je sirotais ma bière. J'avais choisi un bistrot éloigné de la rue principale. Ce n'était pas le genre d'endroits où j'avais l'habitude de m'arrêter. Un peu trop bobo branché à mon goût. Mais c'était un quartier assez retiré et j'avais besoin d'un verre et d'une heure ou deux pour me reprendre. L'Œil d'or était à moitié plein de fêtards venus se détendre après le boulot. Des Nihils pour la plupart, mais il y avait aussi quelques Primates. C'était un de ces lieux où les Primates viennent s'encanailler une fois de temps en temps, pour se donner le frisson et se faire croire qu'ils sont super larges d'esprit. Quelle aventure ! Se retrouver dans un endroit où les Nihils ne sont pas seulement là pour servir les consommations ! J'ai bu une nouvelle gorgée et j'ai regardé autour de moi. Il y avait du monde. Mais ils servaient la meilleure bière que j'avais bue depuis des mois.

Ce bar aurait dû s'appeler l'Œil de bois.

Le plancher taché de bière était en bois, le bar taché de vin était en bois, les tabourets hauts étaient en bois, les bancs et les chaises étaient en bois. J'étais assis sur une de ces chaises, accoudé à une table, face à un couple de Néants qui se dévorait des yeux. Une deuxième tête aurait pu me pousser, ils ne s'en seraient pas rendu compte. Je buvais donc tranquillement ma bière. Mais mon inactivité me fatiguait. J'en avais assez de passer mon temps à fuir et à me cacher. J'ai reposé ma cannette sur la table et j'ai décidé que j'étais resté sans bouger assez longtemps. Je devais maintenant trouver un but à ma vie. Impossible de compter sur le soutien de la Milice de libération, Andrew profiterait du moindre faux pas de ma part. Ma mère ne pouvait rien pour moi. Je n'avais confiance qu'en moi-même.

D'abord, je devais me procurer de l'argent. Beaucoup d'argent et vite. Et en le piquant aux Primas, je ferais d'une pierre deux coups. Il y avait beaucoup de banques, de sociétés immobilières et de bijouteries qui avaient besoin de moi pour les soulager d'une gestion trop compliquée de leurs bénéfices. Je ferais œuvre d'utilité publique. J'ai souri en m'imaginant présenter cette défense devant une cour. Qui sait ? Si jamais ils m'attrapent, je pourrais toujours essayer.

– Un siège ! Un siège ! Mon royaume pour un siège ! Est-ce que cette place est prise ?

J'ai levé les yeux et lancé un regard noir à la femme prima qui se tenait devant moi. Elle avait des dizaines de petites tresses retenues ensemble par un ruban orange. Elle portait une chemise en soie du même orange flamboyant et une jupe portefeuille de couleur foncée. Bleue ou noire. Je n'étais pas sûr avec la semi-obscurité qui régnait dans le bar. Est-ce qu'elle ne pouvait pas trouver un autre endroit pour s'asseoir ? J'ai jeté un coup d'œil autour de moi. Il n'y avait pas une place ! Je ne voulais pas d'une Prima en face de moi. Mais tout à coup, du coin de l'œil, j'ai aperçu deux flics qui entraient dans le bar. Un prima, l'autre nihil.

La femme a haussé les épaules.

– Si vous préférez, je peux aller ailleurs.

Elle tournait déjà les talons.

– Non, non ! Pas de problème ! Installez-vous ! ai-je rapidement protesté.

J'ai même réussi à esquisser un sourire.

La Prima m'a de nouveau dévisagé comme pour s'assurer que je n'étais pas un tueur en série.

– Merci, a-t-elle finalement souri. Je m'appelle Cara.

C'est pas vrai. Pourquoi s'imaginait-elle que mon invitation à s'asseoir signifiait que j'avais envie de discuter ? Mais les flics étaient toujours dans le bar et je ne pouvais me permettre de prendre le moindre risque.

– Steve, ai-je répondu sans ciller.

– Salut Steve, a continué Cara la Prima. C'est bondé, ce soir. Habituellement, il n'y a pas autant de monde en semaine.

– Je ne viens pas très souvent, ai-je répliqué.

– Je me disais bien que je ne t'avais jamais vu avant.

Et merde ! Je n'ai pas envie de te parler ! Je n'ai pas envie d'être assis près de toi et je ne veux rien avoir à faire avec toi.

Mais j'ai souri en prenant garde de ne pas laisser transparaître mes sentiments. Je suis assez bon dans cette discipline. Des années de pratique parmi les Primas. Je ne compte plus le nombre de fois où un Primate s'est permis de me dire ce qu'il pensait de ma « race » avant d'ajouter « mais je ne parle pas de toi, bien sûr ». Je faisais quoi dans ces cas-là ?

Je souriais et je la fermais. Du moins, quand j'étais plus jeune. Personne n'a plus essayé de me parler comme ça depuis un bon bout de temps. Maintenant, je ne garde mes sentiments pour moi que quand c'est indispensable.

– Ils s'ennuient pas, ces deux-là, hein ?

Cara montrait du menton le couple qui se roulait des pelles, comme si le monde allait disparaître dans la minute.

– Si je crie, ils s'arrêtent, tu crois ? ai-je suggéré ironiquement.

– À mon avis, ils ne t'entendraient même pas ! Tu habites dans le coin ? a enchaîné Cara, la Prima curieuse.

– Non, je suis venu rendre visite à ma sœur. Elle vit à deux pâtés de maisons d'ici.

– Comment s'appelle-t-elle ?

– Pourquoi tu me demandes ça ?

– Je la connais peut-être, si elle vient souvent ici.

J'ai répondu sans une hésitation :

– Lynette. Ma sœur s'appelle Lynette.

Cara a froncé les sourcils.

– Ça ne me dit rien.

J'ai haussé les épaules. Cara a souri. J'ai regardé dans le bar. Les flics avaient chacun une feuille à la main et observaient les clients.

– Dis-moi, Cara, ai-je lancé en me rapprochant d'elle. Tu travailles dans le quartier ?

– Oui, au salon de coiffure Delaney au coin de la rue.

– C'est qui, Delaney ?

– C'est juste le nom de la boutique. L'ancienne propriétaire s'appelait Delaney. Elle est partie, il y a des années. Il y a eu deux ou trois autres propriétaires depuis.

– Et maintenant ?

– Eh bien, en fait, je suis l'actuelle propriétaire… a souri Cara. Je… possède une chaîne de salons de coiffure du même nom. Il y en a dans tout le pays.

– Combien ?

J'avais posé ma question sur un ton naturel et dégagé.

Cara a bu une gorgée de son verre et m'a regardé comme si elle s'excusait.

– Sept pour le moment. Ce n'est pas beaucoup, mais je compte bien me développer à l'avenir…

Elle croyait tromper qui avec sa fausse modestie ? Pas moi en tout cas. Mais l'information ne tombait pas dans l'oreille d'un sourd. Elle était propriétaire de sept magasins. Elle avait donc de l'argent. Ça pouvait se révéler intéressant.

– C'est original.

Je montrais son pendentif. Les flics se rapprochaient.

– Il appartenait à ma mère, a dit Cara.

C'était une fine chaîne d'argent ou de platine, avec deux cercles qui s'entrecroisaient dans un ovale.

– Qu'est-ce que ça signifie ? ai-je demandé.

– C'est le symbole de l'amour et de la paix, a répondu Cara. Les deux cercles se fondent l'un dans l'autre et renaissent l'un de l'autre. Enfin, c'est l'idée.

– Waouh… sérieux ! ai-je lâché sur un ton sceptique.

Cara a souri.

– Non. C'est juste le symbole de la paix et de l'amour. C'est tout.

J'ai levé ma cannette de bière.

– Je porte un toast à la paix et à l'amour.

Les flics n'étaient plus qu'à une table ou deux. Ils tendaient des photos à tous les clients du bar. Est-ce que c'étaient des photos de Morgan et moi ?

– Tu es très belle, ai-je murmuré à Cara.

Et je l'ai embrassée.

J'en avais l'estomac retourné. Les flics sont passés devant moi. J'ai rassemblé tout mon courage pour garder mes lèvres sur celles de Cara jusqu'à ce qu'ils soient partis. Dans le bar, quelqu'un a crié :

– Hé bé, qu'est-ce qui se passe avec ces deux tables ? Allez chercher un lit ! Allez en chercher deux !

Je me suis reculé lentement. Les filles aiment ça. Elles croient que vous avez envie de continuer.

– C'est à ce moment que je me fais gifler ? ai-je demandé.

– Je ne sais pas. Dis-moi pourquoi tu as fait ça et je prendrai une décision, a murmuré Cara.

Elle avait haussé les sourcils mais une lueur amusée éclairait son regard.

– Je n'ai pas pu résister. J'espère que tu ne m'en veux pas.

Cara a secoué la tête.

– Je devrais, mais en fait non.

Elle a ajouté sur un ton mélodramatique :

– Je me suis juste dit qu'une fois de plus, un homme m'avait trouvée irrésistible.

J'ai souri et j'ai bu une gorgée de bière pour effacer le goût de sa bouche.

– Je t'offre un verre ?

– D'accord, a accepté Cara. La même chose que toi.

Tu ne tiendrais pas deux minutes si tu avais la même chose que moi, ai-je pensé avec mépris. Mais je me suis levé en souriant. Elle s'était montrée seulement amicale pendant que nous discutions mais elle m'avait laissé l'embrasser. Elle aurait pu se dégager, me repousser, protester, mais non. Sale petite garce prima. Je me suis dirigé vers le bar. Quand elle n'a plus vu que mon dos, je me suis discrètement essuyé la bouche du revers de la main. J'ai commandé et payé deux bières avant de retourner vers la table.

– Merci, a dit Cara en prenant sa consommation.

– De rien, ai-je répliqué. Si on allait se balader après ?

– Je ne sais pas si...

– Aucune importance. Ce n'était qu'une suggestion.

Nous avons tous deux porté nos verres à nos lèvres.

– Se balader où ? a finalement demandé Cara.

– Je ne sais pas. Où tu veux. On peut aller au ciné, ou marcher, ou bien tu pourrais me montrer ton salon de coiffure... comment il s'appelle déjà ?

Cara m'a dévisagé. Brièvement mais intensément. Elle a fini par acquiescer.

– D'accord.

– Laquelle des trois propositions as-tu retenue ? ai-je voulu savoir.

– Les trois ! a-t-elle ri.

J'ai fini ma bière. Cara m'a imité. Elle a vidé sa cannette deux fois plus vite que moi.

– Tu es prêt ? a-t-elle souri.

– Archi-prêt !

Je me suis levé.

Cara était peut-être une stupide garce prima, mais elle m'était tombée toute cuite dans le bec. Et je n'étais pas du genre à rater une opportunité. J'avais besoin d'argent et vite. Cara allait m'en procurer. Qu'elle le veuille ou non.

Sephy

Callie, ma chérie,

Je t'en prie, je t'en supplie, ne pars pas. Je ne sais pas ce que je ferais si je te perdais toi aussi. Ils t'ont prise et emmenée au service de néonatalogie. J'ai tellement peur. Tu avais du mal à respirer et tu perdais trop de poids. Ils t'ont placée dans une couveuse. Je passe mon temps assise sur une chaise, à côté de cette couveuse, en priant pour que ta santé s'améliore. Si je veux te toucher ou te caresser, je dois glisser mes bras dans deux trous à la taille de mes mains. J'essaie de concentrer tout l'amour et tout l'espoir dont je suis capable pour que cet amour et cet espoir t'entourent en permanence. Je ne peux pas te serrer contre moi et ça me tue.

C'est tellement dur, ici. Plus dur que je ne l'avais imaginé. L'hôpital communautaire n'a que quatre couveuses. Seulement quatre. Mais je n'ai pas assez d'argent pour te faire transférer dans une clinique privée mieux équipée. Je ne pourrai toucher au pécule que ma grand-mère m'a légué qu'à mes vingt et un ans, et quand je suis partie après la mort de Callum, mon père m'a coupé les vivres. Je ne peux pas lui demander de l'aide. Et je refuse de parler à ma mère.

Je suis égoïste.

Callie, je ne te ferai pas payer le prix de ma fierté. Si dans quelques heures, tu ne vas pas mieux, j'appellerai quelqu'un, n'importe qui, qui t'aidera à t'en sortir. Je téléphonerai même à Papa s'il le faut.

Sil le faut vraiment.

Je me sens tellement inutile. Exactement comme le jour où Callum a été tué. Non… en fait, c'est encore plus douloureux. En plus de ne rien pouvoir faire d'autre qu'attendre, je redoute le pire.

C'est ma faute. Malgré toutes mes bonnes intentions, je t'ai utilisée pour punir ma famille, faire savoir à mes soi-disant amis ce que je pensais d'eux, pour cracher ma haine à tous ceux qui ont laissé mourir ton père sans lever le petit doigt. Personne n'a même pris la peine de me téléphoner pour me montrer que l'événement les touchait. C'est pour ça que j'ai fait paraître une annonce dans les journaux. Dans les grands journaux. Parce que tu n'es pas n'importe qui. Je pensais que quand l'annonce paraîtrait, nous serions de retour à la maison. Mais tu es malade et nous sommes toujours là. Mlle Fashoda, l'infirmière, m'a informée que l'hôpital avait reçu des centaines de coups de téléphone pour condamner mon attitude et celle de l'hôpital dans toute cette histoire. Elle m'a raconté avec délectation que beaucoup de gens pensaient que Callum s'en était bien tiré avec la pendaison. Ils estiment qu'il aurait dû être plongé dans un bain d'huile bouillante et écartelé. Certains autres pensent que Callum était un traître à sa cause parce qu'il était amoureux de moi, alors que je fais partie du camp des « oppresseurs ». Quand sommes-nous devenus des emblèmes, Callum et moi ? Des symboles et d'autres conneries du même genre ? Quand avons-nous cessé d'être tout simplement des êtres humains ? Tous ces gens qui ont téléphoné à l'hôpital pour cracher leur venin, leur haine – les Primas comme les Nihils ! Les deux faces d'une même médaille : leurs points de vue sont extrêmes et opposés mais au fond, ils ont le même discours haineux. Les Primas et les Nihils ne devraient pas se mélanger, les Nihils devraient retourner d'où ils viennent – où que ce soit, d'ailleurs !

Je ne suis pas sûre de la raison pour laquelle j'ai fait passer l'annonce de ta naissance. Je suppose que je voulais surtout mettre mon père hors de lui. Ça ne s'est pas passé comme je l'imaginais. Même si Papa sait pour toi, maintenant, que peut-il bien en avoir à faire ? Il est responsable de la mort de ton père et je ne représente plus rien à ses yeux. Pourquoi suis-je assez stupide pour me préoccuper de ce qu'il pense ?

Est-ce que tu es tombée malade parce que j'ai fait paraître cette annonce, Callie ? Je ne peux pas supporter cette idée. Est-ce que je suis punie pour avoir voulu t'utiliser contre mon père ? Mais ça n'est pas la seule raison, je le jure. Je voulais que le monde entier sache que tu existes et à quel point Callum t'aimait et… et tant d'autres raisons. Je ne voulais pas seulement blesser mon père.

Guéris, Callie.

Guéris et je te promets que plus jamais je ne me servirai de toi de cette façon.

Guéris, je t'en supplie.

Je ne pourrai pas vivre sans Callum, ni toi. Si tu meurs, je mourrai avec toi. Je t'en supplie, Callie, je t'en supplie, ne meurs pas.

Oh, Callum, j'aimerais tant que tu sois là. J'ai tellement besoin de toi.

Jude

Sur le chemin du cinéma, nous avons traversé un parc avec une aire de jeux. Cara a souri et a regardé les enfants courir, rire et crier. Il y avait des structures en acier peintes de couleurs rutilantes. L'une représentait une immense étoile avec des cordes tendues au milieu, l'autre un hélicoptère jaune et bleu, et une troisième une grande fusée rouge. Il y avait aussi trois balançoires, un tourniquet et un tape-cul. Quatre enfants prenaient place pour une course autour des structures métalliques. Un Prima et trois Nihils. Ils répartissaient les équipes. Ils avaient manifestement du mal.

– Je sais, a proposé une fille nihil, on va tirer au sort. *Am stram gram, pic et pic et colégram, pends un Néant par les pieds, si il crie laisse-le filer !* Tu es avec moi, Michael ! Allez, à vos marques, prêts, partez !

La fille et le dénommé Michael se sont donné la main et sont partis en courant, les deux autres ont suivi. Je les ai regardés négocier leur virage au tournant de l'étoile sans se lâcher la main. La chanson de la fillette résonnait à mes oreilles. Que ressentait-elle en prononçant ces mots ? Savait-elle ce que ça signifiait ? J'ai jeté un regard vers Cara. Elle regardait les enfants, une étrange expression peinte sur le visage. Puis elle s'est tournée vers moi et a esquissé un sourire.

Je suis resté de marbre.

– On ferait mieux d'y aller, a lancé Cara. Sinon, on va manquer le début du film.

Cara avait choisi une comédie romantique un peu cucul. Je devais lutter pour garder les yeux ouverts. Les reniflements et les sanglots étouffés de Cara m'ont tenu éveillé les dix dernières minutes. C'était vraiment mauvais. Ce type et cette femme qui poussaient des soupirs, qui souffraient pendant tout le film avant de se retrouver – évidemment – ensemble à la fin pour vivre heureux pour le restant de leurs jours. C'est bon, quoi ! Cara a essayé de dissimuler le fait qu'elle avait pleuré sans y parvenir. J'ai pensé à ses sept salons de coiffure, j'ai pensé à l'argent et je me suis résolu à passer mon bras autour de ses épaules. Aussitôt, elle a laissé aller sa tête contre moi. C'était trop facile. Voler Cara allait apparemment se révéler aussi aisé que de piquer des bonbons à un gosse de deux ans.

Sur le trajet, Cara n'a pas cessé de parler de Daley Mercer, l'acteur prima à la mode.

– Je crois que j'ai aimé tous ses films, a-t-elle soupiré. Et il est tellement mignon, tu ne trouves pas ?

– Il ne me fait pas beaucoup d'effet, ai-je rétorqué avec honnêteté.

Cara a ri.

– Je serais déçue si c'était le cas.

– Il joue dans un autre film qui sort bientôt, non ?

– Oui. *Destruction*, m'a répondu Cara. Ça sera sur les écrans la semaine prochaine. J'ai hâte.

– Ça parle de quoi ?

– C'est un film historique avec des fantômes. Le personnage que joue Daley est un propriétaire terrien du XVIIIe siècle qui a un secret. Si ce secret est révélé, Daley est ruiné. Une femme riche, jouée par Dessi Cherada, vient dans son manoir pour…

Là, j'ai déconnecté. Ça sonnait encore plus mauvais que le navet qu'on venait de se farcir. Cara a encore pris plusieurs minutes pour terminer son histoire.

– Les billets se vendent comme des petits pains, a soupiré Cara. Il va falloir que j'attende avant de le voir.

Personnellement, j'aurais préféré qu'on m'arrache les ongles de pied un par un, plutôt que de voir ce film de Primates complètement nul. Encore un film dans lequel les seuls acteurs nihils auront les rôles d'esclave. Je détestais les films historiques, précisément pour cette raison. D'ailleurs même dans les films soi-disant contemporains, les acteurs nihils étaient plutôt rares.

Nous sommes allés dîner d'agneau au curry accompagné de riz à la noix de coco. Cara a voulu payer mais j'ai insisté. Pour finir, nous avons partagé la note en deux. Puis je l'ai ramenée chez elle. Je savais qu'elle avait envie de me revoir. Elle ne m'a pas invité à entrer mais je voyais qu'elle hésitait intérieurement. Je l'ai aidée à prendre sa décision en la saluant.

– On pourrait peut-être se revoir… pour boire un verre ou autre chose, a lâché la prudente Cara.

– J'aimerais bien, ai-je répondu.

Nous sommes restés silencieux devant sa maison de taille moyenne, dans son jardin de taille moyenne, pas loin de sa voiture de taille moyenne garée dans l'allée. Une voiture grise ou métallisée, difficile de discerner la couleur avec l'éclairage des lampadaires.

– Je te donne mon numéro, a fini par se décider Cara.

– J'aimerais bien, ai-je répété en souriant.

J'avais réussi. Elle me le donnait avant que je lui demande. Je devais absolument la laisser mener cette relation si je voulais réussir à lui extorquer de l'argent. Elle a fouillé dans les poches de sa veste, a sorti un stylo et un mouchoir en papier. Elle a rapidement écrit son nom et son numéro de téléphone sans me regarder. Sa gêne était palpable. Elle m'a tendu le mouchoir et s'est pratiquement ruée sur sa porte.

– Cara ? l'ai-je appelée.

Elle a ralenti puis s'est immobilisée. Elle s'est retournée lentement et m'a regardé droit dans les yeux, pour la première fois depuis que nous étions devant chez elle.

– Je te rappelle très vite, ai-je dit.

Elle a acquiescé et j'ai lu de l'espoir et... quelque chose d'autre sur son visage. Je l'ai regardée entrer, avant de tourner les talons. Un visage était apparu à une fenêtre de la maison voisine. Comme si de rien n'était, j'ai marché tranquillement, conscient que j'étais observé. Je devais rester prudent. Je ne comprenais pas pourquoi Cara ne semblait pas gênée d'être vue avec moi. Quand nous avions pris nos tickets de cinéma, par exemple, je ne pouvais m'empêcher de remarquer les regards qu'on nous jetait. Mais elle, elle me souriait, comme si j'étais, à cet instant précis, la seule personne vraiment importante pour elle. J'avais dissimulé mon embarras et je lui avais souri à mon tour, en pensant que Cara, cette bonne vache laitière, allait très bientôt m'approvisionner en coupures fraîches. Il me suffisait de bien jouer le coup. Je n'étais pas inquiet.

J'étais le meilleur au poker.

Règle de Jude n° 6 : *Fais aux autres ce qu'ils pourraient bien te faire. Mais fais-le plus vite qu'eux !*

Sephy

Callie, ma chérie,

Les médecins me disent que tu tiens le coup. Ils essaient de me convaincre que je ne te suis d'aucune aide en te veillant jour et nuit et en refusant de m'alimenter, mais je ne les écoute pas.

Tu es dans cette couveuse depuis presque trois jours. Ce matin, je me suis assise sur une chaise près de toi et j'ai passé mes deux bras dans les trous de la couveuse. J'étais épuisée, je me suis assoupie. Jusqu'à ce que quelqu'un me secoue gentiment.

– Mademoiselle Hadley, mademoiselle Hadley.

La voix, douce mais insistante, a fini par me sortir de mon sommeil.

J'ai ouvert les yeux vers un infirmier nihil et deux femmes médecins, une Prima et une Nihil. J'ai immédiatement repris conscience.

– Qu'est-ce que c'est ? Que s'est-il passé ?

– Tout va bien, mademoiselle Hadley, a chuchoté le Dr Aldener, le médecin prima.

Elle m'a souri comme pour me rassurer mais elle a tout juste réussi à me donner l'impression qu'elle me cachait quelque chose.

– Nous avons de bonnes nouvelles. Votre fille va de mieux en mieux. Nous la gardons en couveuse encore aujourd'hui et si elle continue à respirer seule et sans difficulté, elle pourra retourner à la maternité avec vous, ce soir ou demain.

La joie profonde qui m'envahissait a très vite été remplacée par le doute.

Est-ce que Callie ne devrait pas rester un peu plus longtemps ? Pour que l'on soit sûr que sa respiration…

Pensaient-ils réellement que tu pouvais quitter le service, ou profitaient-ils de ce premier signe d'amélioration pour mettre un autre bébé à ta place ?

– Nous ne la déplacerons que lorsque nous serons parfaitement certains qu'elle ne coure plus aucun risque, m'a tranquillisée l'autre médecin. Mais nous sentons qu'elle est sortie d'affaire.

– Vous êtes sûrs ? ai-je insisté.

Je n'étais qu'à moitié convaincue.

– Absolument, a souri le médecin nihil.

Oui, je me montrais égoïste, mais il était hors de question que je les laisse te déplacer avant que tu sois parfaitement guérie. C'est pour ça que j'ai attendu et que je t'ai observée. Surtout observée. Toute la journée et toute la nuit. Pour m'assurer par moi-même que tu respirais toute seule, sans cet horrible tube dans ton nez. Mais je t'ai trouvée encore un peu encombrée. Je t'ai donné le sein à chaque fois que tu te réveillais. Je te tenais contre mon cœur, tu serrais mon doigt dans ta petite main, comme si tu t'accrochais à la vie. C'était la première fois que je pouvais te nourrir depuis que tu étais en néonatalogie.

J'ai pensé que c'était bon signe qu'on me laisse te prendre et te donner à manger.

On va bientôt sortir, Callie. J'ai tout prévu. On ira chez moi et je nous ferai une belle vie, rien que pour toi et moi. Je te le promets. Je n'ai pas d'argent, mais je trouverai un emploi et je travaillerai dur. Pour les études, ça attendra encore un peu. Je n'ai que dix-huit ans, après tout. J'ai tout le temps de reprendre les cours et peut-être même d'aller à la fac pour apprendre le droit. J'ai toujours envie d'être utile, comme Kelani Adams – l'avocate qui a défendu Callum et son père Ryan quand ils ont été traînés en justice. J'ai toujours l'espoir de devenir avocate comme elle. Je pourrai proposer l'aide juridique à ceux qui en ont besoin. Peut-être, un jour. Alors ne t'inquiète pas, Callie. Nous avons toute la vie devant nous. Tu es ma priorité pour le moment. Je vais commencer par trouver un travail, Callie. Et toi et moi, on sera heureuses toutes les deux. Tu verras.

J'ai tout prévu.

Jude

J'ai eu du mal à m'endormir la nuit dernière. À trois heures du matin, j'avais encore les yeux grands ouverts. Il faisait si froid dans ma chambre. Et tout était tellement silencieux. Où est partie mon enfance ? Qu'est-il arrivé à mes rêves ? Je ne me les rappelle même plus. La vie que je mène aujourd'hui est la seule que je connais.

Mais la nuit dernière a peut-être été la pire de ma vie.

Parfois, je m'endors dès que ma tête touche l'oreiller. D'autres nuits, le sommeil et moi sommes de parfaits étrangers l'un pour l'autre. Quand mon frère habite mon esprit. Et puis, peut-être l'histoire avec Cara a-t-elle joué. Moi et une Primate. Qui aurait pu y croire ? Mais elle n'est qu'un moyen qui me permettra d'arriver à mes fins. Il faut bien que je vive. Callum, je ne comprends pas pourquoi je suis toujours là, alors que tu es mort. Tu étais si brillant, et tellement plus entreprenant que moi. Mais penser à toi toute la nuit ne m'apporte ni joie, ni réconfort. Mon corps est tendu, mes poings serrés, mes yeux me brûlent malgré l'obscurité. Mon corps et mon âme sont envahis par la rage. Une rage suffisante pour consumer le monde entier. Le seul fait de penser à toi, Callum, fait bouillir en moi toute la haine que je ressens et cette haine explose comme un feu d'artifice au napalm. Cette sensation est si intense qu'elle m'effraie moi-même. Alors, je reste allongé dans mon lit, les yeux fixes dans la nuit, à imaginer des plans jusqu'à ce que je m'endorme, épuisé.

Il faisait si froid dans ma chambre.

Et encore plus froid dans mon cœur.

J'ai téléphoné à Gina, ma petite amie. Mon coup de fil n'a pas semblé lui faire plaisir. Elle n'a vraiment pas sauté de joie en entendant ma voix. Elle ne s'est montrée ni ennuyée, ni indifférente… mais n'avait pas l'air contente, non plus. Rien. Je ne sais pas ce que j'attendais. Nous avions une relation du style on se quitte, on recommence, on se requitte. Et depuis un bon bout de temps, plus de relation du tout. Mais je me sentais seul et j'avais envie de parler à quelqu'un. Pourquoi pas elle ?

– Jude, je suis un peu occupée en ce moment, a-t-elle dit au bout de deux minutes.

Derrière elle, j'entendais une musique en sourdine. Une chanson d'amour. Je savais qu'il s'agissait du CD de Gibson Delle qu'elle mettait toujours quand nous étions ensemble.

– Je ne t'ai pas vue depuis longtemps, Gina. J'ai pensé qu'on pourrait discuter un peu.

– Je n'ai vraiment pas le temps, a continué Gina d'une voix un peu plus ferme et un ton au-dessus.

Signe de nervosité. J'avais composé le numéro de son domicile. Elle n'était manifestement pas seule.

– Qui est avec toi ? ai-je demandé d'une voix douce.

– Personne.

Elle avait répondu trop vite. J'avais raison.

– Qui est avec toi ? ai-je répété.

– Jude, tu ne m'appartiens pas et je ne t'appartiens pas non plus. Je n'ai pas eu de tes nouvelles depuis des mois. Je ne suis pas une machine qui ne prend vie que lorsque tu t'intéresses à elle.

Gina crachait ses phrases à présent. Dans sa hâte d'être entendue, elle bafouillait presque. Et sa voix était plus aiguë. Elle n'était pas seule et elle se sentait coupable.

– Je pensais que nous étions ensemble, que nous formions un couple, ai-je dit. Je me suis trompé.

– Comment oses-tu ? a-t-elle crié. Comment oses-tu me faire le moindre reproche ? Tu ne m'as pas adressé la parole depuis des semaines et quand nous sommes ensemble, tu me donnes toujours l'impression que tu ne serais pas plus mal ailleurs !

Les propos de Gina ne me choquaient pas. À la vérité, j'étais surpris de découvrir que je n'étais pas le moins du monde bouleversé par le fait qu'elle voie quelqu'un d'autre. Mais sa réaction exagérée m'a fait supposer qu'il y avait plus qu'un autre homme dans sa vie. Et tout à coup, j'ai compris. Ça m'avait bien pris deux secondes, mais il était tard et j'étais fatigué.

– Passe-moi Morgan.

Il y a eu un silence.

– Gina, passe-moi Morgan, ai-je ordonné.

La moindre hésitation de ma part lui permettrait de me jurer que je me trompais. Un mal de crâne lancinant commençait à me torturer. J'ai fermé les yeux et j'ai poussé un grognement. C'était un début de migraine.

– Allô Jude ?

Même si je m'attendais à entendre sa voix, j'ai sursauté. Supposer un fait ne signifie pas qu'on ait envie de le voir confirmer.

– Salut vieux frère, ai-je commencé.

– Tu n'étais pas intéressé, moi oui, a tout de suite attaqué Morgan.

Pas d'excuses, pas de remords. Rien que du défi.

J'étais trop fatigué et ma tête me faisait trop souffrir pour que je m'en préoccupe.

– Prends-la, Morgan, mais crois-moi, tu mérites mieux.

– C'est tout ce que tu voulais me dire ? a lâché Morgan sur un ton glacial.

– Non, mais je ne peux pas te parler maintenant. On s'appelle demain. Téléphone-moi d'une cabine ou de ton portable.

Et j'ai raccroché. Violemment.

J'étais de nouveau seul.

Évidemment.

Je me suis recouché en grognant. Mon mal de tête ne faisait que commencer.

Sephy

Callie, ma chérie,

Tu as réussi ! Tu t'en es sortie ! Nous avons toutes deux survécu à ces deux derniers jours. Je ne veux plus jamais avoir aussi peur de ma vie. Mais maintenant tu es là. Tu n'es plus dans ta couveuse du service néonatalogie, tu es à la maternité avec moi, tu respires sans problème et tu as cessé de perdre du poids. Ils ne nous laisseront partir que quand ton poids aura augmenté de dix pour cent, juste pour être sûrs. Ce n'est pas grave. À vrai dire, je n'ai pas de raison de vouloir retrouver mon appartement rapidement. Je ne suis pas retournée chez mes parents, après la mort de Callum. Je n'y retournerai jamais. Ça fait partie de mon ancienne vie. Tu représentes ma nouvelle vie, mon avenir. Et Callum sera pour toujours mon présent. C'est comme si, pour tout ce qui le touche, le temps s'était immobilisé. Et ce sera toujours comme ça.

Parfois, je me dis que je devrais faire mon deuil de Callum, mais chacune de mes respirations me rapproche de lui. Je ne veux pas qu'il me quitte. Il était plus moi que je ne le suis. Je sais que ça semble absurde, mais c'est ce que je ressens au plus profond de moi.

Tu es guérie à présent, et tu vas de mieux en mieux. Je dois me concentrer sur cette idée.

Jude

J'étais debout près de la fenêtre, je regardais les gens passer. Le ciel était uniformément gris, empli de nuages couleur ciment qui ne laissaient pas entrevoir la moindre parcelle de bleu. L'atmosphère était lourde et parvenait même à étouffer la rumeur de la circulation.

Lundi matin.

Un homme et une femme marchaient sur le trottoir, main dans la main. L'homme s'est arrêté brusquement et s'est tourné vers sa compagne, un immense sourire aux lèvres. Il a prononcé quelques mots. La femme me tournait le dos et je ne voyais pas son visage. Celui de l'homme était toujours souriant. Il la dévorait des yeux. Il a pris le visage de la femme dans ses mains et l'a embrassée. Je les ai regardés, les secondes s'écoulaient, et ils continuaient à s'embrasser. J'ai eu envie d'ouvrir la fenêtre et de leur crier dessus, mais je ne l'ai pas fait. Je voulais m'éloigner de la fenêtre, mais je n'y arrivais pas. Ils se serraient l'un contre l'autre et quand l'homme a fini par relâcher la femme, il lui a caressé le visage et a repris sa main. Ils ont continué à marcher. Je ne les ai pas quittés du regard. J'avais envie qu'ils lèvent les yeux vers ma fenêtre. Mais ils ne l'ont pas fait. La fille n'était qu'une pute. C'était forcément une pute pour sortir avec un Prima. Elle n'essayait même pas de cacher le fait qu'ils étaient ensemble. Mais moi, je savais que ce n'était qu'une pute. Toutes les femmes nihils qui sortent avec des Primas sont des putes.

Le visage de Sephy Hadley m'est soudain apparu. Sephy et mon frère, Callum. De quoi avaient-ils l'air quand ils étaient ensemble ? Mon frère avait été leurré – et c'est un euphémisme. Et Sephy avait été sa Némésis, drapée dans un costume de richesse et de fausse amitié. J'ai regardé l'homme prima et la femme nihil tourner au coin de la rue, essayant de jouer les amoureux dans ce monde dépourvu d'amour.

Et maintenant, c'était à moi de jouer.

La Guêpe enragée draine la haine

Le groupe La Guêpe enragée n'est plus invité à participer à la grande fête annuelle du Parc. Un porte-parole de l'association « La confiance et la foi », qui organise un concert chaque année, a déclaré : « *Depuis que nous avons annoncé la venue de La Guêpe enragée, nous avons été submergés de plaintes. Ce groupe nihil est très populaire, mais de nombreuses personnes ne peuvent accepter les paroles de leurs chansons. En particulier "Derrière le drapeau", qui peut être considéré comme une incitation flagrante à la violence contre la police. D'autres les surnomment le "groupe de la haine". Nous nous sommes en conséquence vus contraints de les exclure de notre programmation.* »

Quand Aidan Doyle, le leader de La Guêpe enragée, a été mis au courant, sa réaction a semble-t-il été d'une grande violence. *« Ces... de "La confiance et la foi" peuvent aller se faire f...! S'ils ont peur de nous, nous jouerons pour ceux qui ne sont pas des p... de trouillards ! »*

Une femme qui assiste tous les ans à la fête annuelle du Parc nous a confié : *« Il est hors de question que j'emmène ma famille à un endroit où ces musiciens donnent un spectacle. Ils sont grossiers. Ce soi-disant groupe de rock ne fait que hurler des obscénités et provoquer des troubles. Ce n'est pas vraiment ce que je veux faire écouter à mes enfants ! »*

Sephy

Callie, ma chérie,

Devine qui est venu me rendre visite, aujourd'hui ? Ma sœur Minerva. Je lisais le journal et je ne me suis aperçue de sa présence que lorsque son ombre a obscurci mon lit. C'était ma première visite depuis ta naissance. Je n'attendais personne. Je n'ai besoin de personne. Mais ma sœur était là, devant moi, avec la tête idéale pour un enterrement.

– Bonjour Sephy.

– Bonjour Minerva.

J'ai posé mon journal.

Nous nous sommes regardées en silence pendant quelques secondes.

– Comment va ton bras ?

Je ne t'ai pas dit, Callie, ta tante Minerva a été blessée par balle quand j'étais enceinte de six mois. Par qui ? Je suppose que quand je te donnerai ce journal, tu seras assez grande pour savoir tout cela. Eh bien, c'était ton oncle Jude. Jude est le frère de ton père et il me déteste, moi et ma famille. Mais surtout moi. Les heures que j'ai passées dans la salle d'attente de l'hôpital, ce jour-là, ont été terribles. Je ne savais pas si ma sœur allait ou non perdre l'usage de son bras, ou même son bras tout entier. Ou même sa vie. C'est le genre de souvenirs que l'on préfère reléguer tout au fond de sa mémoire. Mais on n'y arrive jamais. Sans arrêt, ils vous reviennent en tête. Quand Minerva s'est réveillée, je l'ai suppliée de ne pas dénoncer Jude à la police. Je lui ai demandé de raconter qu'un vagabond avait fait irruption chez moi, que j'avais refusé de lui donner de l'argent et qu'il avait tiré

99

avant de s'enfuir. Minerva n'était pas d'accord. Elle voulait que Jude paie. Moi aussi.

Mais je savais que ça ne marcherait pas comme ça.

J'étais égoïste, je le reconnais. Mais j'avais tellement envie de ne pas envenimer encore un peu plus la situation déjà explosive entre les Hadley et les McGrégor. Je n'avais aucune envie de voir la presse camper devant chez moi, me suivre partout pour obtenir une interview. Je ne voulais pas être assiégée par les photographes. Je ne voulais pas rouvrir de vieilles blessures, pour la mère de Jude et pour moi. Mais surtout pour moi. J'étais d'un égoïsme forcené. J'ai supplié Minerva, jusqu'à ce qu'elle cède. Mais après ça, nos relations se sont dramatiquement détériorées. Pour toujours, je pense.

Reste loin de Jude, Callie. Rien ne l'arrête quand il a décidé d'obtenir quelque chose. Et ce qu'il désire plus que tout au monde, c'est ma tête au bout d'une pique et mon cœur sur un plateau. Je n'ai absolument pas peur de lui. Si j'étais seule, j'irais le voir et je lui dirais clairement de me foutre la paix ! De me lâcher et d'aller se faire pendre ailleurs. Mais je ne suis pas seule. Et Jude est tout ce qu'on voudra sauf un imbécile. Il sait que l'unique moyen qu'il ait de me faire souffrir, c'est de te faire souffrir toi.

– Mon bras est guéri, a répondu Minerva en bougeant les doigts. J'ai un peu mal quand le temps est humide mais il fonctionne comme avant.

– Minerva, je suis désolée… pour… ce qui t'est arrivé, ai-je marmonné pour sans doute la milliardième fois.

– Est-ce que tu peux arrêter de t'excuser ? a soupiré Minerva. Et arrête de m'appeler Minerva.

– Et comment suis-je censée t'appeler ? Je sais que tu détestes « Minnie ».

– Minnie, c'est très bien.

– Tu m'as dit le contraire pendant des années.

– Oui, mais Minnie est le nom que me donne ma sœur.

Je comprenais ce qu'elle voulait dire, mais elle n'était plus Minnie et ne le serait sans doute plus jamais. Et puis j'avais du mal à oublier que ma propre sœur avait été gravement blessée à cause de moi.

– Je peux m'asseoir ? a-t-elle fini par demander.

Je lui ai désigné la chaise destinée aux visiteurs près de mon lit. Le tissu qui couvrait le dossier était taché et délavé, et quand Minerva s'est assise, ses fesses se sont enfoncées. Elle ressemblait à un bébé sur le pot. Elle s'est redressée, et s'est installée sur le bord de la chaise, où c'était un peu plus ferme.

J'ai attendu un commentaire désagréable, ou des remarques et des gémissements, mais rien n'est venu. Minerva a promené son regard autour d'elle. Je l'ai imitée. La plupart des gens nous observaient – les visiteurs comme les patients. Ils devaient se demander pourquoi je n'étais pas dans une clinique privée, Callie, mais je voulais que tu naisses à l'hôpital communautaire. C'était important pour moi. C'est ce qu'aurait voulu Callum. Mais j'étais consciente que nous n'étions que deux Primas dans la maternité et j'étais aussi une personne… comment dire ?… connue. Connue est un euphémisme pour exprimer ce qu'il conviendrait plutôt d'appeler de la notoriété. L'autre Prima, qui était arrivée la veille en urgence, occupait le lit face au mien. Elle nous regardait elle aussi. Elle n'était là que parce que son bébé se présentait par le siège et que l'hôpital communautaire était le plus proche de chez elle. Elle avait pris la peine de me raconter tout ça. Elle allait être transférée à l'hôpital général dans la soirée ou, au pire, le lendemain matin. Je me suis tournée vers ma sœur.

– Comment m'as-tu trouvée ? n'ai-je pu m'empêcher de lui demander.

Mais j'ai compris avant qu'elle réponde.

– Bien sûr, l'annonce dans le journal.

Minerva a acquiescé.

– Nous l'avons lue. Tous.

– Ce n'était pas une invitation à me rendre visite, ai-je lâché. J'avais payé cette annonce à l'avance et elle ne devait paraître qu'après ma sortie. Mais Callie a été malade. Si j'avais su que nous resterions si longtemps à l'hôpital, j'aurais retardé la parution.

– C'est bien fait pour toi, alors, a rétorqué Minerva sur un ton monocorde.

J'ai pincé les lèvres. Il ne lui avait pas fallu longtemps pour trouver quelque chose de méchant à dire. Mais je devais reconnaître que c'est moi qui avais commencé.

– Je suis désolée, s'est excusée Minerva. Je ne suis pas venue ici pour être mesquine. Est-ce que tu as tout ce dont tu as besoin ? Est-ce que je peux faire quelque chose pour toi ?

– Oui à la première question, non à la seconde, ai-je répondu.

Et j'ai attendu.

– Puis-je voir ma nièce ?

– Elle est là.

J'ai désigné le berceau transparent au pied de mon lit.

Minerva s'est levée et est allée jusqu'à toi. Elle t'a regardée sans prononcer un mot. Elle était parfaitement immobile. Puis, lentement, elle a caressé ta joue du bout du doigt.

– Tu vas vraiment l'appeler Callie ?

– Oui. Callie Rose. C'est ce qui est marqué dans l'annonce.

– Bonjour bébé, a dit Minerva.

– Elle a un nom. Pourquoi es-tu venue, Minerva ?

– Je voulais te voir.

J'ai laissé cette phrase en suspens.

– Depuis combien de temps es-tu ici ? a demandé ma sœur.

– Un peu moins de deux semaines.

– Pourquoi si longtemps ?

– Callie avait des problèmes respiratoires. Elle n'est sortie du service de néonatalogie qu'hier.

– Ah. Et elle va mieux maintenant ?

Je me contenais.

– Oui. Elle n'a pas repris tout à fait assez de poids, c'est tout. Ils la gardent encore un peu en observation.

Minerva m'a dévisagée.

– Tu as l'air fatigué, Sephy.

– Je suis fatiguée, ai-je répliqué. Je viens d'avoir un bébé.

Minerva a hoché la tête. Comme si elle savait parfaitement de quoi je parlais.

– Qui la nourrit ?

J'ai froncé les sourcils.

– Moi.

– Tu n'as pas peur que tes seins finissent par tomber ?

Je lui ai lancé un regard manifestement éloquent, parce qu'elle a souri et lancé :

– Je suppose que tu t'en fiches.

– Minerva, si tu savais à quel point je m'en contrefous !

– Évidemment.

Minerva a ri mais son sourire s'est très vite effacé.

– Plus de Minnie, alors ? a-t-elle murmuré.

– On est toutes les deux un peu grandes pour ça, non ?

Minerva m'a regardée. J'ai planté mon regard dans le sien et elle a fini par baisser les yeux. Le temps où elle pouvait m'intimider était révolu depuis longtemps.

– Pourquoi es-tu venue ? ai-je répété. Pourquoi maintenant ?

– Je voulais te voir, a rétorqué Minerva, sur la défensive.

– Tu l'as déjà dit. Pourtant, après avoir été blessée, tu ne voulais plus rien avoir à faire avec moi.

– J'étais en colère et j'ai rejeté toute la faute sur toi. Surtout après que tu m'as demandé de ne pas porter plainte contre Jude, s'est expliquée Minerva. Mais j'en suis désolée. Je me suis montrée injuste.

J'ai haussé les épaules.

– Je comprends.

– Dès que je suis sortie de l'hôpital, j'ai eu envie de te revoir, a poursuivi Minerva. Mais tu avais disparu. Tu as quitté ton appartement et personne ne savait où tu étais. C'était comme si tu t'étais évanouie dans les airs.

– Je n'étais pas loin.

– Où ?

Je suis restée silencieuse. Je ne voulais rien dire de plus. Que pouvais-je ajouter ? Tu vois, Minerva, tu trouvais déjà que mon ancien appartement n'était pas terrible, attends de découvrir celui-là. Je vis dans une pièce minuscule et glaciale avec une cuisinière électrique, un canapé-lit et une salle de bains qui ressemble en tous points de vue à un réfrigérateur.

Et l'argent file si vite quand tu dois payer le loyer et les factures, acheter le minimum vital, comme de la nourriture, une poussette, des couches, un berceau et tout ce dont les bébés ont besoin. Il me reste de quoi tenir encore un mois et après je serai complètement fauchée.

– Pourquoi n'es-tu pas rentrée à la maison, après... après ce qui est arrivé avec Jude ? a voulu savoir Minerva.

– Ce n'est plus chez moi.

– Bien sûr que si. Nous voulons tous que tu reviennes.

– Minerva, après l'histoire avec Jude, tu refusais de m'adresser la parole, alors ne prétends pas que tu m'aurais accueillie à bras ouverts.

– Je te l'ai dit, j'étais en colère. Mais ça m'est vite passé.

– Pas moi.

– Tu nous manques à Maman et à moi, a continué Minerva. Que pouvais-je répondre à ça ? Je suis restée silencieuse.

– C'est vrai, a insisté Minerva.

– Comment va Maman ? ai-je fini par demander.

– Bien. Du moins, c'est ce qu'elle affirme.

– Elle boit toujours ?

– Non.

J'étais surprise de cette réponse.

– Maintenant que Papa a pris ses affaires et est parti pour de bon, j'ai peur qu'elle recommence, mais j'ai l'impression qu'il ne lui manque même pas. Elle est trop occupée à regretter tout ce qui s'est passé entre elle et toi.

– Ça m'étonne.

– Pourtant, c'est vrai.

– Tu es partie de la maison ?

Minerva a secoué la tête.

– Non. Je ne veux pas laisser Maman toute seule. Même si elle s'en fiche. Tu as toujours été sa préférée.

J'ai écarquillé les yeux.

– Tu rigoles. Toute mon enfance, Maman m'a fait sentir qu'elle voulait que je te ressemble !

Minerva a agité la main comme on chasse une mouche.

– Ce n'étaient que des paroles. Tu n'étais pas facile. Et tu ne faisais jamais ce que l'on te demandait. Maman adorait ça. J'ai toujours été l'obéissance incarnée, l'ennui incarné. Toi, tu étais l'esprit libre.

– Tu racontes n'importe quoi ! ai-je lancé d'un ton brusque.

J'avais assez de questions qui tournaient dans ma tête sans que Minerva vienne y ajouter la culpabilité.

– Sephy, je demandais à Maman de m'inscrire au pensionnat de Chivers depuis le primaire. C'est toi qui y es allée.

– Et tu n'as pas pensé qu'elle était tout simplement contente de se débarrasser de moi ?

– Et tu n'as pas pensé que Maman ne savait rien te refuser ? Il ne t'a fallu que quelques semaines pour obtenir une chose que je lui réclamais depuis des années.

Je n'avais pas envie de discuter pour savoir laquelle de nous deux avait le plus souffert. J'ai baissé les yeux. Minerva a de nouveau soupiré, puis a esquissé un sourire.

– Pourquoi est-ce qu'on finit toujours par se disputer ?

– On se débrouille bien, c'est tout.

Minerva a commencé à rire, mais elle s'est brusquement arrêtée. J'avais tellement envie qu'elle redevienne Minnie. Tellement envie. Ma sœur a jeté un coup d'œil à sa montre.

– Je dois y aller, a-t-elle dit. Sephy… est-ce que… est-ce que tu veux bien que Maman vienne te voir ?

Ah ! Nous y étions !

– Non, ne crois pas que c'est elle qui m'envoie, s'est empressée d'ajouter Minerva. Je voulais te voir, toi et ma nièce aussi.

– D'accord.

– Alors, tu veux bien ?

J'ai haussé les épaules.

– Si elle veut venir, je ne peux pas l'en empêcher.

– Elle ne viendra pas si elle sait que tu n'en as pas envie.

– Dis-lui seulement de ne pas dire de mal de Callum et tout se passera bien.

– D'accord, a accepté Minerva en regardant de nouveau sa montre.

– Tu as un rendez-vous ? lui ai-je demandé.

– Oui, c'est pour un boulot.

– Où ?

– Au *Daily Shouter*.

– Pour faire quoi ?

– Du journalisme ! Je vais être reporter.

– Oh pardon, ma chère.

Inutile de le nier, j'étais impressionnée.

– Attends, je n'ai pas encore le poste. Mais si je ne suis pas embauchée au *Daily Shouter*, je postulerais auprès d'un autre journal. Ce n'est qu'une question de temps. Je suis très ambitieuse.

– Je ne savais pas que tu t'intéressais au journalisme.

– J'étais rédactrice en chef du journal de l'école, je te rappelle.

– Je ne me souvenais plus.

– C'est parce que tu ne te préoccupais que de Callum. Tu ne prêtais attention qu'à ce qui le concernait directement.

Ping ! Mais c'était vrai.

– Alors, tu veux vraiment devenir journaliste ?

– Oui, j'y ai beaucoup pensé ces derniers temps, a dit Minerva.

– La vérité ou l'enfer, hein ?

– Je pense que c'est plutôt la vérité et l'enfer, m'a corrigée Minerva.

– Oui, on se demande ce que la vérité vient faire là-dedans.

– Le cynisme légendaire de Sephy n'est jamais très loin.

– Désolée, c'était mal venu.

– Oui, a souri Minerva, moi je suis une langue de vipère et toi tu es cynique. C'est toujours pareil.

Je n'ai pas réfuté cet état de fait, mais maintenant qu'elle l'avait dit à voix haute, ça ne semblait plus aussi insupportable qu'avant. Nous étions comme ça, c'est tout. Mais c'était ma sœur et... je l'aimais. Malgré tout. Et je savais qu'elle m'aimait aussi.

– Bonne chance pour ton entretien, ai-je lâché.

– Merci.

Minerva s'est levée et s'est dirigée vers la sortie. Mais avant de disparaître, elle s'est retournée.

– Ta fille est très belle, Sephy.

– Je sais.

Jude

J'étais sur le point de l'appeler mais j'ai changé d'avis. J'ai pris une douche, me suis parfumé avec mon after-shave le plus cher, j'ai enfilé un jean propre, un polo noir et une veste en cuir noire. Puis je suis sorti. Il faisait déjà chaud dehors. Dans une heure ou deux, ce serait étouffant. J'ai regardé le ciel bleu et j'ai soupiré. Peut-être devrais-je remonter à l'appartement et poser ma veste ? Mais j'avais la flemme. De plus, je savais qu'elle m'allait bien.

Une heure plus tard, j'étais devant le salon de coiffure de Cara. Il était dix heures et demie, et c'était déjà bondé. Des femmes se faisaient couper les cheveux, ou coiffer ou permanenter ou ce genre de trucs que font les femmes dans ce genre d'endroit. Trois coiffeuses primas et un coiffeur nihil se tenaient au milieu de toutes ces clientes et discutaient en riant. Un employé nihil ? J'étais vraiment surpris. J'ai regardé par la vitrine et ça n'avait l'air de gêner personne.

Et puis, il y avait Cara, qui, dans un grand miroir, souriait à une de ses clientes. Une Nihil qui se faisait coiffer. Cara venait sans doute de dire quelque chose de très drôle parce que la femme ne pouvait plus s'arrêter de rire. J'hésitais à entrer. Mais j'avais besoin d'argent. Et d'un logement. Cara pouvait me procurer les deux. J'ai poussé la porte.

– Puis-je vous aider, monsieur ? m'a accueilli une femme avant même que j'aie refermé derrière moi.

– Je suis venu voir Cara.

– Vous avez rendez-vous ?

– Non.

– Je suis désolée mais nous sommes très occupés aujourd'hui.

La réceptionniste se répandait en excuses.

– Elle ne va pas pouvoir...

– C'est bon, Ava, c'est mon ami, Steve.

Cara s'est approchée, un grand sourire aux lèvres. Un sourire qui l'éclairait de l'intérieur. Elle ne se contentait pas de soulever la commissure des lèvres comme la plupart des femmes, elle levait la tête et souriait avec les yeux, les joues, la bouche. Évidemment. Elle était prima et sa vie se passait plutôt pas mal.

– Comment vas-tu ?

– Bien, ai-je répondu. J'espère que ça ne t'embête pas que je sois passé sans prévenir ?

– Bien sûr que non, je suis contente de te voir, a dit Cara.

Et ça avait l'air vrai. Je ne la comprenais pas. Tout le monde nous jetait des regards de curiosité. J'ai fait un pas en avant et j'ai pris une longue inspiration. Ça ne m'était pas facile de demander quelque chose à une Primate et encore moins un rendez-vous.

– J'ai réussi à avoir deux entrées pour *Destruction*, le film avec Daley Mercer que tu voulais voir. Tu veux qu'on y aille ensemble ?

– Quand ?

– Ce soir.

– Oh, j'aurais adoré, mais on fait une nocturne, ce soir, a soupiré Cara, la voix pleine de regrets. À quelle heure le film commence ?

J'ai jeté un coup d'œil autour de moi. Tout le monde nous regardait. Je me suis rapproché de Cara pour que personne ne m'entende. C'était bien assez gênant comme ça.

– À neuf heures moins dix.

– Je ne termine qu'à neuf heures, s'est désolée Cara. Je dois fermer après le départ de tout le monde.

– Tant pis. C'était juste une proposition.

Oui, tant pis. Peut-être que tout ne se déroulerait pas aussi facilement que je l'avais d'abord cru.

– Tu sais quoi, je nous prépare un dîner chez moi pour remplacer cette soirée, s'est exclamée Cara. Mais je te préviens, je ne suis pas une très bonne cuisinière.

– Moi oui ! ai-je affirmé. Tu apportes les ingrédients, je cuisine.

– Ça marche, s'est réjouie Cara. On se retrouve chez moi ?

– Non, je passerai te prendre ici à neuf heures, ai-je décidé. Et je te raccompagnerai.

– Merci Steve. À tout à l'heure, alors. Et je suis désolée pour le film.

– Ne t'inquiète pas pour ça, l'ai-je rassurée. À tout à l'heure.

Je me suis dirigé vers la porte. J'ai bien pris soin de me retourner et de lui adresser un petit signe avant de sortir. Les filles aiment ce genre de trucs. C'était si facile. Elle était vraiment stupide. Elle me présentait comme son ami, mais il ne suffisait pas qu'elle le dise pour que ce soit vrai. Elle ne me connaissait que depuis deux jours, on s'était rencontrés dans un bar et déjà, elle m'invitait chez elle. Ce soir, elle fermerait la boutique après que tout le monde sera parti. Il n'y aurait qu'elle et moi. J'avais hâte d'y être. J'allais lui apprendre.

Cara finirait par comprendre que ce n'était pas malin d'être si confiant.

Sephy

Callie, ma chérie,

J'ai discuté avec ma voisine de lit aujourd'hui. Elle est arrivée hier. Elle est vraiment gentille. Elle s'appelle Roxie, elle doit avoir vingt-cinq ou vingt-huit ans… mais je suis nulle pour évaluer les âges. Elle a donné naissance à un petit garçon il y a deux heures et elle part demain. Quelle chance ! J'aimerais tellement partir, moi aussi.

Mais après, je pense à ce qui m'attend : un appartement insalubre avec une vue sur un mur de briques sales.

Je n'ai pas envie de te ramener là-bas, Callie, mais je n'ai pas le choix. En revanche, je te promets que ce sera seulement pour un temps. Dès que je serai de nouveau sur pied, je te trouverai un lieu plus agréable.

Je pensais que Roxie était comme moi, sans famille, mais je me trompais.

Vers sept heures du soir, je venais de terminer de te nourrir et je te reposais dans ton berceau quand j'ai croisé le regard de Roxie.

– Ta fille est très belle, m'a-t-elle dit.

– Oui, je trouve aussi, ai-je répondu. Mais je ne suis pas objective.

Des tas de visiteurs commençaient à entrer dans le service.

– Tu attends quelqu'un ? lui ai-je demandé.

– Je ne sais pas. Mon compagnon travaille à Sheley dans le nord et il ne rentre que demain après-midi, a répondu Roxie. Mais mon frère et mes sœurs vont peut-être venir.

– Tu as combien de sœurs ?

– Trois, a souri Roxie. Et un frère, Jaxon. Tiens, le voilà.

J'ai levé les yeux et j'ai vu un grand jeune homme blond avec des épaules larges qui venait vers nous. Il portait une guitare en bandoulière. Il devait avoir à peu près mon âge.

Alors qu'il s'approchait, j'ai remarqué qu'il avait des sourcils blonds et, plus surprenant, des cils blonds. Ce qui lui donnait un étrange regard, très attirant. Ses yeux bleu glacier étaient presque hypnotiques, comme des yeux de serpent. Ils ressortaient dans son visage et on avait l'impression que ces yeux-là ne pouvaient rien cacher.

– Coucou, frangine.

Jaxon s'est penché pour embrasser sa sœur sur la joue, puis il a pris son neveu dans ses bras.

– Jaxon, je te présente Sephy, Sephy, voici Jaxon Robbins, mon frère.

– Bonjour, Jaxon, ai-je souri.

Il s'est contenté de hocher la tête vers moi. Toute son attention était concentrée sur sa famille.

– Alors, comment il va s'appeler, cet affreux morpion ?

– Sam, mon fils s'appelle Sam, a soupiré Roxie en me jetant un regard entendu, et ce n'est pas un morpion.

– Un morpion ? Qu'est-ce que c'est que ça ? ai-je demandé.

– Un nain, un petit rat, un horrible ver de terre…

– Merci Jaxon, je crois que Sephy a compris, l'a interrompu Roxie.

– Je n'avais jamais entendu ces expressions auparavant, ai-je souri.

– C'est parce que ce sont des expressions nihils. Tous les éléments de notre vie ne sont pas dirigés par les Primas. Nous avons besoin de certaines choses qui ne sont là que pour nous ! a rétorqué Jaxon en me regardant droit dans les yeux pour la première fois.

– Normal, ai-je laissé tomber après un silence.

– Ah oui ? C'est vraiment ce que vous pensez ? m'a défiée Jaxon. Nous parlons à notre propre manière, avec notre vocabulaire et notre accent, et on nous reproche de ne pas nous exprimer correctement, d'être analphabètes !

– Je n'ai jamais dit ça, ai-je corrigé.

– Mais je parierais que vous vous êtes sentie menacée. Les mots se ressemblent, mais leur sens est différent, a dit Jaxon. Notre langage est une chose que vous ne pouvez ni comprendre, ni contrôler.

– Jaxon, fiche-lui la paix, a essayé de le calmer Roxie. Sephy, je suis désolée.

J'ai haussé les épaules.

– Ce n'est pas grave. Et puis je préfère les gens qui ne mâchent pas leurs mots. Comme ça, on sait tout de suite à qui on parle.

Je me suis approchée de ton berceau parce que je t'avais entendue gémir. Je t'ai prise dans mes bras.

– Tout va bien, Maman est là.

Du coin de l'œil, j'ai vu Roxie murmurer quelque chose à son frère. Il a écouté sans broncher et sans me quitter des yeux. Je l'ai ignoré. J'ai vérifié ta couche, qui était pleine. Jaxon est venu vers moi pendant que je te changeais.

– Si tu veux me jeter cette couche sale en plein visage, je te comprendrai, a-t-il dit.

– Pourquoi est-ce que je ferais ça ? ai-je ri.

– Roxie vient de m'apprendre qui tu es, a avoué Jaxon. Je ne t'avais pas reconnue. Je ne m'étais pas rendu compte que tu étais des nôtres.

Mon sourire est resté en suspens.

Eux et nous. Nous et eux.

Toujours la même rengaine.

Jaxon a regardé ma fille, et comme la plupart des gens qui la voyaient pour la première fois, il a tressailli. Elle était trop pâle pour être Prima et trop foncée pour être Nihil.

– Comment s'appelle-t-elle ?

– Callie Rose.

– C'est joli. Ça lui va bien.

J'ai souri.

– C'est un enfant arc-en-ciel, comme dans la chanson.

– Que veux-tu dire ? a demandé Jaxon en la regardant de plus près.

– Je parle de toutes les couleurs qu'elle a en elle, pas de celle de sa peau.

– Oh, d'accord.

– Alors comme ça, tu joues de la guitare ? ai-je demandé en montrant son instrument.

– Oui. Dès que je peux.

J'ai regardé vers les autres lits de la maternité et j'ai proposé :

– Pourquoi tu ne nous jouerais pas un petit morceau, juste pour mettre un peu d'ambiance ?

Je plaisantais, mais Jaxon a sauté sur l'idée.

– Seulement si tu chantes avec moi !

– Et si je ne sais pas chanter ?

– Fais de ton mieux, a grimacé Jaxon.

Roxie a secoué la tête.

– Sephy, s'il te plaît, ne l'encourage pas. Il est vraiment capable de le faire.

J'ai regardé Jaxon qui me souriait et je me suis dit que Roxie avait raison. Jaxon semblait être le genre de garçon toujours prêt à tout.

– Alors, t'as la trouille ? m'a-t-il défiée.

– Quelle chanson tu veux ? ai-je demandé en reposant Callie dans son berceau.

Elle s'était rendormie dans mes bras. Elle ne devait pas avoir faim, elle était sans doute seulement mal à l'aise.

– Vous n'êtes pas sérieux ? s'est récriée Roxie.

– Alors, quelle chanson ? ai-je insisté en souriant.

– Celle que tu veux.

– « L'enfant arc-en-ciel » ? Pour tous les nouveau-nés de cette maternité.

– C'est parti, a accepté Jaxon.

Il a commencé à gratter les cordes puis il s'est mis à chanter sans me quitter des yeux.

Chaque jour, tu me ravis,
Et ce sourire sur tes lèvres
Me rend heureux,
Mon enfant arc-en-ciel,
L'automne n'est plus gris,
Tu m'apportes une trêve,
Tu es si merveilleux,
Mon enfant arc-en-ciel.

J'ai pris une grande inspiration et, après les deux premiers vers, je me suis mise à chanter. À voix basse pour commencer, puis de plus en plus fort. Jaxon m'a jeté un regard surpris. Il pensait sans doute que je n'oserais pas, mais j'ai continué.

Qu'était la vie avant toi ?
Je t'ai, je te garde, désormais,
Ce que j'éprouve pour toi
M'effraie.
Et quand je t'embrasse,
Mes douleurs passées s'effacent,
Mon enfant arc-en-ciel.

Tu m'apportes la paix
Et un sens à ma vie,
Mes pensées deviennent vraies,
Tu combles mes envies,
Mon enfant arc-en-ciel.

Tu entres dans la ronde,
Toi plus pur que le miel,
Tu es l'espoir du monde,
Mon enfant arc-en-ciel.

Je te serre contre moi,
Je te serre contre moi,
Mon enfant arc-en-ciel.

Jaxon avait une jolie voix. Moi ? Au début, je me concentrais pour garder le rythme et ne pas oublier les paroles, mais après je me suis laissée aller. À la fin du deuxième couplet, je me sentais incroyablement bien. Je n'étais plus nerveuse. Notre chanson n'était pas cacophonique, loin de là. Nous y mettions tout notre cœur. Évidemment, quand Jaxon et moi avons entamé le refrain, l'attention de tout le monde dans la maternité était tournée vers nous. Et tu sais quoi ? Eh bien, on ne se débrouillait pas si mal. En fait, j'étais même surprise de cette harmonie que nous parvenions à dégager. À l'école, je faisais partie de la chorale, mais on ne me choisissait jamais pour les solos ou les concerts. Je restais dans le chœur et ça me convenait parfaitement. Mais là, nous chantions en duo et personne ne nous jetait de tomates. Même, on nous applaudissait. Et pendant tout le temps où il chantait, Jaxon me regardait, une expression étrange peinte sur le visage.

Soudain, j'ai repéré Mlle Solomon, l'infirmière, qui venait vers nous.

– Il est interdit de chanter dans la maternité ! a-t-elle crié en essayant de couvrir nos voix.

Nous l'avons complètement ignorée. Nous avons juste chanté plus fort.

Qu'était la vie avant toi ?
Je t'ai, je te garde, désormais,
Ce que j'éprouve pour toi
M'effraie.
Et quand je t'embrasse,
Mes douleurs passées s'effacent,
Mon enfant arc-en-ciel.

– Il est interdit de chanter dans la maternité ! a hurlé Mlle Solomon.

Nous ne faisions que nous amuser mais l'infirmière était vraiment furieuse. Elle a posé la main sur la guitare de Jaxon. Elle n'aurait pas dû. On aurait dit qu'une guêpe venait de le piquer.

– Écoute-moi bien, salope de Primate ! Ne t'avise surtout pas de retoucher à ma guitare, a-t-il lâché d'une voix calme et menaçante.

L'infirmière a immédiatement compris. Elle a retiré sa main comme si elle s'était brûlée. Puis elle m'a jeté un regard noir. Hormis les pleurs d'un bébé, la maternité était redevenue parfaitement silencieuse. Mlle Solomon est retournée dans la salle des infirmières. Les mots de Jaxon m'avaient fait mal. Comme une gifle en plein visage. Et puis, je me suis rappelé... un souvenir que je souhaitais plus que tout au monde oublier. Le jour de la rentrée de Callum à Heathcroft. Il y avait une émeute devant l'entrée du collège, pour protester contre l'admission de Nihils dans un établissement jusqu'à présent réservé aux Primas. Je n'avais pas oublié ce que j'avais crié pour empêcher les Nihils d'être blessés par les manifestants. J'avais crié aux Primas qu'ils se comportaient comme des animaux. Pire que des animaux, comme des Néants. L'expression sur le visage de Callum, quand j'avais prononcé ces mots, je ne l'avais pas oubliée non plus. Et je ne l'oublierai jamais. J'avais failli le perdre ce jour-là. Callum m'avait fait promettre de ne plus jamais, plus jamais utiliser ce terme. Callum avait raison. Les mots pouvaient blesser. Comme maintenant. J'étais aussi blessée que l'infirmière, et même j'avais l'impression d'être responsable de cette agression verbale. J'ai jeté un coup d'œil à Jaxon, puis je me suis levée pour aller m'occuper de ma fille.

– Sephy, je suis désolé, a souri Jaxon. Mais elle n'aurait pas dû toucher ma guitare. Je ne parlais pas pour toi.

– Bien sûr que si. Je suis une Prima moi aussi.

– Mes mots étaient destinés à l'infirmière, a insisté Jaxon.

– Oui, mais ils s'appliquaient aussi à moi.

– Non, ils…

J'ai levé une main, comme pour arrêter le flot de ses mots.

– Jaxon, tes paroles s'appliquaient à moi aussi. Maintenant, si ça ne te dérange pas…

Je t'ai prise dans mes bras, Callie, et je me suis placée devant lui, attendant qu'il me laisse passer pour pouvoir retourner dans mon lit et donner le sein. Tu n'avais sans doute pas vraiment faim, mais je devais agir afin de masquer mon humiliation.

Jaxon est retourné près de sa sœur. Je l'ai ignoré et je me suis installée avec toi. Mais tu comprends, Callie, ses mots, je ne pouvais pas les ignorer.

Une d'entre nous…

Une d'entre eux…

Une d'entre nous…

Une d'entre eux…

Une petite comptine sur le rythme d'un train sur des rails. Un train qui tourne en rond. Un train qui ne s'arrête jamais et qui ne va nulle part.

Jude

J'étais devant le salon de coiffure. Toutes les lumières étaient éteintes. J'ai jeté un coup d'œil à ma montre. Neuf heures moins cinq. J'ai regardé dans la boutique à travers la vitre, mais il n'y avait personne. Cette salope m'avait posé un lapin. Elle n'avait sans doute jamais eu l'intention de sortir avec moi. Je suppose qu'elle avait dû bien se marrer avec ses copines après mon départ, ce matin. Elle me laissait en plan comme un crétin, pendant qu'elle buvait un coup avec ses amis, en riant de moi. J'ai senti mes poings se serrer.

– Steve ? Steve !

Je me suis tourné. Cara arrivait en courant.

– Merci mon Dieu, j'ai cru que je t'avais manqué.

Cara s'est arrêtée près de moi, essoufflée.

Je me suis forcé à sourire.

– Je croyais que tu travaillais encore.

– Le dernier client est parti il y a vingt minutes. J'en ai profité pour courir à la banque déposer la recette de la journée. Je n'aime pas laisser de l'argent dans la boutique, m'a expliqué Cara.

– On aurait pu le faire en allant jusque chez toi, ai-je lâché d'un ton naturel.

– Oui, mais on ne passe pas devant la banque pour aller chez moi. Je ne voulais pas te faire marcher.

J'ai haussé les épaules. Ce n'était pas la peine de discuter. J'étais déçu, mais tant pis. Tant pis pour mon plan de lui piquer son argent dès ce soir. Je patienterai, c'est tout.

– Alors qu'est-ce que je nous prépare à dîner ? ai-je demandé.

– Eh bien, si tu es toujours d'accord, j'ai des pâtes à la maison. Et du steak haché. Et du poisson, je crois.

– Quel genre de poisson ?

Cara a froncé les sourcils pour réfléchir.

– Du haddock et je crois que j'ai aussi du bar. Qu'il faut manger avant demain.

– Du bar, alors. Allez, viens.

Je l'ai laissée parler pendant tout le trajet. Je me suis contenté de lui poser quelques questions sur sa journée et elle a parlé sans discontinuer de ses collègues et des clients. Apparemment, son salon était un des rares où on coiffait les Primas et les Nihils sans discrimination. Cara en faisait son cheval de bataille. Elle ne comprenait pas pourquoi ce genre d'endroit était aussi rare qu'une pluie de lingots d'or. Cara avait des idées, elle voulait… et blabla, blabla, blabla. J'ai arrêté d'écouter au bout d'environ quarante secondes, me contentant de laisser tomber de temps en temps un « Ah oui ? », « C'est vrai ? », « Je ne savais pas ça », quand son monologue semblait avoir besoin d'être réalimenté.

– Oh, mon Dieu, je n'arrête pas de parler, s'est-elle exclamée quand nous sommes arrivés devant chez elle. Tu dois être mort d'ennui.

Effectivement.

– Bien sûr que non, ai-je répliqué. Tu aimes ton travail et ça se voit. Il n'y a rien de mal à ça, au contraire.

– Tu es vraiment gentil, Steve, m'a souri Cara avec reconnaissance. La plupart des hommes auraient arrêté de m'écouter depuis longtemps.

Son sourire chaleureux m'a rendu un peu... mal à l'aise. Ça ne me ressemblait pas. Je ne m'attendais pas à éprouver de gêne, ce qui a accentué ma gêne. Cara a ouvert la porte et nous sommes entrés chez elle. Qu'est-ce que j'allais faire maintenant ? Bien sûr, il me serait facile de la tuer, mais pour quoi faire ? Je ne lui avais encore rien soutiré. Et je ne pourrais pas rester dans sa maison. Ses amis ne tarderaient pas à venir frapper à la porte et à poser des questions. Je ne devais pas m'emballer. J'allais préparer le repas, et m'accommoder de sa compagnie jusqu'à ce que j'obtienne ce que je voulais. Et alors... Il fallait juste que je prenne mon temps.

– Tu sais quoi, a lancé Cara, je ne connais même pas ton nom.

J'ai froncé les sourcils.

– Steve.

– Non, je voulais dire : ton nom de famille.

– Winner. Je m'appelle Steven Winner.

– Puis-je prendre votre veste, Steven Winner ? m'a demandé Cara après avoir refermé la porte.

J'ai ôté ma veste et je la lui ai tendue sans discuter. Un silence pesant s'est installé entre nous. Nous étions chez elle et seuls. Peut-être commençait-elle à regretter de m'avoir invité. J'ai regardé le couloir. Il était jaune soleil, elle y avait accroché des affiches. Le sol était du parquet en châtaignier. Sur une petite table étaient posés un téléphone et un petit bol de pétales séchés qui empestait. Ils étaient bizarres, les Primas avec leurs pots-pourris.

– C'est très joli, ai-je dit bêtement.

Soudain, une pensée m'a traversé l'esprit. C'était la première fois que j'étais invité dans la maison d'un Prima depuis mon enfance. Étrange sensation. Je ne pouvais m'empêcher d'avoir l'impression de ne pas être à ma place. Je ne me sentais pas bien. Je ne me sentais pas en sécurité.

– La cuisine est par là, a dit Cara en ouvrant le chemin.

Je l'ai suivie jusqu'à une cuisine, petite mais bien agencée. Les murs étaient blanc crème et les placards en chêne. Le sol était en pierre claire.

– Tu as une jolie maison, ai-je fait remarquer. Ton salon de coiffure doit bien marcher.

– Ça marche, a acquiescé Cara. Mais j'ai acheté cette maison avec de l'argent que j'ai hérité.

– Un parent riche ?

J'ai posé la question en souriant pour masquer l'agressivité de mon ton.

– Non. Mon père est mort d'une crise cardiaque il y a quatre ans. Il avait une assurance-vie.

– Oh ? Je suis désolé.

Cara a haussé les épaules pour feindre la désinvolture.

– Il était malade depuis longtemps.

– Ça a dû être dur.

Je pensais à mon propre père. Je ne pensais pas à lui tous les jours, mais quand ça m'arrivait, ça me faisait mal. Très mal.

Cara a ouvert la porte du réfrigérateur et a sorti une bouteille de vin.

– Sers-toi, a-t-elle proposé en laissant la porte du réfrigérateur ouverte pour moi.

C'était le réfrigérateur le plus rempli que j'avais jamais vu de ma vie. Et de loin.

– Je suis allée faire des courses ce midi, a avoué Cara, pour que tu aies le choix de ce que tu voulais cuisiner.

Je me suis tourné vers elle en me demandant pourquoi elle se donnait tout ce mal. Elle me souriait d'un air embarrassé et je n'ai pas pu m'empêcher de lui retourner son sourire. Et puis, je me suis rappelé pourquoi j'étais ici et qui elle était. J'ai continué à sourire avec mes lèvres mais je ne souriais plus à l'intérieur.

J'ai coupé les têtes des deux petits bars et je les ai assaisonnés avant de les mettre au four.

– Pourquoi tu coupes les têtes ? a voulu savoir Cara.

– Je n'arrive pas à manger du poisson quand il y a la tête, ai-je expliqué.

C'était vrai.

– J'ai l'impression qu'ils me regardent et m'accusent d'être un monstre.

Cara a hoché la tête en souriant.

– Tu es vraiment un garçon étrange.

Nous avons échangé un sourire… complice. Puis j'ai repris ma préparation. J'ai plongé les pommes de terre nouvelles dans l'eau bouillante pendant que Cara lavait la salade. Tout en travaillant, nous buvions de temps en temps une gorgée de vin. Cara a mis de la musique. Du rock. Un de mes chanteurs préférés. Cette musique de Nihil m'était-elle exclusivement destinée ou l'appréciait-elle vraiment ?

– Tu aimes réellement La Guêpe enragée ? n'ai-je pu m'empêcher de lui demander.

– Oui. J'adore le rock et le métal.

– Je t'imaginais plutôt branchée jazz et musique classique.

Cara a hoché la tête.

– Tu veux dire musique prima ?

– Oui.

– Tu ne fais quand même pas partie de ces gens qui pensent que seuls les Nihils peuvent aimer la musique nihil et que les Primas n'écoutent que de la musique prima.

– Non, bien sûr, ai-je répondu. Mais je trouve injuste que quand un Nihil sort un disque et qu'un Prima en fait une adaptation, la seule version qui passe sur les ondes est la version prima.

– Je suis parfaitement d'accord, a acquiescé Cara. C'est tout à fait injuste.

– Mais c'est comme ça que va le monde ! ai-je repris en m'emballant un peu. Regarde, le métal est une musique inventée, jouée et chantée par des Nihils, mais qui est le chanteur de métal le plus célèbre – et le plus riche ? De Costa Bafenweh. Un Prima.

– C'est vrai. Et j'ai un CD de De Costa mais trois de La Guêpe enragée.

– Alors c'est parfait.

Je me suis forcé à sourire. J'ai bu quelques gorgées de vin blanc en les faisant tourner dans ma bouche avant de les avaler.

– Comment tu trouves le vin ? a demandé Cara.

– Bon.

J'ai pris un petit couteau pointu dans le tiroir et j'ai vérifié la cuisson des pommes de terre. Soudain, je me suis senti observé. Je me suis retourné, elle me regardait. Mais elle n'a pas baissé les yeux.

– Il y a quelque chose qui ne va pas ? lui ai-je demandé.

– Je me pose des questions, a-t-elle reconnu.

– Quel genre de questions ?

– Des questions à propos de toi. Je me demande si j'ai raison.

– Raison ?

– J'ai le sentiment que tu es aussi seul que moi.

Je me suis immobilisé. J'ai serré le couteau à un point tel que j'en avais mal aux jointures. Je suis resté silencieux. Cara ne me quittait pas des yeux.

– C'est pour ça qu'on s'entend bien, a-t-elle repris. Nous sommes deux oiseaux solitaires.

Deux oiseaux solitaires...

C'est vrai que je suis seul mais je ne suis pas désespéré au point de sortir avec une Prima, ai-je songé avec amertume. Pourtant, j'étais là, dans la maison d'une Primate, en train de l'écouter me psychanalyser. Il fallait que je lâche ce couteau avant de commettre un geste stupide. Je l'ai lentement posé sur le plan de travail. J'étais toujours silencieux.

– C'est à ce moment que tu m'annonces que tu as une femme et deux enfants ? a timidement souri Cara.

J'ai secoué la tête.

– Alors je ne me suis pas trompée à ton propos ? Si je me suis trompée, je... je suis désolée.

Silence.

– Oui, tu as raison, ai-je fini par lâcher. Je n'ai personne.

C'était la première fois que je l'exprimais à voix haute. Et devant qui ? Une Primate. Je détestais ça. Je me détestais pour cette raison. Certaines choses ne devraient jamais être dites. J'ai fermé les yeux et détourné la tête. Elle ne devait pas voir à quel point je la méprisais de m'avoir obligé à exprimer ma solitude.

Le moment venu, elle paierait pour ça aussi.

Mais sur le coup, elle a fait une chose à laquelle je ne m'attendais pas. Elle s'est approchée et m'a embrassé sur la joue. J'ai ouvert les yeux. Elle m'a souri et est retournée à sa salade. J'étais là, debout dans sa cuisine, submergé par une horrible nostalgie. J'étais là, debout dans sa cuisine, noyé dans ma tristesse.

Noyé.

Nous avons continué à cuisiner. Nous étions tous les deux un peu gênés. En tout cas, moi, je l'étais.

– Salade de fruits et glace à la vanille pour le dessert ? a proposé Cara.

Je me suis contenté d'acquiescer. Je n'osais pas parler, de peur que ma voix défaille.

– Tu m'aides ?

Nous avons lavé les framboises, le raisin, coupé les mangues, les pêches et les lychees en silence. La musique s'est arrêtée.

– Le CD est fini, a dit Cara en allant vers le salon. Je vais en mettre un autre.

Je l'ai regardée partir. Qu'est-ce qu'elle fabriquait ? Si elle mettait de la musique dans le salon, on ne l'entendrait pas de la cuisine. À moins qu'elle ne monte le son au maximum. Et elle ne me semblait pas le genre de fille qui écoute la musique à fond. Tout à coup, une douce musique a empli la pièce. Ça venait... du plafond. J'ai levé la tête et j'ai découvert deux enceintes. J'aurais dû m'en douter.

Quand Cara est revenue, je lui ai demandé :

– Dans combien de pièces as-tu installé des enceintes ?

– Ici, dans le salon, la salle à manger, la salle de bains et ma chambre.

– C'est... c'est cool, ai-je dit bêtement. Et c'est quoi, ce que tu as mis, cette fois ?

On en était toujours à l'intro et je n'avais pas encore reconnu le morceau. Au moment où Cara ouvrait la bouche pour me répondre, le chanteur des Jet Stone a commencé à chanter. J'aurais reconnu sa voix de fausset n'importe où.

– Ah ! me suis-je exclamé. Un mystère résolu.

– Tu aimes ?

– Ça va, ai-je répondu en essayant de me couper de la musique qui envahissait la pièce.

–Non, je vois bien que tu n'aimes pas. Je peux mettre autre chose si tu préfères.

Oh, pourquoi ne se taisait-elle pas ? Je me suis approché d'elle et j'ai tendu la main. Elle avait un regard interrogateur mais a mis sa main dans la mienne sans hésiter. Je l'ai attirée contre moi et j'ai passé mon bras autour de sa taille. Cara a souri quand nous avons commencé à danser. Je ne faisais ça que parce que je sais que les filles aiment ce genre de trucs. Cara m'a enlacé et a posé sa tête sur mon épaule. Je l'ai regardée. Elle avait fermé les yeux. Nous sommes restés comme ça pendant toute la chanson.

Elle a de l'argent. Tu as besoin d'argent, ne cessais-je de me répéter.

Je n'aimais pas les Jet Stone mais il aurait été si facile de fermer les paupières. De m'oublier. De tout oublier.

–Allez, Steve, avoue ! Tu détestes les Jet Stone !

J'ai sursauté. Je n'avais pas remarqué que Cara avait ouvert les yeux et me regardait.

–J'avoue ! Le chanteur me donne l'impression d'un crabe à qui on arrache les gonades !

Cara a éclaté de rire. J'ai d'abord été surpris qu'elle trouve ça drôle et puis j'ai souri à mon tour.

–Tu es tout simplement incapable de reconnaître de la bonne musique ! a affirmé Cara en riant.

–Question d'éducation !

–Tu me fais rire, Steve, a dit Cara. Je crois que c'est pour ça que je t'aime bien.

Elle était sincère. Et bizarrement, ça m'a fait plaisir.

Sephy

Callie, ma chérie,

Décidément, c'est la semaine des visites. Devine qui est passé ce matin ? Ma mère. Je l'ai observée venir vers moi dans l'allée sans regarder à gauche ni à droite, d'une démarche d'impératrice. Et tu sais quoi ? Ce qui est bizarre, c'est que j'étais contente de la voir. Elle souriait, les yeux clairs, le visage ouvert. Elle n'était pas ivre. Pas le moins du monde. Ses yeux ne brillaient pas, elle n'était pas comme d'habitude, au bord des larmes, elle n'avait pas le regard vague. Non, elle était complètement à jeun. Je l'avais croisée à l'hôpital quand Minerva avait été blessée. Elle m'avait dit bonjour, je ne lui avais pas répondu. Je refusais de lui adresser la parole à l'époque. Je n'étais pas sûre de vouloir lui parler aujourd'hui.

– Bonjour Perséphone.

– Bonjour… Maman.

Elle s'est immédiatement dirigée vers le berceau. Dès qu'elle t'a vue, Callie, elle s'est immobilisée. Ses lèvres ont esquissé un sourire et son visage s'est éclairé de l'intérieur. Je ne l'avais jamais vue comme ça. Son regard était empli d'un amour inconditionnel. Elle s'est penchée pour te prendre dans ses bras. J'ai fait un geste, comme pour l'en empêcher, et puis, j'ai laissé retomber ma main. Maman t'a levée à bout de bras, sans te quitter des yeux, puis t'a prise contre elle pour te bercer.

– Bonjour Callie Rose, a-t-elle murmuré, et bienvenue.

Une larme – une seule – a roulé sur ma joue. Je me suis tournée pour que Maman ne s'en aperçoive pas et je me suis discrètement essuyée. De toute façon, Maman n'aurait rien remarqué, elle n'avait d'yeux que pour sa petite-fille.

– Sephy, elle est si jolie, a dit Maman, stupéfaite.

– Oui, ai-je acquiescé calmement. Elle ressemble à son père.

Ma mère nous a regardées, toi et moi, tour à tour, Callie. Je retenais mon souffle dans l'attente de ce qu'elle allait dire. Je pensais qu'elle te reposerait et changerait de sujet.

Mais je me trompais.

– C'est vrai. Je suppose que c'est pour Callum que tu l'as prénommée Callie.

– C'est le prénom féminin le plus proche que j'ai trouvé.

– Callie Rose, a chuchoté Maman. C'est un très joli prénom et qui lui convient à merveille.

J'avais envie de lui hurler d'arrêter ça. Je m'étais armée pour affronter son jugement, son mépris, mais pas sa gentillesse. Cette approbation dans sa voix, cet amour qu'elle irradiait quand elle te regardait, c'était un coup bas. Et ça faisait mal. Très mal. Son indifférence était plus facile à encaisser que sa compréhension.

– Pourquoi es-tu venue, Maman ? ai-je demandé.

Je l'appelais Maman délibérément, parce que je savais qu'elle préférait « Mère ». Mais elle n'a pas relevé. Elle a juste souri.

– Je voulais vous voir. Toi et ma petite-fille. Et si j'avais su ton adresse, je serais venue beaucoup plus tôt.

– Tu as vu l'annonce dans le journal ?

– Te connaissant, est-ce que ce n'est pas ce que tu espérais ?

– Comme je l'ai précisé à Minerva, Callie et moi étions sur le départ quand l'annonce est parue.

– En ce cas, je suis bien contente que tu aies dû rester, a souri Maman.

Je l'ai dévisagée, réellement dévisagée.

– Alors pourquoi tu n'es pas venue tout de suite ?

– Je n'étais pas sûre d'être la bienvenue. Mais Minerva a pensé que tu ne me rejetterais pas.

– Je ne ferais jamais une chose pareille, me suis-je écriée.

Maman a haussé les épaules.

– Je ne t'en voudrais pas. Je te comprendrais. Alors, dis-moi, quand sors-tu ?

– Nous devions partir demain, mais les médecins préfèrent nous garder une journée de plus.

– Tu as des projets ?

– Vivre au jour le jour. C'est tout.

Je n'avais plus de projets. Je n'en avais plus.

– Au jour le jour, ça ne marche pas avec un bébé, a observé Maman. Tu dois prévoir un minimum, pour ta fille.

– Et quel âge devra-t-elle avoir pour que je cesse de m'intéresser à elle comme tu as cessé de t'intéresser à moi ? ai-je lâché avec rage.

– Sephy, je sais que je n'étais pas présente au moment où tu as eu le plus besoin de moi, mais je veux réparer mes erreurs. Si tu veux bien...

Je n'ai pas répondu.

Maman a soupiré.

– J'étais l'épouse d'un politicien, Sephy. Mes responsabilités publiques ont souvent pris le pas sur le reste. Y compris sur le bien-être de mes filles. Et y compris sur mes propres désirs. Ton père était un homme exigeant.

J'ai secoué la tête. Je savais déjà tout ça.

Silence.

– Tu m'estimes toujours responsable de la mort de Callum ? a demandé Maman.

J'ai détourné la tête. Elle a soupiré. Elle a pris mon geste pour une réponse. Mais elle se trompait. Je ne la tenais pas pour responsable.

– Sephy, on ne peut pas revenir sur le passé et il est temps pour chacun d'entre nous de repartir de l'avant. Nous devons nous occuper de ta fille à présent.

Nous…

– Ce qui veut dire ?

Je m'étais tendue. Je m'attendais à ce qu'elle me propose de te faire adopter, ou de te confier à une famille d'accueil, ou de te faire élever par une nourrice…

– Je pense que le mieux pour Callie Rose et toi serait de venir vous installer à la maison.

J'ai éclaté de rire. Je n'ai pas pu m'en empêcher.

– Tu plaisantes, Maman ?

– Non, a-t-elle répondu d'une voix calme.

– On ne peut pas remonter le temps. Nous nous sommes jeté trop de choses à la figure, nous nous sommes trop haïes.

– Je ne te propose pas de revenir en arrière, Sephy. Je veux au contraire que toutes les trois, nous puissions avancer.

– Juste comme ça ?

– Juste comme ça, a acquiescé Maman.

– C'est aussi simple ?

– Oui, si tu le désires. Tu as toujours choisi les chemins les plus tortueux, a dit ma mère. Celui que je te propose est facile à suivre. Viens à la maison. Toi et Callie Rose serez plus que bienvenues.

– Vraiment ?

– Oui. Je vous veux près de moi plus que tout au monde. Je veux que nous redevenions amies. Et je veux t'aider avec Callie.

J'ai essayé d'interrompre ma mère, mais elle a continué.

– Je respecterai le fait que tu es la mère de Callie, je te le promets, mais j'aimerais faire à nouveau partie de ta vie. Et de celle de ma petite-fille.

Nous nous sommes regardées. J'avais tellement envie, besoin, d'être la bienvenue quelque part. N'importe où. Et je voyais que ma mère était sincère. Nous nous étions toutes les deux envoyé des phrases blessantes et haineuses à la figure ces derniers mois, mais j'étais si fatiguée. Trop fatiguée pour la détester de nouveau. Que dois-je faire, Callum ? Habiter avec ma mère serait si facile. Callie et moi serions en sécurité. Jude ne pourrait pas nous atteindre là-bas. Et plus important, je ne serais pas seule avec un nouveau-né, je n'aurais pas à tout gérer moi-même. Ma mère serait là pour m'aider.

Tirer un trait sur le passé et avancer...

Oui, c'est ce que j'avais envie de faire. Peut-être qu'emménager chez ma mère serait la première étape. J'arrivais déjà presque à m'en persuader.

– Je pense toujours beaucoup à Callum, l'ai-je prévenue.

– J'en suis sûre, a dit Maman. C'était ton premier amour et c'est le père de ton enfant. Ça compte beaucoup.

– Quel dommage que tu n'aies pas vu les choses de cette manière, il y a seulement quelques mois, alors que tu essayais de me forcer à avorter, ai-je lâché avec amertume.

– C'est vrai.

J'étais surprise d'entendre Maman acquiescer sombrement.

– Et je le regretterai ma vie entière. Mais je t'en prie, laisse-moi me racheter.

C'était un gros effort d'oublier et de pardonner. Peut-être un trop gros effort.

– Tu me donnes le temps d'y réfléchir ? ai-je fini par lancer.

– Ça veut dire non, a tristement soupiré Maman.

– Non. Ça veut dire que j'aimerais que nous soyons à nouveau amies, mais j'ai pris tant de mauvaises décisions dernièrement que je voudrais y réfléchir.

– Sephy, ta fille a besoin d'un foyer, a insisté Maman.

– Est-ce que tu bois encore ? Même un tout petit peu ?

Maman s'est raidie, mais il était hors de question que je lui confie ma fille si elle continuait de se soûler.

– Je n'ai rien bu d'autre que du jus d'orange depuis que… Callum a été tué, m'a informée Maman.

– Comment ça se fait ?

J'ai d'abord pensé que Maman ne répondrait pas, mais elle a fini par expliquer :

– Parce que ce jour-là, je n'ai pas seulement perdu le fils de mes meilleurs amis, j'ai aussi perdu ma fille.

Pas de déni, pas de dispute, pas de reproches.

– Reviens à la maison, Sephy, s'il te plaît, a continué Maman, d'une voix douce. Je te promets que tout sera différent.

– D'accord.

– Quoi ?

Pour la première fois de mémoire d'homme, ma mère avait oublié ses bonnes manières. Pas de « Pardon ? », pas de « Excuse-moi ? », juste « Quoi ? ». J'ai ri.

– D'accord, ai-je répété. Je reviens à la maison avec toi.

– C'est vrai ?

Le visage de Maman s'est éclairé comme un sapin de Noël. Elle semblait si heureuse. Si joyeuse. Et c'était grâce à moi. La voir ainsi m'a rassérénée, moi aussi. Pourtant, je mentirais en affirmant que j'étais parfaitement convaincue de faire le bon choix. Est-ce que je n'avais pas choisi la voie de la facilité ? Et que faisais-je de mon grand discours sur « Je n'ai besoin de personne et je ne demanderai jamais rien à ma famille » ? Mais je n'étais plus seule à présent. Et puis, bonne ou mauvaise, j'avais pris ma décision. L'avenir ne se présentait peut-être pas si mal, finalement.

– Je vais rentrer tout de suite et préparer ta chambre. Je vais transformer le bureau en chambre d'enfant. Est-ce que tu veux que Callie Rose dorme avec toi, pour le moment ? Ça ne me gêne pas de la prendre avec moi et de lui donner le biberon la nuit. Mon dieu, j'ai tant de choses à faire...

– Calme-toi, Maman. Je ne veux pas que tu en fasses une affaire d'État. Ne touche pas au bureau. Callie dormira avec moi jusqu'à ce qu'elle soit beaucoup plus grande. Et quand il sera temps, on pourra toujours redécorer une des chambres pour elle.

– Oui, tu as raison, a souri Maman. Je me suis un peu excitée...

– Juste un peu...

Maman a très délicatement placé ma fille dans mes bras.

– Sephy, je suis heureuse que tu viennes à la maison.

Maman m'a embrassée sur la joue. Elle n'avait pas fait ça depuis des siècles.

– Je suis heureuse de rentrer, Maman.

Mais quelque part dans ma tête, un sentiment de doute clignotait comme une alarme. Était-ce réellement la bonne décision ? Ou encore une de mes décisions stupides et hâtives ?

Je le saurai bientôt.

Jude

Ce matin, allongé dans mon lit, je n'arrête pas de tourner et retourner dans ma tête les événements d'hier soir. Que s'est-il passé avec Cara ? Enfin… pourquoi ne s'est-il rien passé ? Nous avons dîné, nous avons écouté de la musique et nous avons discuté. Et ri. Et discuté encore. Et c'est tout. Et pendant toute la soirée, j'ai essayé de ne pas la regarder trop longtemps dans les yeux. De ne pas rire trop fort à ses blagues. De ne pas trop me détendre, de ne pas trop sourire en écoutant la bonne musique qui passait. De ne pas la toucher plus que nécessaire.

Et j'ai échoué.

Nous avons mangé, parlé et j'avais décidé de partir au bout d'une demi-heure. Ce n'est que trois heures plus tard que Cara m'a raccompagné à sa porte. Dans le couloir, on est restés silencieux, comme si elle attendait que je me décide.

Que voulait-elle ? Un autre rendez-vous ? Un baiser ? Quoi ? Je l'ai regardée :

– Merci pour cette soirée, Cara, j'ai vraiment apprécié.

– Moi aussi, a-t-elle répondu.

Silence.

– Ce serait bien qu'on puisse recommencer, a-t-elle poursuivi.

– Oui, j'aimerais bien, ai-je lâché. Il vaut mieux que je rentre maintenant.

J'ai ouvert la porte. Pour dire la vérité, j'avais hâte de partir. Toute cette soirée avait été une énorme erreur. Je m'étais bien trop amusé. J'avais discuté et ri avec une Prima. Pendant que je remontais l'allée, dans la nuit, je devais me concentrer pour ne pas oublier pourquoi j'étais là. La fin justifie les moyens. Si j'étais obligé de faire l'amour à une Prima pour obtenir de l'argent qui servirait la cause, je le ferais. Ce n'était qu'une Prima et tous les Primas méritaient ce qui leur arrivait. Je lui extorquerai de l'argent et tout ce que je pourrai avant de me tirer. Je devais agir rapidement.

Quelle ironie : cette soirée que je venais de passer avec Cara était la meilleure soirée que j'avais passée depuis longtemps. Je m'étais senti à l'aise et j'avais passé un bon moment. Ce qui m'avait rappelé tout ce que je ratais, depuis des années. Cara dégageait une sérénité qui me rendait serein moi aussi. Un calme qui me forçait à me détendre. Mais il était hors de question que je baisse ma garde. Pas pour Cara. Ni pour personne.

Ça me serait fatal. Pas seulement physiquement, mais mentalement. Ce qui serait pire.

Les six lois essentielles s'appliquaient dans ce cas, mais surtout la première : *Ne te laisse jamais aller à éprouver une émotion. Les émotions tuent.*

Sephy

Callie, ma chérie,

Nous rentrons à la maison. Demain matin. Cette fois, c'est sûr. Hier, les médecins m'annonçaient mon départ pour aujourd'hui mais cette fois, ils ont promis que ce serait demain. Nous rentrons à la maison. Nous quittons enfin ce lieu. Une part de moi a hâte, une autre part est terrifiée à l'idée de tout rater. Je sais que ma mère sera là pour m'aider, mais ma fille est ma responsabilité. Callie, je te regarde, endormie dans mes bras, et j'ai encore du mal à croire que tu es à moi.

Ma fille.

Je suis encore si jeune et j'ai déjà un enfant. J'ai peur. Je sais si peu de choses. Je ne sais rien sur rien. Je te porte jusqu'à mon visage pour mieux sentir ton odeur. Tu es fraîche, toute neuve. Je ne me lasserai jamais de ton odeur. Je caresse ta joue qui est aussi douce qu'un murmure. Voilà comment je passe mes journées à présent : à te regarder, Callie. À m'imprégner de toi.

J'ai eu tout à coup le sentiment d'être observée et j'ai levé la tête. J'ai sursauté en voyant qui était devant moi.

Meggie McGrégor. La mère de Callum.

Je n'aurais pas été plus choquée si elle était venue vers moi et m'avait giflée. Bouche bée, je n'arrivais pas à détacher mon regard d'elle.

– Bonjour Sephy, m'a-t-elle calmement saluée.

– Bonjour… madame McGrégor.

J'avais l'habitude de l'appeler Meggie, mais c'était avant que je comprenne que je n'avais pas de raison de me montrer si familière avec elle.

– Comment allez-vous ?

– Bien.

Que faisait-elle ici ? Je ne l'avais pas vue depuis la mort de Callum. Que voulait-elle ? Était-elle venue me cracher au visage ? Je ne lui en voudrais pas si elle me détestait autant que Jude. Comme je regrettais cette annonce que j'avais fait passer dans le journal. Encore une de mes brillantes initiatives ! Mon passé était plein de ce genre d'idées qui me retombaient dessus. J'ai jeté un coup d'œil vers la salle des infirmières. Si Meggie essayait de me frapper ou de faire mal au bébé, aurais-je le temps d'appeler à l'aide ? Auraient-elles le temps de courir à mon secours ? J'ai serré Callie contre moi. Je ne laisserai personne, ni Meggie, ni Jude, ni mon père faire du mal à ma fille.

– Puis-je m'asseoir ? a demandé Meggie.

J'ai acquiescé avec méfiance. Meggie s'est assise face à mon lit.

– Est-ce que je peux la prendre ?

Meggie souriait à ma fille.

Je lui ai jeté un regard incertain.

– Madame McGrégor, je…

– Appelle-moi Meggie. Et cette enfant est ma petite-fille. Je l'aime déjà, tu sais.

Je n'étais toujours pas sûre, mais quelque chose, une lueur dans ses yeux, m'incitait à la croire. Lentement, je lui ai tendu mon bébé. Le visage de Meggie s'est éclairé alors qu'elle calait la petite contre elle. Je reconnaissais son expression. C'était la même que ma mère quand elle avait porté Callie pour la première fois. J'ai su à ce moment que Meggie ne me mentait pas. Elle aimait déjà Callie. Elle l'aimait déjà beaucoup.

– Elle a les yeux bleus, a-t-elle observé avec surprise.

– Comme ceux de tous les bébés.

– Mais je croyais que les yeux des bébés primas fonçaient au bout de quelques jours. Tu es à l'hôpital depuis un moment maintenant ?

J'ai haussé les épaules.

– Elle est très belle, a souri Meggie en regardant Callie.

– Oui.

Meggie a levé les yeux vers moi.

– Merci de l'avoir appelée Callie.

J'ai de nouveau haussé les épaules. Rose était le prénom que Callum avait choisi. Callie était mon idée.

– Ça lui va bien, Callie Rose, a repris Meggie.

Nous avions toutes les deux trop peur d'aborder les sujets qui flottaient dans l'air. J'ai pris une longue inspiration pour rassembler mon courage et je me suis lancée.

– Madame… Meggie… Est-ce que vous m'en voulez pour la mort de Callum ?

Meggie m'a regardée droit dans les yeux et a secoué la tête.

– Non, je ne t'ai jamais estimée responsable de ce qui était arrivé à mon fils.

– Pourquoi ? Jude m'en veut, lui.

– Jude n'a pas encore trouvé ce qu'il cherche, a soupiré Meggie.

– Et c'est quoi ?

– Je pense qu'il ne le sait pas lui-même. Mais tant qu'il n'aura pas donné un sens à sa vie, il vous tiendra responsables, toi et tous les autres Primas, de ce qui lui arrive de mauvais.

– Pas vous ?

– Non.

J'aurais tellement aimé la croire… même juste quelques secondes. Je me suis laissée aller sur mes oreillers en soupirant.

– Et puis, à mon avis, tu te culpabilises suffisamment toute seule, a continué Meggie.

– Vous me connaissez si bien, ai-je souri.

– C'est normal, mademoiselle Sephy, je vous ai élevée, après tout.

– Ne m'appelez pas mademoiselle Sephy, s'il vous plaît…

Mademoiselle Sephy. Je me demandais si elle détestait autant prononcer ces mots que moi les entendre. C'était presque comme si un membre de ma propre famille m'appelait mademoiselle et me vouvoyait. C'est étrange, mais quand je pense à mes premières années, j'ai surtout Meggie en tête. Elle était ma nourrice et elle était tellement plus présente que ma propre mère. Meggie et Callum étaient les deux personnes que j'aimais le plus. Jusqu'à ce que Meggie quitte la maison avec Callum. Ma mère ne l'a plus jamais invitée. Ensuite, j'ai commencé à voir Callum, seul. Meggie et ma mère avaient été proches, mais tout avait basculé en une seconde. C'est étrange comme la vie peut prendre un tournant radical sur un seul moment, une seule décision.

– Quand penses-tu rentrer chez toi ? m'a demandé Meggie.

– Demain. Ils me l'ont assuré ce matin.

Meggie a froncé les sourcils.

– Tu es toujours dans ton appartement ?

– Oui. Comment savez-vous que j'ai un appartement ?

– Un ami me l'a dit.

– Un ami ? Jude ?

– Non, non, pas Jude.

Meggie a semblé lire dans mes pensées.

– Je n'ai pas vu Jude depuis… depuis la mort de Callum.

Est-ce que je pouvais la croire ? Oui, sans doute.

– J'ai une proposition à te faire, a repris Meggie.

– Laquelle ?

– Tu pourrais emménager chez moi.

Pardon ? J'avais sûrement mal entendu.

– Si tu n'aimes pas l'idée de te retrouver seule dans cet appartement, tu peux venir vivre chez moi, a répété Meggie. Je t'aiderai avec Callie Rose. Je n'essaierai pas de prendre ta place. Je veux juste aider.

– Mais ma mère a déjà…

– J'imagine parfaitement ce que ta mère ressent pour toi et ta fille, m'a interrompue Meggie. Je ne suis pas comme elle. Écoute-moi. J'ai retourné mille fois cette idée dans ma tête : nous sommes seules toutes les deux, je pense que c'est la solution idéale.

Mon cœur battait très fort. Il semblait être capable de traverser ma poitrine.

– Et votre sœur ? Vous vivez avec elle, n'est-ce pas ? Elle ne voudra sûrement pas nous avoir dans les pattes, Callie et moi. *Dis-lui que tu retournes vivre chez ta mère. Dis-le-lui.*

– J'ai ma propre maison à présent. Ce n'est pas très grand, ni très luxueux, mais c'est un foyer. Et tu y es la bienvenue.

– Pourquoi… pourquoi voulez-vous faire ça pour moi ? ai-je bégayé, encore frappée de stupeur.

– Callie et toi êtes la seule famille qui me reste.

Ce n'étaient que quelques mots mais ils portaient tant de tristesse et de solitude que j'ai senti mes yeux picoter.

– Je suis sûre que c'est ce que Callum aurait voulu, a insisté Meggie. Que nous vivions ensemble comme une vraie famille.

J'étais au bord des larmes. Que devais-je faire ? Je voulais rentrer à la maison avec ma mère. J'y étais déjà prête dans ma tête.

Mais Meggie avait besoin de nous.

Ma mère aussi.

J'étais prise au piège. Quoi que je décide, je blesserai quelqu'un.

La vérité était que Meggie avait plus besoin de Callie et moi que ma mère. Et je lui devais bien ça.

– Sephy, s'il te plaît.

– Vous êtes sûre que ça ne va pas vous déranger d'entendre le bébé pleurer et de bénéficier des odeurs de couches sales ?

– Je vais adorer ça, a grimacé Meggie.

– Eh bien, considérez que vous avez deux locataires ! Mais à une seule condition, ai-je ajouté.

– Laquelle ?

– Vous me laisserez payer ma part du loyer et la moitié des factures.

Meggie a ouvert la bouche pour discuter mais mon regard l'a fait changer d'avis.

– Très bien, c'est arrangé alors.

Elle m'a rendu Callie.

– Merci, Sephy. Je passerai te prendre demain matin.

Elle a souri.

– Vous avoir toutes les deux à la maison va me redonner une raison de me lever le matin.

Et là-dessus, elle est partie. Je l'ai regardée jusqu'à ce qu'elle disparaisse derrière les portes à double battant. Et même après, j'étais comme hypnotisée. Incapable de bouger. Qu'est-ce que j'avais fait ?

– Je sais que ça ne me concerne pas, a lancé Roxie du lit d'à côté, mais je croyais que tu rentrais chez ta mère demain ?

– Eh bien, le programme a changé.

– Qui était cette femme ?

– Meggie McGrégor, la grand-mère de Callie.

– Pourquoi as-tu accepté d'aller vivre chez elle ?

– Elle a besoin de moi.

– Et toi ? Tu as pensé à tes besoins à toi ?

Je n'avais pas de réponse.

Jude

Cara et moi sortons ensemble depuis environ deux semaines. J'ai décidé de me montrer patient. Je prépare un gros coup qui va me rapporter plus que la recette du jour d'un salon de coiffure. Cara récupère régulièrement tout l'argent de tous ses salons. Il doit y en avoir pour des centaines de milliers de livres. J'ai souvent vu Cara se cacher pour piocher dans ce pactole. Mettre la main dessus ne devrait pas se révéler trop compliqué.

Pour la simple raison que Cara m'aime bien. Elle m'aime beaucoup.

Je la teste de temps en temps. Parfois, je laisse passer deux jours sans l'appeler. Le troisième jour, réglée comme une horloge, elle téléphone sur mon portable et propose que nous sortions ensemble. Et chaque fois que je la retrouve, je lui apporte des fleurs ou des friandises ou même des bijoux bon marché.

Elle a commencé à me poser des questions.

« Combien de frères et sœurs as-tu ? »

« Steve, à quoi ressemblent ton père et ta mère ? »

« Steve, tu fais quoi exactement comme métier ? »

« Que voulais-tu faire quand tu as quitté le collège ? »

« Comment t'imagines-tu dans cinq ans ? »

Toutes ces questions que les filles posent quand elles sont sur le point de décider que la relation est sérieuse.

Le plus bizarre, c'est que je ne l'encourage pas. Nous ne couchons pas ensemble, je l'embrasse très peu, je la prends rarement par la main.

Mais je dois reconnaître une chose : Cara est intelligente. Elle est capable de tenir une vraie discussion – contrairement à Gina — et elle s'est forgé ses propres opinions. Gina me demandait toujours ce que je pensais avant d'oser émettre une idée. Cara n'a pas peur de ne pas être d'accord avec moi. Ça faisait longtemps que je n'avais pas discuté de cinéma, de politique, de religion et de la vie avec quelqu'un qui ne fait pas partie de la Milice de libération. Et je n'avais jamais eu ce genre de conversation avec un Prima.

— Tu as beaucoup de clients nihils ? ai-je demandé un soir alors que nous dînions.

— Non, pas beaucoup, a répondu Cara. Pas autant que je le voudrais.

— J'imagine que certains Primas n'apprécient pas de se faire coiffer dans le même salon que des Nihils.

— Dans ce cas, ils sont libres de se faire couper les cheveux ailleurs, a aussitôt rétorqué Cara. Je ne supporte pas les gens qui pensent de cette façon. Pour moi, c'est une perte de temps.

— Et si je te demande de me couper les cheveux, tu le feras ?

— Ici, dans le restaurant ? Certainement pas ! a répliqué Cara un peu sèchement. Mais au salon ou chez moi, bien sûr que oui. Pourquoi pas ?

— Tu n'as pas l'impression que les Nihils passent beaucoup de temps à essayer de ressembler aux Primas ? ai-je lancé en prenant soin de garder un ton détaché.

— Que veux-tu dire par là ?

Cara s'était penchée vers moi, les sourcils levés.

— Tout ce que nous faisons seulement parce que vous le faites.

— Comme quoi ?

— Va dans n'importe quelle boutique nihil et tu trouveras des pantalons renforcés aux fesses pour que les femmes aient l'air d'avoir un postérieur rebondi comme celui des Primas.

Tout dans notre vie, de notre mode vestimentaire à la nourriture que nous mangeons, est dicté par les Primas, leur vision de l'esthétique, leur vision du monde tout court. Les femmes nihils riches se font faire des implants de collagène dans les lèvres et avalent des pilules de mélanine ou bien passent leur temps sous des lampes à bronzer, pour que leur peau soit plus foncée... Et que penses-tu de Hartley Durant ?

– Qu'est-ce qu'elle vient faire là-dedans ?

– C'est la seule femme nihil qui apparaît dans la liste des cent plus belles femmes du monde. Et tu sais pourquoi ? Parce qu'elle ressemble à une Prima.

– Ce n'est pas vrai, m'a contredit Cara.

– Bien sûr que oui !

– Est-ce que toi, tu la trouves jolie et attirante ?

– Elle est magnifique, mais ce n'est pas le propos ! ai-je répliqué, agacé.

– Tu ne crois pas que la beauté n'a rien à voir avec tout ça ?

– Que veux-tu dire ?

– Je pense que trop de gens, Nihils et Primas, donnent de l'importance à des choses qui n'en ont pas comme la richesse et le physique.

– Qu'est-ce qui est important selon toi, alors ?

– Ce que les gens ont à l'intérieur.

Quelle absurdité : Cara était d'une naïveté ahurissante. J'ai ébauché un sourire amer. C'était facile pour elle.

– Je sais, a repris Cara en souriant à son tour, comme si elle avait lu dans mes pensées, c'est facile pour moi de parler ainsi. Je suis du bon côté de la barrière. Sur la plupart des magazines, ce sont des femmes primas qui posent, pas des nihils. Les stars de cinéma sont en général des Primas, les feuilletons télé racontent des histoires de Primas. Je sais tout ça.

Mais ce n'est pas parce que je suis du bon côté de la barrière que cela m'empêche de voir ce qui se passe de l'autre côté. Je n'approuve pas la situation actuelle.

– Pourquoi ? n'ai-je pas pu m'empêcher de lui demander. Qu'est-ce que ça peut bien te faire ?

– Parce que mes parents m'ont appris que les gens sont différents mais égaux. Que je dois toujours traiter les autres, peu importe qui ils sont, avec le même respect que je veux que l'on me témoigne.

– C'est pour ça que tu es avec moi ? Pour te prouver que tu es capable de mettre en pratique l'éducation de tes parents ?

J'avais à peine prononcé ces mots que j'ai eu envie de me mordre la langue.

– C'est vraiment ce que tu crois, Steve ? m'a demandé Cara avec un grand sérieux.

J'ai bu une gorgée de vin. J'avais déjà beaucoup trop parlé.

– Alors ? a insisté Cara.

Je l'ai regardée droit dans les yeux.

– Je ne sais pas.

À ma grande surprise, elle a souri et s'est appuyée sur le dossier de sa chaise.

– Merci de ta franchise. Je vais être franche à mon tour. Je suis avec toi parce que je t'aime beaucoup. Vraiment beaucoup. C'est tout. Il n'y a aucune autre raison.

Tu ne me connais même pas, ai-je pensé. Et cette pensée ne m'a pas apporté la satisfaction qu'elle aurait dû me procurer.

Parfois, lorsque nous discutons ou que nous rions, j'oublie que Cara est une Prima. Mais seulement parfois. Quand ça m'arrive, je me force à la regarder et à me concentrer sur la couleur de sa peau. En général, ça marche. Je ne pense plus qu'à ce qui nous différencie. Ce qui me surprend, c'est que quelquefois, j'oublie complètement nos différences. Jamais très longtemps, mais ça arrive. Et ça ne devrait pas. Il va falloir que je me décide à agir très vite. Je suis en danger ici. Parce qu'il m'arrive plus souvent de penser à ce qui nous rapproche qu'à ce qui nous sépare. Il est temps de couper court et de prendre à cette fille tout ce que je pourrai en tirer.

Sephy

Ma mère ne comprend pas ma décision. Comment pourrait-elle, alors que je la comprends à peine moi-même ?

– Tu avais dit que tu rentrais avec moi, m'a-t-elle rappelé.

– J'ai changé mes plans. La mère de Callum m'a proposé de venir chez elle et j'ai décidé… d'accepter.

– Pourquoi ? m'a calmement demandé Maman. Pour me punir ?

– Non, je t'assure que non, ai-je promis.

– Sephy, est-ce que tu veux vraiment vivre avec la mère de Callum ?

– Elle n'a personne d'autre.

– Tu ne réponds pas à ma question.

Ça ne lui avait pas échappé.

J'avais choisi la solution la plus lâche : j'avais attendu le matin de mon départ de l'hôpital pour téléphoner à Maman. Je sentais dans sa voix à quel point elle était blessée. D'une certaine façon, c'était pire parce que mon imagination remplissait les blancs. J'imaginais la stupeur sur son visage et la déception qui assombrissait son regard.

– Je suis désolée, Maman, ai-je répété pour la millième fois.

– Je pensais que tu avais autant envie que moi de reléguer le passé aux oubliettes et de recommencer à zéro.

– C'était vrai ; ça l'est toujours.

Mais Maman ne m'écoutait plus. Je ne pouvais pas vraiment lui en vouloir.

– Alors, tu préfères vivre dans une masure avec une Nihil plutôt que chez moi avec moi ?

– Je préfère vivre n'importe où, où je n'entendrai pas ce genre de commentaire, ai-je rétorqué. Et je croyais que Meggie avait été ton amie ?

– Je ne voulais pas dire ça, s'est immédiatement excusée Maman. C'est juste que je ne te comprends pas.

– Tu n'as jamais essayé de me comprendre et je suppose que maintenant, c'est un peu tard.

Silence.

– Je vois, a enfin murmuré Maman.

– Maman, je ne veux pas me disputer avec toi, ai-je repris. Je suis trop fatiguée pour ça. Je passerai te voir dès que je serai installée. Je te le promets.

– Au revoir, Perséphone.

– À bientôt, Maman.

Maman a raccroché la première mais pas avant que je l'aie entendue renifler et étouffer un sanglot. Elle pleurait. J'ai eu envie de pleurer moi aussi. Maman pleurait.

Et c'était ma faute.

Voilà, Callie,

J'y suis. Je suis installée chez Meggie, depuis un mois environ. Elle vit dans un duplex exigu, mais bien chauffé et propre et de toute façon plus confortable que tous les endroits où j'ai habité dernièrement. Meggie dort dans la plus petite chambre. Elle a tenu à nous laisser la plus grande. Nous nous sommes disputées jusqu'à ce que Meggie coupe court en disant que de toute façon nous étions deux et elle toute seule. La salle de bains est face à ma chambre, ce qui est pratique. Au rez-de-chaussée, il y a une cuisine et un salon avec un canapé rouge et un fauteuil beige. Ça ne va pas du tout ensemble mais on s'en fiche. La télévision est sagement posée dans un coin, la vieille chaîne dans un autre. Il y a même une petite cour. Plus petite que le salon, mais où l'on peut faire sécher le linge. La maison est plutôt pas mal. Le quartier, c'est une autre histoire.

Quand j'ai téléphoné à Minerva pour lui demander des nouvelles de son entretien d'embauche au *Daily Shouter* et pour savoir si Maman allait bien, elle a été horrifiée d'apprendre où j'allais vivre.

– Mais c'est un quartier épouvantable !

– Pas pire qu'un autre, ai-je répliqué.

– Tu rigoles, s'est exclamée Minerva. Pour mon premier boulot, on m'a demandé d'interviewer une femme qui habite à deux pas de là. En sortant de chez elle, je me suis fait agresser.

– Quoi ? me suis-je aussitôt inquiétée. Tu vas bien ? Tu as été blessée ?

– Non. Un idiot de Nihil m'a collée contre le mur et m'a demandé ce que j'avais à lui donner, a raconté Minerva avec dégoût.

– Et que s'est-il passé ?

– Il m'a volé mon portefeuille, mon téléphone portable et il est parti ! Le salaud ! Mais ça aurait pu être pire !

– Tu n'as pas eu de chance.

– Sephy, la majorité des viols et des meurtres de ce pays sont commis par des Nihils ! Tu ne peux pas oublier ça !

– Argument simpliste, tu le sais ! ai-je rétorqué.

– C'est la vérité.

– La vérité ou des statistiques manipulées ? Et de toute façon, même si c'est vrai, ce dont je doute, ça ne signifie pas pour autant que tous les Nihils sont des criminels.

– Ceux qui le sont ne le portent pas écrit sur le front ! a lancé Minerva.

– Tu es en train de me dire que je ne devrais accorder ma confiance à aucun Nihil ?

– Je dis simplement que tu devrais être prudente.

– Je préfère faire confiance aux gens, tant qu'ils ne me donnent pas une raison d'être méfiante envers eux, pas l'inverse.

– Ce qui explique pourquoi tu te retrouves toujours dans des situations incontrôlables, m'a asséné Minerva.

Je n'avais rien à répondre à ça. J'ai décidé de changer de sujet avant que l'on se dispute.

– Félicitations pour ton boulot.

– Je suis à l'essai pendant six mois. Je ne vais pas m'occuper d'informations importantes avant un bon bout de temps. Je suis une « jeune » reporter pour le moment.

– Tu vas les époustoufler, j'en suis sûre.

– J'espère, a-t-elle soupiré. Pour le moment, j'ai juste fait un article sur deux agressions perpétrées par des Nihils et un incendie dans une usine… Ah oui, et aussi un chat coincé dans un arbre et un magasin de bonbons qui a été inondé.

– Deux agressions ? Ils te refilent le pire, on dirait.

– Pas vraiment. Il ne s'agissait que de bagarres entre Nihils sans aucun Prima impliqué. Ce n'étaient que des histoires mineures.

– Pas pour les Nihils concernés, ai-je lâché.

Est-ce que Minerva s'entendait ? Elle parlait comme Papa. Minerva a soupiré.

– Ce n'est pas ce que je voulais dire.

Je n'ai pas relevé. Nous avons encore discuté deux minutes, Minerva m'a appris que Maman avait le moral au plus bas mais qu'elle n'avait pas recommencé à boire. C'était déjà ça.

Meggie et moi n'avons pas encore réussi à prendre un rythme de routine. Pour être franche, la plupart du temps, j'ai l'impression de devoir marcher sur des œufs. Et tu pleures tellement, Callie. Je te nourris, je te change, je m'assure que tu n'as ni trop chaud, ni trop froid, mais tu n'arrêtes pas de pleurer. Et quand tu as pleuré des heures et des heures sans t'arrêter, j'ai envie de hurler, de te supplier de te taire. Je ne sais pas ce que tu veux. Je ne comprends pas ce que je fais de mal et j'ai l'impression d'être nulle. Je te prends dans mes bras et parfois – seulement parfois – tu te calmes. Mais dès que j'essaie de te reposer dans ton berceau, tu recommences à pleurer.

– Tu ne devrais pas la prendre sans arrêt, m'a dit Meggie. C'est pour ça qu'elle crie dès qu'elle est loin de toi. Laisse-la pleurer et au bout d'un jour ou deux, elle s'habituera.

– Je ne veux pas laisser Callie pleurer dans son berceau, me suis-je récriée.

– Et pourtant, ça marche, a insisté Meggie. Callum était exactement pareil quand il était bébé et...

La voix de Meggie s'est éteinte. Qu'était-elle sur le point de dire ? Que le fait qu'elle l'ait laissé pleurer ne lui avait jamais fait de mal ? Et même que ça lui avait fait du bien ? Ça l'avait rendu plus indépendant ? Plus confiant ?

– Je suis désolée, a soudainement repris Meggie. Je suis en train de faire exactement ce que je t'avais promis de ne jamais faire. Fais comme tu le sens.

J'ai regardé Meggie quitter ma chambre et je t'ai prise dans mes bras, Callie. Je t'ai promenée dans la pièce en te murmurant des mots rassurants et en priant pour que tu sois très vite fatiguée et que tu t'endormes. J'étais au bout du rouleau. Ce n'étaient pas seulement les nuits entrecoupées. C'était surtout la culpabilité qui me rongeait à chaque seconde de la journée. J'avais tant de raisons de me sentir coupable. Et le fait de ne pas parvenir à t'endormir ne faisait qu'empirer mon sentiment d'inutilité.

La première fois que je t'ai donné un bain, Callie, j'étais si effrayée. Meggie m'avait proposé son aide, mais j'avais refusé. Je ne voulais pas qu'elle sache que je ne savais pas le moins du monde comment m'y prendre. J'ai rempli ta petite baignoire et j'ai vérifié la température. Je t'avais posée par terre dans ton couffin, sur le lino de la salle de bains. J'ai fait tout ce que j'étais censée faire. J'ai vérifié la température avec mes doigts, ma main et mon coude. Deux fois de suite. Je t'ai déshabillée et je t'ai doucement plongée dans l'eau. Et ça a été la catastrophe. Je t'avais calée contre mon avant-bras et j'avais appuyé ta tête dans le creux de mon coude, mais dès que tu as commencé à bouger, j'ai remarqué que je te tenais trop serrée. J'ai desserré mon étreinte et j'ai pris le savon sur le rebord de la baignoire, mais à ce moment, tu as glissé et ta tête s'est retrouvée sous l'eau. J'ai paniqué et j'ai voulu te rattraper mais je t'ai fait mal et tu as hurlé. Je t'ai sortie de l'eau, tu as trempé ma chemise, et j'ai éclaté en sanglots ; je n'étais même pas capable de donner un bain à mon propre bébé. C'était pathétique. Meggie est arrivée et il ne lui a pas fallu longtemps pour comprendre.

– Baignons-la toutes les deux ensemble, d'accord ?

J'ai acquiescé en ravalant mes larmes. Meggie s'est agenouillée près de moi et m'a regardée pendant que je te plongeais de nouveau dans l'eau. Cette fois, j'ai réussi.

Je n'avais jamais réalisé à quel point c'était fatigant de s'occuper d'un bébé. Il n'y a jamais de pause, il faut être présent vingt-quatre heures sur vingt-quatre, sept jours sur sept. Et les bébés ne comprennent pas si on leur dit : « Laisse-moi seulement cinq minutes » ou « Pas maintenant, je suis fatiguée ».

Pendant que tu dors, Callie, je dois m'occuper du lavage, du repassage, du ménage, mais je suis si épuisée que j'ai l'énergie d'une tortue asthmatique. Si Meggie ne prenait pas le relais ou n'insistait pas pour que je me repose, je ne sais pas dans quel état je serais. Dieu merci, pendant ces moments de repos, Meggie te garde près d'elle et je ne suis pas obligée de t'avoir au pied de mon lit. Je n'ose pas imaginer le désastre si j'avais été seule avec toi.

Et puis, je pense à Callum et à tout ce que nous manquons parce que nous ne sommes pas ensemble. Tout aurait été tellement plus satisfaisant si Callum avait pu partager ces moments avec moi. Avec nous. Mes problèmes auraient été insignifiants.

Ce sont les pires moments, Callie, quand tu es dans mes bras et que je pense à ton père. Ou quand je rêve de lui.

Pourquoi les choses ne sont-elles pas plus faciles, Callie ? Je voulais que tu portes le nom de ton père : McGrégor. Je pensais que c'était simple, qu'il me suffisait de te déclarer sous le nom de Callie Rose McGrégor, mais apparemment non. Callum et moi n'étions pas mariés et j'ai donc besoin de son accord pour utiliser son nom. J'ai eu beau expliquer à la femme de l'état civil qu'il n'était plus en mesure de donner une quelconque permission, elle n'a rien voulu entendre.

– Vous devez dans ce cas consulter un avocat, m'a-t-elle informée. Mais je vous préviens, c'est un processus lent et compliqué.

Alors, j'attends d'être un peu plus en fonds et je prendrai un avocat, pour que tu puisses légalement porter le nom de ton père. Mais quelle histoire, pour une chose aussi naturelle !

J'ai arrêté de déambuler dans ma chambre et je te regarde. Tu n'es pas endormie, mais au moins, tu ne pleures plus. Je me dirigeais vers ton berceau quand la sonnette de la porte d'entrée m'a fait sursauter. Et bien sûr, tu t'es remise à pleurer. J'ai juré. Meggie ne reçoit pas beaucoup de visites. Ne reçoit jamais de visites. Pourquoi faut-il que quelqu'un sonne juste maintenant ? J'ai recommencé à marcher dans la pièce.

– Callie, s'il te plaît, arrête de pleurer, ai-je supplié.

Comme si tu m'avais entendue, tu t'es un peu calmée. Pour une fois.

– Sephy, c'est pour toi ! a crié Meggie du bas de l'escalier.

Les sourcils froncés, je suis descendue avec Callie dans les bras. Est-ce que Maman s'était finalement décidée à se déplacer pour tenter une nouvelle fois de me convaincre ? Non, ce n'était pas Maman. C'était Jaxon, le garçon à la guitare que j'avais rencontré à l'hôpital.

– Bonjour, l'ai-je salué, éberluée.

Jaxon a esquissé un sourire.

– Tu ne t'attendais pas à me voir, on dirait.

– Tu es venu pour moi ?

– Oui, a acquiescé Jaxon.

– Roxie a un problème ?

Ce devait être sa sœur Roxie qui l'envoyait. Je l'aimais bien. Nous avions quitté l'hôpital le même jour et nous ne nous étions pas contactées depuis.

– Non, elle va bien. Très bien, même, a répondu Jaxon.

Il a regardé autour de lui.

– Pas moyen de s'asseoir ?

– Pardon. Si, bien sûr, suis-moi.

Je l'ai mené jusqu'au salon.

– Quelqu'un veut une tasse de thé ? a demandé Meggie depuis la cuisine.

– Non merci, ai-je lancé.

– Euh, moi je veux bien, a dit Jaxon.

Il s'est assis à une extrémité du canapé rouge. Je suppose qu'il s'attendait à ce que je m'assoie à l'autre extrémité, mais j'ai choisi le fauteuil. Il m'a dévisagée. Il se demandait apparemment par où commencer. Je me suis penchée pour embrasser Callie de façon à ce que Jaxon ne perçoive pas mon malaise. Que voulait-il ? Je me suis forcée à le regarder dans les yeux. Il m'a souri. Je ne lui ai pas souri en retour. Je voulais qu'il se lance.

– Je vais aller droit au but, a-t-il dit soudain.

– Je t'écoute.

– Tu as une belle voix.

– Pardon ?

– Oui, tu chantes bien. En fait, tu chantes même très bien. Je joue dans un groupe mais nous n'avons pas de chanteuse. On se partagera tout l'argent en quatre. À parts égales.

J'ai secoué la tête.

– Attends, tu me demandes de chanter dans ton groupe ?

– Exactement.

Mais il ne m'avait rien demandé clairement. Je me suis appuyée contre mon dossier et j'ai attendu.

– Bon, d'accord… je peux recommencer ?

– Je crois que ce serait mieux.

– Je joue de la guitare dans un groupe, mon pote Rhino est à la batterie, et Sonny au clavier et à la basse.

Cette fois, Jaxon me parlait comme à un être humain. J'ai commencé à écouter.

– On nous a souvent dit que nous aurions plus de contrats si nous avions une chanteuse. Quand nous avons chanté ensemble à l'hôpital, je t'ai trouvée bonne.

Jusqu'à ce que tu agresses verbalement cette pauvre infirmière qui ne faisait que son métier, ai-je songé.

– J'en ai déjà parlé à Rhino et Sonny et ils sont d'accord, a continué Jaxon. Comme je te l'ai dit, on partagera les cachets en quatre.

– Dans quel genre d'endroits jouez-vous ?

– Dans des boîtes, des bars, des mariages, des fêtes, partout où ça paye.

– Et c'est quel genre de musique ?

– Comme j'ai dit, tout ce qui paye.

– Vous n'écrivez pas vos propres chansons, alors ? me suis-je étonnée.

– Si, mais personne ne veut les écouter.

Jaxon était un peu amer.

– Pourquoi ?

– On chante surtout des trucs connus. Les patrons de bars aiment bien les vieux standards, a expliqué Jaxon. De temps en temps, on essaie de glisser un de nos titres originaux vers la fin du concert, mais on ne peut pas toujours.

– Et pourquoi moi ? ai-je voulu savoir.

– Tu chantes bien…

– Comme des tas d'autres filles. Pourquoi moi ?

– Tu veux vraiment que je sois franc ?

– Oui.

– Si tu chantes avec nous, on sera engagés dans des boîtes primas.

Je lui avais demandé d'être franc, j'étais servie. En fait, Jaxon voulait m'utiliser. Mais ce serait de bonne guerre. Après tout, je les utiliserai, lui et son groupe, pour gagner de l'argent. C'était tentant. Très tentant. Un travail qui me rapporterait et qui ne m'occuperait pas tous les jours. Je ne m'éloignerais pas de Callie plus de quelques heures de temps en temps. Si j'acceptais, je pourrais tenir la promesse que j'avais faite à Meggie de participer au loyer et aux factures.

– Vous avez un concert prévu ?

– Samedi. C'est trop tôt pour toi ? m'a souri Jaxon.

– Samedi ? Tu veux dire dans quatre jours ?

– Ouaip !

– Mais je ne connais aucune de vos chansons, ni aucun de vos arrangements, ai-je paniqué. Vous jouez peut-être des trucs que je suis incapable de chanter. Je risque de…

Meggie est entrée dans la pièce avec une tasse de thé qu'elle a tendue à Jaxon.

Jaxon lui a souri.

– Merci.

– Tout va bien ? m'a demandé Meggie.

– Jaxon me propose de faire partie de son groupe, l'ai-je informée.

– Quel genre de groupe ? a lâché Meggie, sur un ton inquiet.

– Un groupe de musique, a répondu Jaxon.

Meggie s'est détendue.

– Pour chanter ?

J'ai hoché la tête.

– Oui.

Jaxon s'est tourné vers moi.

– Est-ce que ça veut dire que tu acceptes ?

J'ai réfléchi. Je gagnerais de l'argent, mais pour ça, je devrais chanter en public. Et je devrais chanter avec Jaxon, un garçon au caractère pour le moins explosif, surtout quand il s'agissait de Primas. Est-ce que ça valait le coup ?

– Non, je ne crois pas.

– Pourquoi ?

– Ce n'est pas si facile pour moi. Tu oublies que j'ai un bébé.

– Je pourrai garder Callie, est intervenue Meggie.

J'ai secoué la tête.

– Pas avant qu'elle ait deux mois passés. Elle a besoin de moi.

– Il y aura juste une répétition ou deux par semaine, en soirée, et un concert le vendredi ou le samedi soir, a insisté Jaxon. Ce n'est pas trop demander. Et on peut vraiment gagner de l'argent.

– J'ai un bébé, ai-je répété.

– Sephy, ça te fera du bien de sortir un peu d'ici, a dit Meggie. Tu n'as quasiment pas mis le nez dehors depuis que tu as quitté l'hôpital.

M'étais-je tout à coup mise à parler martien ? Je ne voulais pas quitter la maison. Je ne voulais aller nulle part. Et je voulais encore moins chanter devant des étrangers. Pourquoi insistait-elle de cette façon ? En avait-elle déjà assez de notre compagnie ?

– Je ne veux pas te chasser, a repris Meggie. Loin de là, je suis vraiment heureuse de vous avoir, toi et Callie, à la maison. Mais je m'inquiète pour toi. Tu refuses de sortir ou de t'occuper.

Je ne voulais pas me disputer avec elle devant Jaxon.

– Merci de ta proposition, Jaxon, mais je n'ai pas envie.

Jaxon s'est levé, les lèvres serrées.

– Je te laisse mon numéro de téléphone ; au cas où tu changerais d'avis.

Il m'a tendu une carte, du genre de celles qu'on fait faire pour presque rien dans n'importe quelle imprimerie. Je l'ai prise sans même y jeter un coup d'œil. Je ne chanterai dans aucun groupe – et nous le savions tous les deux.

Meggie l'a raccompagné, pendant que je te serrais contre moi, Callie.

– Que vais-je te raconter à propos de ton papa, aujourd'hui ? ai-je susurré à ton oreille.

Tu m'as regardée comme si tu étais prête à boire mes paroles.

– Le plat favori de Callum était l'agneau rôti. Il pensait que l'astrologie était un ramassis de bêtises. Il ne croyait pas que les étoiles puissent influer sur notre chance ou notre avenir. Il m'a dit un jour que, selon lui, la question la plus idiote qu'une fille pouvait poser à un garçon était : « De quel signe es-tu ? » Je reconnais que moi non plus, je ne crois pas à tous ces trucs, mais Callum, ça le mettait en colère. Il aimait dessiner. Des animaux qui bondissaient, en particulier. Et des arbres. Des arbres isolés dans des paysages désolés. Je n'aimais pas beaucoup ces dessins-là.

Je me suis tue en m'apercevant que je n'étais plus seule. Meggie était revenue et elle m'observait.

– Pourquoi as-tu été aussi sèche avec ce pauvre garçon ?

– Je ne voulais pas être sèche, ai-je rétorqué. Mais je ne veux pas chanter avec lui. Et je déteste qu'on me manipule pour me pousser à faire une chose dont je n'ai pas envie.

– Sephy, tu dois reprendre contact avec le monde. Tu n'as même pas emmené Callie voir ta mère. Et tu dois décider de ce que tu veux faire de ta vie et pour gagner de l'argent.

– Ah c'est donc ça ! Vous avez peur que je ne paye pas ma part ?

– Bien sûr que non, a nié Meggie. Mais on dirait que tu t'enfermes dans toi-même. Ton monde tourne autour de Callie et ce n'est pas sain.

– Je réfléchirai à ma vie quand elle sera plus grande.

– Quand elle aura quel âge ? a demandé Meggie. Un mois ? Un an ? Dix ans ? Cinquante ans ? Quand ?

– Arrêtez de me bousculer de cette façon, Meggie, ai-je crié. Laissez-moi tranquille !

Tu as eu peur, Callie, parce que tu t'es mise à pleurer.

– Regardez ce que vous avez fait ! ai-je hurlé deux fois plus fort à Meggie.

Avant qu'elle ait le temps de répondre, je suis sortie de la pièce, ma fille dans les bras. Pourquoi ne comprenait-elle pas ? Si j'avais pu me glisser dans la tombe de Callum, avec toi dans mes bras, Callie, je l'aurais fait.

Pourquoi est-ce que personne ne comprenait ça ?

J u d e

Cara m'a appelé sur mon téléphone portable et m'a donné rendez-vous à la station Chamber Lane à sept heures, ce soir. Je n'aime pas me montrer trop souvent en ville. Il y a des caméras de surveillance partout et on ne sait jamais qui est en train de vous regarder. Mais Cara a insisté, de sa voix douce. Et je n'ai pas pu lui refuser.

Je ne pouvais pas lui expliquer les raisons de ma réticence. Je ne pouvais pas lui raconter que j'étais recherché par la police pour l'enlèvement de Perséphone Hadley. Alors j'ai accepté. Je portais un jean, un T-shirt, une veste et une casquette. Un uniforme passe-partout. J'ai gardé le visage baissé dans l'escalator. Quelque chose me soufflait que j'étais fou. Si un jour, je me faisais prendre, ce serait dans un endroit comme celui-ci, en pleine ville, avec des tas de gens partout. La police pouvait facilement m'encercler et il n'y avait quasiment pas d'endroit où se cacher. Alors qu'est-ce que je faisais ici ? Je ne le savais toujours pas. Cara me l'avait demandé, c'est tout.

Elle était déjà arrivée. J'ai glissé mon ticket dans la machine et je me suis appuyé contre un mur pour l'observer. Elle me cherchait du regard. Elle portait un pantalon moulant bleu marine et un T-shirt sans manches, blanc. Ses bras étaient fins et gracieux. On aurait dit qu'ils avaient été sculptés avec soin, dans un bois sombre. Pour une fois, elle n'avait pas de chignon et ses tresses pendaient de chaque côté de son visage.

Je suis resté là, à la regarder.

Mais elle m'a repéré.

– Steve ! Coucou, Steve !

Et voilà, une fois de plus, ce sourire sur son visage. Plus brillant et plus chaud qu'un soleil d'été.

– Salut Cara !

J'ai marché vers elle.

– Je suis vraiment contente que tu aies pu venir. J'ai une surprise pour toi !

– Je n'aime pas les surprises, ai-je marmonné.

– Celle-là, tu vas l'adorer, m'a-t-elle promis.

Nous avons marché deux minutes et, soudain, Cara a passé son bras sous le mien. Je ne m'y attendais pas. À mon regard déconcerté, elle a répondu par un sourire. Nous nous sommes

finalement arrêtés devant un des cinémas les plus presti-
gieux et les plus luxueux de la ville.

J'ai froncé les sourcils.

– Qu'est-ce qu'on fait ici ?

– J'ai deux entrées pour *Strange Days, Strange Ways*, m'a
souri Cara, manifestement ravie.

– Mais ça n'est sorti que depuis deux jours.

– Je sais.

– Et tu détestes les films de science-fiction, ai-je ajouté,
soupçonneux.

– Mais toi, tu les aimes, a lancé Cara. Alors voilà, c'est pour
toi !

Mon estomac s'est noué. Et puis, tout à coup, je me suis
dit que c'était peut-être un piège. Que la police était peut-
être embusquée, prête à me sauter dessus. Mais l'expression
de Cara a suffi à me détromper. Son visage était comme un
livre ouvert. Je ne savais vraiment pas quoi dire. Et le sourire radieux de Cara ne faisait qu'augmenter le vide en moi.

– Tu ne vas pas t'ennuyer ? ai-je fini par lui demander.

– Pas avec toi, m'a-t-elle assuré. D'accord ?

J'ai acquiescé. Lorsque je suis entré, une fois de plus mon
estomac s'est rétréci. Nous avions une demi-heure d'avance
et nous devions donc attendre au bar. Je nous ai acheté deux
boissons et nous nous sommes assis.

– Après notre discussion de l'autre soir, à propos de ce
film, a commencé Cara, j'ai eu peur que tu devines ce que
j'avais préparé.

J'ai secoué la tête.

– Je n'en avais pas la moindre idée.

– Génial !

– Cara…

Cara m'a souri. Elle attendait la suite de ma phrase ; j'ai regardé autour de nous mais la personne la plus proche se tenait à environ sept mètres, près du bar. J'avais envie de lui poser des questions sur sa journée, ses parents, ses amis, ses passions, ses dernières vacances, tout et rien, mais ce n'est pas ce qui est sorti.

– Pourquoi es-tu avec moi ?

Cara a semblé décontenancée.

– Parce que tu avais envie de voir ce film et que je me suis dit qu'après, on pourrait dîner quelque part et même aller se balader dans le parc.

– Ce n'est pas ce que j'ai voulu dire. Pourquoi est-ce que ça ne te fait rien d'être vue avec un Nihil ?

Cara s'est renversée sur sa chaise et m'a dévisagé avec un regard étrange. Je venais sans doute de foutre mon plan en l'air avec cette question. Si elle parvenait à faire semblant de ne pas voir la couleur de la peau, pourquoi moi n'y arrivais-je pas ?

– Ça t'ennuie que les gens nous regardent ? a-t-elle fini par demander.

– Parfois.

– Steve, qu'est-ce que tu remarques en premier chez les gens ?

J'ai haussé les épaules. Je ne savais pas vraiment ce que je devais répondre.

– Moi, a repris Cara, je remarque toujours les yeux. Pas seulement leur couleur, mais aussi leur forme et ce qu'ils disent. Tu me comprends ?

J'ai hoché la tête.

– Ensuite, je me concentre sur la bouche, que la personne sourie ou pas, a continué Cara. J'aime les bouches qui savent sourire. Toi, tu sais sourire, tu ne souris pas souvent, c'est tout.

De quoi parlait-elle ? Des gens arrivaient et les tables tout autour étaient à présent occupées. J'étais de plus en plus mal à l'aise. Je m'en voulais d'avoir abordé ce sujet.

– Ensuite, je cherche à savoir s'ils ont quelque chose dans la tête. Si ce n'est pas le cas, les gens ne m'intéressent pas.

– Normal, ai-je acquiescé avant d'ajouter : ils prennent les tickets là, on peut y aller.

– Steve, est-ce que tu préférerais que nous partions ?

– Non. Bien sûr que non.

– Je ne veux rien faire qui te mette mal à l'aise, a dit Cara sérieusement.

– Je ne suis jamais mal à l'aise avec toi.

– Promis ?

– Promis.

– Et puisque tu veux le savoir, a conclu Cara, je suis avec toi parce que j'aime bien être avec toi.

– Ça prouve que tu as bon goût, ai-je plaisanté pour alléger l'atmosphère.

– Exactement ! a souri Cara en se levant. On y va ?

Et nous sommes allés voir le film.

Sephy

Quelle belle journée, tu ne trouves pas, Callie ? Ces choses blanches dans le ciel s'appellent des nuages. Et le bleu derrière, c'est le ciel. Et le vert, là, c'est de l'herbe. Nous sommes assises sur un banc, dans le parc, et nous profitons de cette belle journée. Tu aimes que je te chatouille le ventre ? Oui, tu aimes. Tu adores ça. Callie, est-ce que tu penses que je suis lâche ? Est-ce que tu crois que j'aurais dû accepter la proposition de Jaxon ? Je reconnais qu'une partie de moi en avait envie. Mais chanter devant des inconnus… je n'ai jamais fait ce genre de trucs. Cela dit, il y a des tas de trucs que je fais aujourd'hui et auxquels je n'aurais même pas pensé il y a quelques mois. Je suis toujours une adolescente et j'ai une petite fille à moi. Parfois, je me réveille au milieu de la nuit et, pendant quelques secondes, j'ai l'impression que les trois dernières années ne se sont pas écoulées. Callum est toujours en vie et je suis chez ma mère, et mon quotidien est de nouveau simple. Mais ça ne dure que quelques secondes.

Je n'aurais pas dû crier comme ça sur Meggie. Elle essaie seulement de m'aider. Et elle s'inquiète pour toi. Elle t'aime beaucoup, Callie. Vraiment beaucoup. Nous irons voir ma mère bientôt. Elle t'aime aussi beaucoup. Ne l'oublie pas, Callie, l'amour, c'est tout ce qui compte. Crois-moi. Je le sais.

Jude

Je suis venu surprendre Cara à son travail avec un panier de pique-nique. Cara était très belle. Elle portait un petit haut moulant bleu marine qui découvrait son ventre et une jupe bleue coordonnée avec un liseré doré vertical. De longues boucles d'oreilles en or encadraient son visage et elle semblait si vivante, si animée. Le seul fait de la voir a amené un sourire sur mes lèvres.

– Steve, c'est une idée géniale, mais je ne peux pas partir comme ça ! a protesté Cara.

– Pourquoi pas ? Est-ce que cet endroit va s'écrouler si tu prends ton après-midi ?

– Mais j'ai Mme Burgess à trois heures et une autre cliente à quatre...

– Quelqu'un d'autre peut les coiffer, ou elles reviendront une autre fois, ai-je insisté.

Allez, Cara. Ne m'oblige pas à te supplier, ai-je pensé avec irritation.

Cara m'a regardé et a souri avant d'annoncer à la cantonade :

– Je sors, je ne serai pas là cet après-midi !

Et elle m'a pris par le bras. Nous sommes sortis sans regarder derrière nous. À ce moment, j'ai su que je la tenais ! Ce n'était qu'une question d'heures, ou au plus de jours, avant que je mette la main sur son argent.

Nous sommes allés au parc et nous sommes installés à une table de pique-nique près de l'aire de jeux. Nous avons discuté, mangé et discuté encore.

– Quand me diras-tu des choses sur toi ? a demandé Cara avant de mordre dans sa pomme.

– Que veux-tu savoir ?

– Quel est ton métier ?

– Je fais différents jobs. Mais depuis quelques mois, je travaille dans... le bâtiment.

– Maçonnerie, peinture, ce genre de choses ?

– Exactement.

– Maçonnerie ou peinture ou décoration ?

– Plutôt peinture et déco… mais assez parlé de moi…

– C'est drôle, une fois que je t'ai posé une ou deux questions, tu finis toujours par dire ça, a observé Cara. Je vais t'appeler l'homme mystérieux.

– Il n'y a rien de mystérieux. Mon existence est un livre ouvert.

– Un livre ouvert écrit dans une langue que je ne connais pas, a dit Cara avec une grimace.

J'ai ri.

Après le pique-nique, nous nous sommes promenés dans le parc, puis nous sommes allés voir un film dans le tout petit cinéma du quartier. Puis nous sommes retournés dîner chez Cara. Une heure plus tard, nous étions attablés devant un plat de tagliatelles au poulet, accompagné d'une bouteille de vin rouge.

– Steve, est-ce que tu… m'apprécies ? a soudain demandé Cara.

J'ai grogné intérieurement. Pourquoi les filles veulent-elles toujours parler de sentiments et de relation ? Pourquoi ne peuvent-elles pas se contenter d'être et de profiter du moment, sans toujours tomber dans ce truc introspectif pénible ?

– Bien sûr que je t'apprécie, ai-je répondu.

– Alors pourquoi est-ce que tu n'as jamais rien essayé d'autre que de m'embrasser ? a poursuivi Cara sans me regarder dans les yeux.

Elle avait baissé la tête, manifestement embarrassée. J'ai posé ma fourchette. J'avais perdu l'appétit. Qu'est-ce que je pouvais répondre à ça ?

– J'ai eu beaucoup de choses en tête récemment, ai-je soupiré. Tu sais que je cherche du travail et j'ai des factures à payer. Bref, ce n'est pas une très bonne période pour moi.

– Laisse-moi t'aider…

– Non, je t'ai dit…

– Ce n'est que de l'argent, Steve, m'a interrompu Cara en se levant.

D'un pas vif, elle s'est dirigée vers une petite table dans un coin du salon. Elle a ôté son collier et a ouvert le tiroir avec la petite clé qui y était accrochée. Je savais que ce tiroir était fermé à clé – j'avais déjà essayé de l'ouvrir. Elle a pris son carnet de chèques, avant de revenir vers moi.

– De combien as-tu besoin ?

Elle était en train de signer le chèque sans même avoir rempli le montant.

– Je ne veux pas de ton argent, ai-je dit calmement.

– S'il te plaît, Steve. Je veux le faire pour toi. Je veux t'aider, a insisté Cara.

Mais je ne l'écoutais pas. J'ai plié ma serviette et je me suis levé.

– Je crois que je ferais mieux de rentrer.

– Steve…

Cara a posé sa main chaude sur mon visage.

Elle me regardait comme si elle m'aimait vraiment. Comme si j'étais une personne importante dans sa vie, alors que ça ne faisait que quelques semaines que nous sortions ensemble. Cara s'est dressée sur la pointe des pieds et elle a posé ses lèvres sur les miennes. J'ai fermé les yeux et je me suis retrouvé à l'embrasser aussi passionnément qu'elle m'embrassait. Ça faisait longtemps que personne ne m'avait désiré comme ça. Je l'ai prise dans mes bras et, les paupières toujours closes, je l'ai embrassée comme si le monde s'écroulait autour de nous.

Puis j'ai rouvert les yeux. Cara m'embrassait toujours, les yeux fermés, mais dès que je l'ai VUE, mon âme s'est glacée. Je l'ai repoussée et je l'ai fixée.

169

– Qu'est-ce qu'il y a ? a-t-elle demandé.

– Rien, ai-je marmonné. Il faut vraiment que je parte.

– Steve, il y a quelque chose qui te fait mal. Dis-moi ce que c'est.

– De quoi parles-tu ?

– Je pense… je pense que tu as peur de te laisser aller. Et parfois, tu me regardes comme si…

Sa voix s'est éteinte.

– Comme quoi ?

– Comme si tu voyais quelqu'un d'autre.

Une sensation étrange s'est emparée de moi, j'ai eu l'impression que mon sang frissonnait. Avais-je autant baissé ma garde ?

– Je t'ai raconté que mon père était mort d'une crise cardiaque… Dis-moi qui tu as perdu. C'était une personne que tu aimais beaucoup, n'est-ce pas ?

J'ai ouvert la bouche mais aucun son n'est sorti.

– Mon père et moi étions très proches l'un de l'autre, a continué Cara. J'ai mis beaucoup de temps à me remettre de son décès.

– Pourquoi tu me parles de ça ?

Ma voix était un murmure rauque et douloureux.

– Tu as perdu quelqu'un, n'est-ce pas ?

– Mon frère. Mon frère est mort. Il a été assassiné.

Cara a hoché la tête. Elle était si compréhensive, et c'était pire que tout, parce que je savais qu'elle me comprenait vraiment. Elle était comme la partie calme et saine de moi-même.

– Je suis désolée, Steve.

Je ne parvenais pas à répondre.

– Tu sembles si seul parfois. Comme si tu portais une blessure profonde, a continué Cara d'une voix douce. Tu me fais penser à moi.

À présent mon sang hurlait dans mes veines, bouillonnait. Je voulais qu'elle se taise. Qu'elle la ferme. Qu'elle cesse de me comprendre. Ma gorge était serrée. Mes yeux me brûlaient.

Tais-toi ! Tais-toi !

– Steve… a dit Cara d'une petite voix.

Je la fixais sans ciller des paupières. Ses doigts ont caressé ma joue. Ils étaient doux et chauds.

– Toi et moi sommes tellement semblables, a tristement souri Cara. Je suppose que c'est ce qui nous a rapprochés. Nos esprits se parlent.

Il fallait que je la fasse taire. Il le fallait. Je l'ai embrassée. Dans ma poitrine, un poing écrasait mon cœur. Cara m'a enlacé et m'a embrassé avec le même désespoir. Elle avait raison. J'étais seul. J'avais été seul toute ma vie, bien avant que ma famille ne soit brisée en mille morceaux. Qu'y avait-il en moi qui m'empêchait de me sentir proche des autres ? Pourquoi ne parvenais-je pas à me faire des amis et à les garder ? Pourquoi ne pouvais-je embrasser une Prima sans avoir immédiatement envie de m'essuyer la bouche ? Qu'est-ce qui m'avait fait tomber si bas ? J'étais méprisable.

J'ai glissé ma main sous son T-shirt. Sa peau nue était tendre comme un murmure, douce comme du velours. Je n'avais jamais touché une peau aussi douce. Je l'ai serrée contre moi, ma main cherchait ses seins. Mon sang rugissait, bondissait. J'avais le souffle court et j'étais plus excité que je ne l'avais jamais été de toute ma vie. Je voulais plus que du sexe. Je voulais faire l'amour, me noyer en elle.

J'ai rouvert les yeux… Je me suis raidi et je me suis obligé à me concentrer sur la couleur de sa peau. À m'en emplir les yeux, à me fondre dedans. Mais je ne voyais plus sa peau, je ne voyais plus que ses yeux, d'un marron chaud et brillant, qui me souriaient avec intelligence. Avec amour.

Avec amour.

Elle m'a souri. Elle avait entièrement confiance en moi. Elle me vouait une dévotion totale. C'était trop. Je me perdais en elle.

J'ai serré les poings et je l'ai frappée. Elle est tombée en arrière. Elle m'a regardé, trop choquée pour crier. Ses yeux marron, si chauds et si brillants qu'on avait envie de plonger dedans, étaient à présent agrandis par la peur. Pourtant, on y lisait encore de l'amour. Je me suis agenouillé et je l'ai frappée de nouveau.

Et après je n'ai plus réussi à m'arrêter.

Je l'ai cognée au visage encore et encore, et puis je me suis redressé. Mais là de nouveau, je n'ai pas pu me retenir. Je lui ai donné des coups de pied avec toute la rage qui enflait en moi. Elle n'avait pas le droit de me faire ressentir quelque chose pour elle. J'allais lui montrer. J'allais nous le montrer à tous les deux que je me fichais complètement d'elle. J'ai continué à la frapper encore et encore pendant qu'elle me suppliait d'arrêter.

Et j'ai continué quand elle a cessé de me supplier.

Je n'ai stoppé qu'une fois trop épuisé pour lever encore mes poings ou bouger mes jambes. Mes jointures étaient couvertes de sang. Je les ai essuyées sur mon pantalon. Et puis, j'ai ramassé le chèque en blanc qu'elle avait signé. Je me suis approché du tiroir de la petite table qu'elle avait laissé ouvert et j'ai raflé l'argent et les livrets bancaires, tout ce que j'ai trouvé.

Après, je suis sorti de la maison, en prenant soin de ne pas regarder Cara. Pas une seule fois. Pas même un léger coup d'œil. Chaque pas qui m'éloignait d'elle me glaçait. Et c'était bien comme ça. C'est ainsi que je devais être. Froid. Froid et insensible. J'avais l'argent et les chèques que j'encaisserai au plus tôt. Ensuite, je disparaîtrai. J'étais doué pour ça. Disparaître. Je marchais quand je me suis rendu compte que mon visage était trempé. Quand s'était-il mis à pleuvoir ? Des milliers d'étoiles brillaient dans la nuit, une brise tiède me caressait le visage.

Il n'y avait pas un seul nuage dans le ciel.

Sephy

Meggie et moi ne nous étions quasiment pas adressé la parole depuis la dispute de l'après-midi. Nous marchions sur la pointe des pieds, comme si le sol était couvert de paquets de chips. Elle n'avait aucun droit de me dire ce que je devais faire de ma vie.

Je me suis couchée et je t'ai posée sur ma poitrine, Callie. Je lisais à voix haute. J'avais envie que tu aimes les livres autant que moi et ton père.

Quand la sonnette de la porte d'entrée a retenti, j'ai laissé Meggie aller ouvrir.

– Sephy, c'est pour toi, m'a-t-elle appelée au bout de deux secondes.

Deux visites dans une seule journée. Que se passait-il ? J'ai reposé le livre et je me suis levée sans te lâcher. Nous sommes descendues. Il y avait là un homme que je n'avais jamais vu auparavant. Un Prima d'une quarantaine d'années, les tempes grisonnantes, une fine moustache et un air distingué. Il était plutôt beau pour un type de cet âge. Le genre de type que ma mère remarquait. Il m'a regardée descendre l'escalier. Si c'était encore un journaliste, il n'allait pas tarder à se retrouver dehors si vite qu'il n'aurait même pas le temps de comprendre ce qui lui était arrivé.

– Oui ? ai-je demandé froidement. Je peux vous aider ?

– Perséphone Hadley ?

– C'est moi.

– Je m'appelle Jack. Jack Labinjah.

J'attendais qu'il poursuive. Meggie restait en arrière et je lui en étais reconnaissante. Elle en avait assez, elle aussi, des journalistes qui passaient leur temps à frapper à la porte.

– Je suis gardien de prison, a repris Jack. J'étais avec Callum les derniers jours.

Mon sang s'est transformé en nitrogène liquide et a gelé chaque cellule de mon corps. Je n'arrivais plus à respirer. Un simple souffle aurait suffi à me faire tomber en miettes.

– Vous étiez avec Callum ?

J'avais réussi à parler, mais ma voix était à peine audible. Jack a acquiescé.

– Je suis désolé de vous déranger, mais il m'a fallu beaucoup de temps pour vous retrouver. J'ai réussi grâce à cette annonce de naissance que vous avez fait paraître.

– Pourquoi vouliez-vous me retrouver ?

– Callum vous a écrit une lettre et m'a fait promettre de vous la remettre, a prononcé Jack avec lenteur. Il vous en a écrit plus d'une en réalité, mais il ne voulait pas que vous lisiez les autres. Il les a jetées. Celle-ci est la seule qu'il voulait que vous ayez.

Jack tenait à la main une enveloppe sur laquelle était écrit mon nom. *Sephy*. De la main de Callum. Je reconnaissais son écriture vive, ses lettres penchées. Je l'ai prise et j'ai eu soudain le sentiment que Callum était dans la pièce avec moi, qu'il regardait par-dessus mon épaule. Non, c'était plus fort que ça. J'avais l'impression qu'il tournait autour de moi et qu'il passait à travers moi. Je le sentais, je le respirais, j'entendais sa voix. Mes jambes sont devenues comme du coton. Meggie s'est précipitée juste au moment où Jack me retenait. Meggie m'a pris Callie des mains. Je me suis assise dans l'escalier. Je n'arrivais pas à le quitter des yeux.

– Vous étiez avec mon fils ? Les jours qui ont précédé sa mort ? a demandé Meggie.

– Oui, jusqu'à ses derniers instants. Nous sommes devenus amis.

– Que disait-il ? Que faisait-il ? Comment était-il ? Parlait-il un peu de moi ?

Mes questions se bousculaient, poussées par des centaines et des centaines d'autres.

– Il ne parlait que de vous, m'a souri Jack.

Son sourire s'est effacé quand son regard s'est posé sur la lettre que je tenais à la main. Je ne pouvais plus parler. Même si ma vie en avait dépendu, j'aurais été incapable de prononcer le moindre son. Cet homme avait partagé les derniers instants de la vie de Callum. Il possédait une chose dont je pouvais seulement rêver. J'avais essayé de toutes mes forces de rendre visite à Callum en prison, mais je n'avais jamais réussi à dépasser les portes.

– Dites-moi pourquoi je n'ai jamais pu le voir. S'il vous plaît, dites-le-moi, ai-je supplié.

Jack a secoué la tête, mais il était hors de question que je n'obtienne pas de réponse.

– Vous devez le savoir, vous étiez avec lui, vous travailliez dans cet horrible endroit. Pourquoi ne pouvais-je pas le voir ?

– Des ordres venaient de très haut pour vous interdire de rencontrer Callum, a fini par murmurer Jack.

– Des ordres de qui ? Du directeur de la prison ? a sèchement demandé Meggie.

– Non, de plus haut que ça, a repris Jack en me regardant droit dans les yeux.

– De mon père, c'est ça ?

Ce n'était pas une question. J'en étais sûre. Plus que sûre.

– Allons dans le salon, a dit Meggie. Nous serons plus à l'aise pour discuter.

Jack a secoué la tête de nouveau.

– Je ne peux pas. Si on découvre que je suis venu, je perdrai mon travail. Je ne suis venu que pour tenir ma promesse. Je ne voulais pas vous apporter cette lettre.

– Pourquoi ? a voulu savoir Meggie.

Jack n'a pas répondu.

– Vous l'avez lue, n'est-ce pas ? a insisté Meggie.

– Oui, a répondu Jack sans s'excuser. Dans mon travail, on n'est jamais trop prudent. Je voulais juste savoir dans quoi je m'engageais.

– Je vois, a lâché Meggie d'un ton glacial.

– Et je suis désolé d'avoir accepté. J'aurais préféré me couper la main droite plutôt que d'apporter ce genre de courrier, mais…

– Mais vous aviez fait une promesse, a terminé Meggie.

Il avait répété cette phrase tant de fois qu'elle sonnait comme un refrain.

– Que dit la lettre ? a poursuivi Meggie.

Jack a secoué la tête pour la troisième fois. J'avais toujours l'enveloppe à la main. Jack avait partagé les derniers instants de Callum. C'était cela le plus important.

– Callum a-t-il su que j'avais essayé de le voir ? ai-je demandé.

– Oui, je le lui ai dit, a répondu Jack.

– Savait-il… savait-il à quel point… ?

Je me suis tue. J'allais demander à Jack s'il savait à quel point je l'aimais. Mais comment Jack aurait-il pu répondre à cette question ? Jack ne pouvait pas le savoir, il ne me connaissait même pas.

– Callum ne cessait de parler de vous, a repris Jack. Vous étiez la personne la plus importante de sa vie. Vous ne devez jamais l'oublier.

– Sephy, je crois que tu devrais me donner cette lettre, a soudain lancé Meggie.

J'ai serré l'enveloppe contre ma poitrine. Contre mon cœur.

– Elle est à moi. C'est la dernière chose que je possède venant de Callum. Je vais la garder et la chérir comme un trésor. Personne ne l'aura ! Elle est à moi.

– Je dois y aller !

Jack se dirigeait déjà vers la porte. Il ne s'est tourné vers moi qu'après avoir ouvert.

– Mademoiselle Hadley, je… je suis désolé.

Et il est parti.

Je me demandais pourquoi il s'excusait ainsi. Ne comprenait-il pas la valeur de ce qu'il venait de m'apporter ? Je tenais entre les mains un cadeau dont je n'avais jamais osé rêver. Une lettre de Callum. La dernière lettre qu'il avait écrite… et elle était pour moi.

Je tremblais en ouvrant l'enveloppe. Elle n'était pas cachetée, le rabat était juste glissé à l'intérieur. J'ai sorti la lettre et j'ai commencé à lire. Je dévorais chaque mot, gobais chaque syllabe. Je lisais vite, avidement au début, puis j'ai ralenti, au fur et à mesure que les mots me blessaient comme des dents de requin. Arrivée à la fin, j'ai laissé tomber la feuille. Je me suis tournée, lentement, vers Meggie. J'ai regardé Callie Rose qui agitait les bras.

Notre fille.

Ma fille.

J'ai tendu les bras pour reprendre Callie à Meggie. Elle me l'a donnée sans un mot. Je me suis assise sur la troisième marche de l'escalier et j'ai regardé ma fille. Meggie a ramassé la lettre de Callum.

– Ne la lisez pas, ai-je murmuré.

Sans répondre, Meggie s'est mise à lire à voix haute. Je ne voulais pas qu'elle fasse ça, mais je n'arrivais pas à parler pour lui demander de se taire. Mes pensées étaient parties. Ma peau avait disparu, remplacée par des aiguilles, des pics, des pointes de flèches plantées dans ma chair.

Sephy,

J'ai décidé de t'écrire cette lettre parce que je veux que tu saches ce que je ressens exactement aujourd'hui. Je ne veux pas que tu passes le reste de ta vie à croire un mensonge.

Je ne t'aime pas. Je ne t'ai jamais aimée. Tu n'as jamais été qu'une mission pour moi. Un moyen pour tous ceux de la cellule de la Milice de libération à laquelle j'appartenais, d'extorquer de l'argent, beaucoup d'argent à ton père. En ce qui concerne le sexe, tu étais disponible et je n'avais rien d'autre à faire.

La voix de Meggie a vacillé mais elle a continué.

Tu aurais dû te voir, prête à gober toutes les absurdités que je voulais bien te livrer en pâture, quand je prétendais que je t'aimais, que je ne vivais que pour toi et que jusqu'à présent j'avais eu trop peur pour te l'avouer. Je ne sais pas comment j'arrivais à me retenir de rire. Comme si je pouvais aimer quelqu'un comme toi! Une Prima! Pire que ça, la fille d'un de nos pires ennemis. Baiser avec toi m'a juste servi à me venger de ton salaud de père et de ta fouineuse de mère qui ne pouvait pas s'empêcher de se mêler de nos affaires.

Et voilà que tu es enceinte!

C'est le pied! Le monde entier va savoir que tu es sur le point de donner le jour à mon gosse. Le gosse d'un Néant! Rien que pour ça, ça valait le coup de risquer ma vie et ça vaut le coup de la perdre. Que je sois pendu ou pas, je vais annoncer au monde entier que cet enfant que tu portes est de moi. De moi! Même si tu t'en débarrasses, tout le monde le saura.

Mais ce que personne ne saura, c'est à quel point je te méprise. Chaque parcelle de toi me dégoûte et quand je pense à toutes les choses que nous avons faites quand on a baisé, j'ai envie de vomir. Rien que de me revoir t'embrasser, te lécher, te toucher, te pénétrer, m'écœure. Il faut que je repense à toutes mes autres maîtresses pour m'ôter cette impression. Enfin, ce n'était pas en vain puisque mon but était de t'humilier et je me console en me disant que j'ai parfaitement réussi. Comment, mais comment as-tu pu croire que j'aimais une personne comme toi? Ton ego est surdimensionné, ma pauvre! Et pourtant tu n'as rien pour être aussi prétentieuse!

J'ai demandé à Jack de ne t'apporter cette lettre que si tu gardais notre enfant. J'imagine ton visage, en ce moment même, alors que tu lis et ça me donne du courage en attendant la mort. Quand tu auras fini cette lettre, tu me détesteras autant que je te déteste. Mais n'oublie pas, c'est moi qui t'ai haïe en premier ! Va de l'avant et essaie de m'oublier ! Et tant que tu y es, ne parle jamais de moi à ton gosse. Je ne veux pas qu'il sache comment ou pourquoi je suis mort. Je ne veux plus que tu prononces mon nom. Ça ne devrait pas être trop difficile quand tu auras fini cette lettre. Maintenant que tu sais la vérité. Mais tu es si vaniteuse que tu arrives sans doute à te convaincre que tout cela n'est pas vrai, que je veux seulement que tu avances dans la vie, que tu ne t'accroches pas à mon souvenir comme à un poids, détrompe-toi !

Je ne m'inquiète pas de savoir si tu prendras soin de toi. Tu es une Prima, née avec une petite cuillère en argent dans la bouche, et de toute façon, il y aura toujours quelqu'un pour t'aider.

Oublie-moi.

Je t'ai déjà oubliée.

Callum.

ORANGE

Blessures
Peine
Lumière du soir
Peau de pêche
Coucher de soleil
Pus
Pleurs, cris, sanglots
Malédictions
Douleurs et souffrances
Tournoyer, s'étourdir
Torrents
Feu
Cri perçant
Acide
De l'orange, que de l'orange, rien que
de l'orange
Orange, encore orange

Une femme agressée entre la vie et la mort

© D. CHAUVET/MILAN

Cara Imega, 26 ans, est dans un état critique après avoir été battue et laissée pour morte. Elle a été trouvée hier, par des collègues, alors qu'elle ne s'était pas présentée à son travail.

Un porte-parole de l'hôpital de West Garden a déclaré : « *C'est un miracle qu'elle soit toujours en vie. Elle est aux soins intensifs depuis son arrivée. Celui qui lui a fait ça doit être retrouvé très vite. Il est dangereux.* »

Les collègues de Cara Imega, très choquées, ont affirmé que Cara n'avait pas d'ennemis. « *Elle ne pensait qu'à aider. Elle faisait partie d'œuvres de charité et se liait d'amitié avec tout le monde.* »

La police recherche Steve Winner, un Nihil qui est sans doute la dernière personne à avoir vu Cara en vie.

(lire page 7)

Sephy

La maison de Jaxon n'était pas difficile à trouver. Elle était à vingt minutes de chez Meggie. Pourtant le trajet m'a semblé long. À cause des regards hostiles que me jetaient tous ceux qui me croisaient dans la rue. Auxquels s'ajoutaient des sourires malveillants et quelques regards curieux. Il y avait très peu de Primas dans le quartier. Et puis Rose me manquait déjà.

Callum avait raison, finalement. Rose est un prénom qui lui va beaucoup mieux.

Callum...

Ne pense pas à lui, Sephy. Ne pense plus jamais à lui. Il est mort. Mort et enterré.

J'ai ma fille Rose, je ne veux personne d'autre.

Même pas Callum.

Surtout pas Callum.

J'avais arraché la lettre des mains de Meggie alors qu'elle était sur le point de la déchirer. Elle n'avait pas le droit d'en disposer. Je voulais la garder et la relire à chaque fois que mon cœur menaçait de prendre à nouveau le pas sur ma raison. Je ne savais rien de la vie de Callum pendant que j'étais au pensionnat de Chivers. Je ne voulais pas savoir. J'avais été stupide, stupide, stupide de penser qu'il m'aimait toujours après deux ans et demi de séparation.

Alors que deux minutes et demie suffisent à certaines personnes pour changer du tout au tout.

Callum est devenu un terroriste de la pire espèce durant ces deux années. Pas étonnant que la Milice de libération ait décidé de m'enlever ; ils n'auraient pu choisir de cible plus facile à atteindre.

185

Et pourtant… une partie de moi continuait de s'accrocher à l'idée que cette lettre n'était qu'une sale blague, ou une erreur. Pouvais-je croire ce que Callum avait écrit ? Il était l'auteur de cette lettre, je connaissais trop bien son écriture pour en douter. Mais je n'arrivais pas à croire qu'il ait pu me parler comme ça.

Pourtant, il l'avait fait.

Je garde sa lettre pour ne pas l'oublier.

Pensait-il tout ce qu'il m'a écrit ?

Me haïssait-il ?

Pensait-il vraiment tout ce qu'il m'a écrit ?

Ou m'aimait-il ?

Pourquoi m'avoir écrit ça ?

Pensait-il vraiment ce qu'il m'a écrit ?

Est-ce que pendant que nous faisions l'amour, il riait intérieurement de la manière dont il m'utilisait ?

Pensait-il vraiment ce qu'il m'a écrit ?

Toutes ces questions tournaient et retournaient dans ma tête.

Pourquoi ne parvenais-je pas à cesser de penser à cette lettre ? Comme un poison, elle s'était infiltrée dans chacun de mes souvenirs, les souillant jusqu'à ce que je ne parvienne plus à différencier la réalité de mes fantasmes. Jusqu'à ce que j'en revienne toujours au même état de fait : Callum avait écrit cette lettre.

Ce qui en disait suffisamment.

Si j'avais été à sa place, jamais, jamais je n'aurais pu écrire une telle lettre. Chaque nuit, j'essayais de me convaincre de la froisser et de la jeter à la poubelle. Ou au moins de ne pas la relire pour la dix-millième fois. Mais chaque nuit, la lettre se retrouvait entre mes mains. Et chaque nuit, en la relisant, je manquais d'air comme un poisson hors de l'eau.

Ce qui ne m'empêchait jamais de la lire à nouveau.

Du coup, je ne cessais pas d'y penser.

Mais il fallait que j'arrête. Je devais me reprendre et cesser de vivre dans un fantasme stupide. Callum ne m'avait jamais aimée, jamais désirée et n'avait jamais eu besoin de moi. Il m'avait utilisée pour assouvir sa vengeance contre mon père et tous les Primas. Il avait été encore pire que son frère Jude. J'étais fatiguée d'être un instrument entre les mains des autres.

J'étais fatiguée d'avoir mal.

Je ne laisserai plus jamais personne me faire mal. Plus personne. Plus jamais.

Il était temps de fermer mon esprit et de jeter la clé.

La maison de Jaxon était de plain-pied. C'était un petit pavillon propret avec des jardinières de géraniums et de primevères. Il n'y avait pas de sonnette. J'ai frappé à la porte et j'ai attendu. Puis j'ai frappé de nouveau. Personne. J'ai secoué la tête, et je m'apprêtais à tourner les talons quand la porte s'est ouverte.

– Bonjour, s'est exclamé Jaxon, surpris. Je ne m'attendais pas à te trouver là !

J'ai haussé les épaules.

– Eh bien, comme Meggie et toi me l'avez fait remarquer, j'ai besoin de gagner ma vie.

– Le concert a lieu demain soir, a grommelé Jaxon. T'en as mis du temps pour te décider !

J'ai haussé les sourcils, prête à changer de nouveau d'avis. Aucune somme d'argent ne me ferait accepter tes remarques désagréables, ai-je songé amèrement.

— Je suis content que tu sois venue, a ajouté Jaxon rapidement. Désolé de me montrer un peu irritable. Je suis comme ça quand les choses ne vont pas tout à fait comme je veux. Faudra que tu t'y fasses.

— Irritable n'est pas le mot que j'emploierais, ai-je rétorqué.

Jaxon a ri.

— Un point pour toi. Allez, entre, tout le monde est là.

À l'intérieur, une délicieuse odeur de haricots et de pain grillé flottait dans l'air. Les murs étaient blanc cassé, une immense lézarde fendillait le plafond, le plancher était bien ciré et le couloir dégageait un parfum de désodorisant à la lavande. Tout respirait la simplicité et le confort.

— J'aime bien ta maison, ai-je déclaré.

— Menteuse, a répliqué Jaxon.

— Si je ne l'aimais pas, je me contenterais de me taire, lui ai-je lancé, fâchée.

Jaxon a hoché la tête.

— Alors merci.

— Tu vis seul ?

— Non, avec ma famille.

Je me suis rappelé les propos de Roxie sur sa grande famille.

— Comment vont Roxie et son fils ?

— Très bien ! Ils vivent à l'angle de la rue. Ils viennent souvent.

Jaxon m'a fait traverser la cuisine, où l'odeur de haricot était plus forte, et nous sommes sortis dans le jardin.

— On répète dans la cabane à outils au fond de la cour, m'a-t-il dit.

J'ai acquiescé en regardant autour de moi. Sur un terrain poussiéreux, jonché de jouets, poussaient des îlots d'herbe rase et jaunâtre. Une vieille balançoire pendait à une grosse branche.

– Et tu vas me dire que tu aimes bien mon jardin aussi ? a ricané Jaxon.

– Non.

– Normal.

Nous sommes arrivés devant la cabane à outils. Elle était grande. Dans mon idée, une cabane à outils pouvait tout juste contenir une tondeuse à gazon, un râteau et une pelle. Celle-ci était plus spacieuse que mon ancien appartement. Jaxon a ouvert la porte et j'ai plaqué un sourire nerveux sur mon visage. Il allait me présenter à ses amis, et peut-être allions-nous répéter un peu. Ils n'allaient pas me manger. Alors pourquoi avais-je l'impression que je venais d'avaler une torpille sur le point d'exploser ?

Nous sommes entrés. Des Nihils étaient dispersés aux quatre coins.

Un garçon maigre, plus petit que la moyenne, était assis derrière une batterie. Ses cheveux châtains étaient coiffés en brosse et ses yeux foncés étaient plutôt chaleureux. Il avait un visage en lame de couteau. Il ne devait pas avoir plus de dix-huit, dix-neuf ans. Il lisait un magazine féminin qu'il a jeté par-dessus son épaule en me voyant entrer. Si c'était lui qu'on surnommait Rhino, c'était sans aucun doute avec ironie. Un simple coup de vent l'aurait balayé comme une brindille.

– Rhino, m'a présenté Jaxon.

Je ne m'étais pas trompée.

– Et là-bas, c'est Sonny, le maître du clavier. Très fort, mais pas autant que moi à la guitare, a poursuivi Jaxon.

– Mais Jaxon, personne n'est aussi bon que tu l'es à la guitare ! a plaisanté Sonny.

J'ai souri.

Sonny était blond comme Jaxon, mais il était bâti comme un bunker. Il n'avait manifestement besoin de personne pour le défendre.

– Bonjour, je suis Sephy.

Rhino a agité une de ses baguettes dans ma direction. Sonny s'est déplacé pour me serrer la main.

– Bienvenue dans notre joyeux groupe !

Une fille aux cheveux rouges avec des ongles incroyablement longs était assise sur un cageot retourné et me dévisageait.

– Et voici Amy, a dit Jaxon.

Je lui ai souri mais la température du regard qu'elle m'a lancé est restée très en dessous de zéro. Était-elle la petite amie d'un des musiciens ? C'était quoi son problème ?

– Nous étions en train de répéter, m'a expliqué Jaxon.

– Merci de m'avoir invitée, ai-je de nouveau souri. Jaxon m'a dit que vous cherchiez une chanteuse.

– Quoi ? s'est écriée Amy en sautant sur ses pieds.

– Oh oh, a dit Sonny d'une voix calme.

Il aurait fallu que je sois un politicien sans cœur pour ne pas être ébranlée par la tension soudaine de la cabane à outils.

– Une chanteuse ! a rugi Amy. C'est moi la chanteuse !

– Plus maintenant, a déclaré Jaxon. Est-ce qu'il y a un truc à manger ? Je crève de faim.

– Non, Jaxon, attends une minute, ai-je commencé, tu m'avais dit que…

– Qu'est-ce qui se passe ici ? a glapi Amy en venant vers moi.

J'ai levé une main.

– Attention, me suis-je empressée de préciser. Jaxon est venu me voir en affirmant que son groupe cherchait une chanteuse. C'est tout ce que je sais.

Jaxon a haussé les épaules.

– Et ce que j'ai dit était parfaitement exact et l'est toujours. Notre groupe a besoin d'une chanteuse.

Amy l'a regardé avant de m'assassiner du regard. Mon cœur est tombé droit dans mon estomac.

– Vous avez déjà une chanteuse, ai-je observé sur un ton glacial. Et je n'ai pas l'impression qu'elle ait très envie d'une compagnie féminine sur scène.

J'ai tourné les talons, prête à repartir. En venant chez Jaxon, je m'étais demandé si je prenais la bonne décision, mais à présent que tout tombait à l'eau, je me sentais étrangement déçue. Comme vide. J'avais eu tant de mal à me décider.

– Attends, Sephy !

Jaxon m'a prise par le bras et m'a forcée à me retourner vers lui et les autres.

– Les copains et moi avons déjà parlé de tout ça. Nous cherchons une nouvelle voix depuis super longtemps. Amy ne fait pas l'affaire, c'est tout.

– Et c'est le moment que vous avez choisi pour le lui annoncer !

– Et depuis quand je ne fais pas l'affaire ? a fait écho Amy.

– Oh, Amy, lâche-nous un peu ! Tu n'as pas de voix. Si on joue une octave au-dessus ou en dessous du do, tu es perdue. T'as pas de look, pas de formes et aucune présence sur scène !

– Pas de look ! Pas de formes ! C'est pas ce que tu me dis tous les soirs depuis deux mois !

Jaxon a hoché la tête.

– Les nuits d'hiver sont longues et froides, mais le printemps est enfin là !

Amy et moi nous sommes toutes deux étranglées. Pourquoi se comportait-il comme un tel goujat ? Un tel imbécile ? Est-ce que c'était sa manière naturelle d'être ?

– T'es dur, Jaxon, il n'y a rien à reprocher à la silhouette d'Amy, a dit Sonny.

– Regarde-la, a insisté Jaxon, ses seins, on dirait deux aspirines posées sur une planche à repasser et elle a les fesses plates. Ses jambes s'arrêtent où son dos commence et y a rien entre les deux.

– Tu es...

Sonny a bondi pour s'interposer et retenir Amy. Sinon, Jaxon aurait sans aucun doute perdu un œil.

– Si j'avais un peu de bon sens, je la laisserais te sauter dessus, a grogné Sonny. Tu n'as pas le droit de traiter qui que ce soit de cette manière !

– Oh, Amy, grandis un peu, a soupiré Jaxon. On s'est bien amusés tous les deux, mais tu savais qu'on se marierait pas !

– Jaxon Robbins, tu es le pire des salauds ! a craché Amy. J'espère que cette fille te brisera le cœur en mille morceaux.

Elle est sortie de la cabane à outils en claquant la porte. J'ai jeté un regard noir à Jaxon. J'espérais qu'il avait conscience de sa chance. Il avait eu chaud. À la place d'Amy, je lui aurais tordu le cou.

– Qu'est-ce qui t'arrive, Jaxon ?

Sonny a secoué la tête.

– Amy a été super sympa avec toi. Elle méritait mieux que ça.

– Oh, ça va ! On était tous d'accord pour la virer, il me semble !

– C'est pas de ça que je parle, a riposté Sonny. Et tu le sais très bien.

Et il m'a jeté un coup d'œil comme si j'étais en partie responsable de ce qui venait de se passer.

– Jaxon, quand tu m'as demandé de faire partie du groupe, je n'imaginais pas que tu voulais m'utiliser pour te débarrasser de quelqu'un, ai-je dit d'un ton de reproche.

– C'est pas ce que je voulais, a protesté Jaxon. Tu m'as dit que tu n'étais pas intéressée. Si tu avais téléphoné avant de te pointer, j'aurais viré Amy bien avant.

– Ton histoire avec Amy, c'est ton problème et je ne veux rien avoir à faire là-dedans ! Mais si j'intègre le groupe et que tu oses un jour me traiter comme ça, tu le regretteras.

– Ohoh ! Mademoiselle est une tigresse, à ce que je vois, a ricané Jaxon en faisant semblant de claquer des talons et de se mettre au garde-à-vous.

J'ai soupiré. Quel crétin !

Je me suis adressée à Rhino et Sonny :

– Si l'un de vous deux préfère que je parte et qu'Amy revienne, il n'y a pas de problème, vous n'avez qu'un mot à dire.

– Je réserve mon jugement jusqu'à ce que je t'aie entendue chanter, a dit Sonny.

C'était honnête.

Rhino est resté silencieux. Je n'avais pas réalisé tout de suite, mais je voyais à présent qu'il n'était pas emballé par ma présence.

– Si tu penses que ce n'est pas une bonne idée, s'il te plaît, dis-le, lui ai-je demandé en m'adressant directement à lui.

– Ça peut le faire, a marmonné Rhino.

– Bon, on fait quoi maintenant ? ai-je lancé à Jaxon.

– Tu veux qu'on s'assoie pendant quelques heures et qu'on discute pour apprendre à se connaître ? a ironisé Jaxon.

– Bon Dieu, non ! me suis-je exclamée.

Les mots étaient sortis tout seuls.

– Nous non plus ! a ri Jaxon. Alors allons-y. Tu connais « Du vert au rouge » ?

– Des Gibson Dell ?

– Exactement.

– Oui, je pense.

– Essayons avec ça. Tu joues d'un instrument ?

J'ai secoué la tête. Trois années de saxophone ne pouvaient se comparer à ce que savaient faire des musiciens pro comme eux.

– Alors on y va comme ça ! a dit Jaxon. Le micro est juste là, au milieu de la scène.

Je me suis dirigée vers le micro, le cœur battant. Dans quoi est-ce que je me lançais ? Il m'arrivait de chanter sous la douche ou pour faire l'idiote devant mon miroir, mais qu'est-ce que je faisais là ? Je m'apprêtais à me ridiculiser ! Voilà ce que je faisais là !

Jaxon a compté :

– Trois ! Quatre !

J'ai attendu la fin de l'intro, l'estomac en vrille. J'étais tellement stressée que j'ai raté le moment où je devais m'y mettre. J'ai été obligée de chanter ultravite pour rattraper le deuxième vers.

Jaxon a levé la main pour demander aux autres d'arrêter.

– Excusez-moi, ai-je marmonné.

– Essayons une nouvelle fois, a souri Jaxon.

J'ai pris deux grandes inspirations pour stabiliser ma voix et mes nerfs. Et je me suis lancée. J'étais si décidée à ne pas refaire la même erreur que j'ai pris la note deux fois trop haut. Le micro n'a pas apprécié et a laissé échapper un son aigu.

– Pardon, ai-je répété.

– Jaxon, laisse tomber, c'est vraiment pas la peine, a lancé Rhino, qui ouvrait la bouche pour la première fois. Elle y connaît que dalle !

– Laisse-lui une chance, a dit Jaxon. Recommençons du début.

J'ai jeté un coup d'œil à Rhino et Sonny qui avaient l'air terriblement blasés. J'ai fermé les yeux. Jaxon s'est approché de moi sans que je m'en rende compte, il m'a adressé un sourire chaleureux.

– Sephy, oublie qu'ils sont là. Chante pour toi et prends du plaisir, d'accord ?

J'ai acquiescé. Quand mon tour est arrivé, j'ai chanté avec une voix normale. Le micro n'a pas protesté, alors j'ai continué, les paupières closes. « Du vert au rouge » est une de ces chansons qui commencent doucement et deviennent de plus en plus fortes, exactement comme j'aime. Quand j'ai entamé le deuxième couplet, j'avais tout oublié, hormis mon plaisir de chanter. À la fin de la chanson, il m'a fallu une ou deux secondes avant de me rappeler que je n'étais pas seule. La cabane à outils résonnait des dernières notes de guitare. Je me suis forcée à ouvrir les yeux et à me tourner vers les autres. S'ils se mettaient à rire, je sortirais sans rien ajouter.

Mais ils ne riaient pas. Ils me regardaient.

Silence.

– Est-ce que j'ai été aussi mauvaise ? ai-je fini par demander.

– Waouh ! s'est exclamé Sonny.

– Je crois qu'on a trouvé notre chanteuse, a souri Jaxon.

Et spontanément, Sonny et Rhino se sont mis à applaudir. Bon, en fait, Rhino a tapé ses baguettes l'une contre l'autre, mais c'était pareil.

– Vraiment pas mal, a-t-il apprécié.

– Merci.

Venant de lui, c'était un grand compliment. Une vague de plaisir m'a inondée, juste avant qu'un autre genre de vague de liquide chaud m'inonde les seins.

– Zut !

– Quoi ? a demandé Jaxon.

Mes seins dégouttaient de lait, qui trempait mon T-shirt.

– Vous n'auriez pas des mouchoirs en papier ?

Jaxon a froncé les sourcils.

– Pour quoi faire ?

– Jaxon, mon pote, quand une fille te demande un mouchoir en papier, ne pose pas de questions, a dit Sonny, contente-toi de lui en donner un.

Je n'ai pas pu m'empêcher de sourire devant l'expression de panique peinte sur le visage de Jaxon.

– Tu veux vraiment que je t'explique ? ai-je proposé, pour le mettre encore plus mal à l'aise.

– Euh… en fait, non.

– Parce que ça ne me gêne pas, si tu veux, ai-je continué.

Une partie de moi avait très envie de lui donner une leçon. J'étais sûre que si je lui exposais le problème, il serait aussi embarrassé que n'importe quel autre garçon. Nihil ou prima – ils sont tous pareils.

Jaxon a levé une main.

– Non, surtout pas, les mouchoirs sont juste là !

Il désignait un escabeau, dans le fond de l'abri de jardin.

– Quand tu as réglé ton… enfin, le truc que tu dois régler, on entamera une vraie répétition avec toutes les chansons prévues demain soir, s'est empressé d'ajouter Jaxon.

– Eh, du calme, pas trop d'un coup, ai-je protesté en me dirigeant vers l'escabeau. Ma voix ne tiendra pas le choc.

– Mais si. On fait une répétition maintenant et tu ne prononces plus un mot jusqu'à demain soir. On se produit au *Dew Drop Inn* à huit heures.

– D'accord.

Je leur ai tourné le dos. J'ai plié les mouchoirs et les ai glissés dans mon soutien-gorge.

– Vous êtes prêts ? ai-je lancé en me retournant.

Ils prenaient tellement soin de regarder partout sauf ma poitrine que j'ai éclaté de rire. Et ce rire a sonné étrangement à mes oreilles. Comme s'il ne venait pas vraiment de moi, ou comme s'il venait d'une autre Moi. Mais ça n'était pas un problème. Ça m'allait. Je pouvais être deux personnes à la fois s'il le fallait. Je pouvais laisser vivre la vraie Sephy au fond de moi en la cachant par une autre Sephy, destinée au monde extérieur.

– Comment s'appelle votre groupe ? ai-je soudain voulu savoir.

– Les Cafards, a répondu Sonny.

Il avait l'air sérieux.

– C'est nul ! ai-je déclaré. Qui aime les cafards ?

– Qu'est-ce que tu proposes, alors ? m'a défiée Sonny.

– Je ne sais pas, moi. Pourquoi pas les Midges ?

J'avais juste essayé d'avoir de la repartie mais, à ma grande surprise, Rhino et Sonny ont eu l'air de réfléchir à ma proposition. Puis ils se sont regardés et ont hoché la tête.

– Les Midges ! Ça marche ! s'est enthousiasmé Jaxon.

Et juste comme ça, le nouveau nom du groupe a été adopté.

– Pendant que j'y suis, ai-je ajouté, je ne veux pas utiliser mon vrai nom.

– Pourquoi ? C'est quoi le problème avec ton nom ? a immédiatement demandé Jaxon.

Un peu trop immédiatement, à mon avis.

– Je suis sérieuse, Jaxon, et je ne reviendrai pas là-dessus, ai-je repris avec force. Si tu comptais gagner de l'argent sur mon nom, tu peux d'ores et déjà faire une croix sur cette idée.

– Alors, comment tu veux t'appeler ? m'a demandé Sonny, avant que Jaxon ne se lance dans une discussion.

J'ai réfléchi.

– Neir. C'est ce que je dirai si quelqu'un me le demande. Ce que sans doute personne ne fera.

– Neir ? Ça veut dire quoi ? a grogné Jaxon.

– Rien du tout, ai-je rétorqué. C'est juste un pseudo de fin de série.

– Un quoi ?

– Un truc passe-partout, ai-je souri.

Il m'a fixée, manifestement déçu de ne pas pouvoir annoncer que la fille de Kamal Hadley était la chanteuse de son groupe.

– C'est Neir ou je m'en vais ! ai-je insisté devant son regard dubitatif.

– C'est très bien, Neir, s'est empressé d'accepter Sonny.

– Ça veut rien dire… a grommelé Jaxon.

J'ai secoué la tête.

– Exactement, et c'est pour ça que c'est parfait !

Jude

Elle est toujours à l'hôpital. Inconsciente. Cara Imega. Elle m'aimait bien. Elle s'intéressait vraiment à moi. À ce que je disais, à ce que je pensais, à ce que je montrais de moi et à ce que je gardais au fond de moi.

Si...

Si est un grand mot.

Si elle avait été Nihil... ou si j'avais été Prima... Si nous avions vécu dans un monde différent... Si je ne détestais pas autant les Primas...

J'ai gardé la photo d'elle qui est parue dans le journal. Ça me fait un souvenir. Ça ne veut rien dire. Je pourrais la jeter. Ça ne me ferait rien. C'est juste que je n'avais jamais vu cette photo auparavant. On dirait presque qu'elle est en train de prier. Je me demande ce qu'elle pensait au moment où cette photo a été prise. C'est une bonne photo. Qui lui ressemble.

Calme.

Sereine.

J'ai encaissé les chèques dans plusieurs banques de la ville. Juste avant que sa banque puisse faire opposition. Avec certains, j'ai obtenu du liquide immédiatement, avec d'autres, j'ai dû passer par un autre compte. J'ai pris bien garde de les antidater. Elle avait signé un des chèques et je n'ai eu aucun mal à imiter sa signature sur les autres. Et j'avais aussi trouvé pas mal de liquide dans son tiroir. À la fin de la semaine, j'avais réuni plusieurs milliers de livres.

Je devrais me sentir beaucoup mieux.

Sauf qu'il n'arrête pas de pleuvoir.

Surtout la nuit quand je suis seul et qu'il n'y a aucun nuage dans le ciel.

Sephy

– Sephy, quand allons-nous enfin pouvoir en discuter ?

– Discuter de quoi ?

Meggie a froncé les sourcils.

– Sephy, cette lettre est un tissu de mensonges. Callum t'aimait. Tu ne devrais pas avoir besoin que je te le rappelle.

– Alors vous pensez qu'il n'a pas écrit cette lettre ?

– Ça ressemble à son écriture, a reconnu Meggie, mais s'il l'a réellement écrite, c'est qu'il y a été forcé. Ou alors, c'est pour une raison qui nous échappe.

J'ai secoué la tête. Meggie croyait-elle le conte de fées qu'elle se racontait ? Forcé à écrire cette lettre ! Et puis quoi encore ?

– Sephy, Callum t'aimait. Et si tu dois croire en une seule chose dans ta vie, c'est en celle-là, s'est entêtée Meggie.

Mais je ne l'écoutais plus. À présent qu'elle savait que ma relation avec Callum n'était basée que sur le mensonge et la tromperie, elle n'avait peut-être plus envie que nous partagions son toit.

– Voulez-vous que Rose et moi déménagions ? Je pourrais aller chez ma mère, ai-je proposé de façon à ce qu'elle ne s'inquiète pas.

– Bien sûr que non ! a-t-elle lancé. Tu es ici chez toi et pour le temps que tu veux.

J'ai haussé les épaules. De toute façon, vivre ici ou ailleurs…

– Sephy, est-ce que tu aimais mon fils ?

– Bien sûr que oui. Jamais je ne l'aurais laissé me toucher si ça n'avait pas été le cas.

Ces mots venaient plus de mon cœur que de ma tête et je me suis maudite de les avoir prononcés. Mes joues étaient en feu. J'ai tourné la tête. Je ne voulais pas croiser son regard après avoir parlé d'une chose si intime.

– Alors pourquoi essaies-tu à ce point de te persuader qu'il pensait ce qu'il a écrit ?

J'essayais de me persuader ? Je priais jour et nuit pour que ce courrier ne soit qu'un mauvais rêve. En vain.

– Parce que Callum a écrit cette lettre !

Pourquoi ne comprenait-elle pas ça ?

– Callum a écrit chaque mot de cette monstrueuse lettre. Et il l'a fait sans y être obligé. Pouvez-vous jurer, la main sur le cœur, qu'il n'en pensait rien ?

Meggie a ouvert la bouche pour protester.

– Vous ne savez pas ce qu'il pensait au moment où il l'a écrite, l'ai-je interrompue. Il était en prison, sur le point d'être pendu. C'est tout à fait normal qu'il m'en ait voulu. C'est tout à fait normal qu'il m'ait détestée.

– Callum n'était pas comme ça, a dit Meggie. Tu as passé trop de temps à te reprocher ce qui lui est arrivé, tu t'es persuadée que les autres t'en rendaient responsable.

– Parfois… parfois… je me dis que je me trompe… Que Callum… m'aimait vraiment. Et puis, je relis cette lettre et…

– Alors arrête de la lire et déchire-la ! a crié Meggie. Ou bien donne-la-moi et je le ferai moi-même !

Ça ne nous menait nulle part. Je me suis levée.

– Rose a faim.

201

Je ne voulais rien entendre de plus. Et je ne voulais pas me disputer avec Meggie. Et puis, je devais épargner ma voix pour le concert. En montant l'escalier, je me suis obligée à me concentrer sur la soirée qui s'annonçait. Mais ça ne me remontait pas le moral. J'avais envie de vomir, tellement j'avais le trac. J'allais devoir tenir deux heures devant un parterre de parfaits inconnus. Heureusement, j'étais une inconnue pour eux aussi. Je ne serai pas obligée de les revoir. C'était bizarre : si j'avais le choix entre chanter devant un public hostile et lire de nouveau la lettre de Callum, je n'hésiterais pas une seconde.

Je n'étais pas dans ma chambre depuis une demi-seconde que Meggie frappait déjà à ma porte.

J'ai ouvert en soupirant.

– Tu veux que je te prépare quelque chose à manger ?

J'ai secoué la tête. Nous savions toutes les deux que ce n'était pas vraiment pour ça qu'elle avait frappé.

– Sephy, s'il te plaît, donne-moi cette lettre, s'est-elle décidée à me demander. Plus tu la gardes, plus tu te fais du mal. Tu commences à y croire…

– Meggie, je ne commence pas à y croire, j'y crois, c'est tout, ai-je dit d'une voix douce et lasse. J'ai été stupide de penser autre chose.

– Tu n'as donc pas la moindre confiance en mon fils ? La moindre foi en lui ?

J'ai réfléchi.

– J'avais foi en tant de choses… en ma famille… en Dieu… S'il avait existé, il n'aurait pas permis que Callum meure. J'avais aussi foi en l'amour que Callum me portait, foi en l'amour tout court. À présent, j'ai grandi. Je sais que ces choses ne sont que des leurres.

Meggie et moi nous sommes regardées. Puis Meggie a secoué la tête et a tourné les talons.

J'ai refermé la porte derrière elle.

Jude

– Besoin de compagnie ?

J'ai levé la tête de la bière que je cajolais depuis une heure. Une femme avec des yeux bleu pâle et des tresses châtain qui lui arrivaient aux épaules, me souriait. Elle portait un T-shirt bleu marine, avec une empreinte de main imprimée au niveau de la poitrine et un jean. Une pute ? Je n'étais pas sûr.

– Quoi ?

– Besoin de compagnie ?

J'allais machinalement secouer la tête, mais j'ai acquiescé.

– On dirait que tu portes le poids du monde sur tes épaules, a dit la femme en s'asseyant face à moi.

J'ai hoché la tête en me demandant pourquoi j'avais accepté qu'elle s'assoie alors que je n'avais envie que de solitude. J'ai bu une gorgée de bière.

– Je m'appelle Eva.

– J... Jude.

Mon hésitation a fait naître un sourire entendu sur les lèvres d'Eva.

– Salut... Jude, a-t-elle lancé sur un ton très officiel.

C'était drôle : pour une fois que je donnais mon véritable prénom, la fille n'arrivait pas à y croire.

– Alors... Jude, tu fais quoi ?

Elle me portait déjà sur les nerfs.

– Je suis peintre décorateur.

– Ah oui ? Tu travailles pour une entreprise de bâtiment ou tu es indépendant ?

– Je travaille pour ceux qui m'embauchent. Et toi ?

– Je suis infirmière.

Je l'ai regardée. Vraiment regardée cette fois. Elle ne ressemblait pas du tout à une infirmière. D'ailleurs, elle ne ressemblait pas à grand-chose.

– Tu veux qu'on aille faire un tour ? lui ai-je proposé.

– Pardon ?

– Tu veux pas qu'on change de crèmerie ?

D'où est-ce que ça me venait, ce besoin soudain de sortir de mon corps, de sortir de ma tête ?

Pause.

– D'accord, a fini par accepter Eva.

J'ai reposé ma bière chaude et je me suis levé. Eva s'est levée aussi. J'ai laissé ma main en suspens. Allait-elle la prendre ? Elle n'était pas obligée. Elle m'a dévisagé puis elle a glissé sa main dans la mienne.

– Tu as un chez-toi où on pourrait aller ? lui ai-je demandé.

Je savais de quoi j'avais besoin et Eva ferait aussi bien l'affaire que n'importe qui.

– Eh bien ! s'est-elle exclamée. Tu ne perds pas de temps.

– J'ai envie de passer la nuit avec toi. Si tu n'en as pas envie, tu n'as qu'à le dire.

Eva a froncé les sourcils.

– Et tu ne peux pas me le demander autrement ?

– Je n'aime pas les jeux.

– Tu ne me connais même pas !

C'était bien une repartie de fille.

– Oui, mais je sais que j'ai envie de te connaître, ai-je menti. Et je ne veux pas rester seul ce soir.

– Tu viens de rompre avec ta petite copine ou quoi ?

– Ou quoi, ai-je riposté.

Eva m'a dévisagé. Longtemps. Soit elle me giflait, soit elle partait avec moi.

– Je peux voir tes paumes ? m'a-t-elle demandé.

J'ai tendu mes mains avec réticence. Elle les a étudiées avec attention.

– Qu'est-ce que tu fais ? ai-je voulu savoir.

– Les yeux et la bouche peuvent mentir, pas les mains, a-t-elle répondu. J'ai des notions de chiromancie.

J'ai ravalé un grognement. Les horoscopes, les diseuses de bonne aventure, les runes et ce genre de conneries m'emmerdaient profondément. En général, quand une fille commençait à sortir ce style d'absurdités, je fuyais dans la direction opposée. Une des rares choses que Callum et moi avions en commun.

Mais j'ai regardé Eva et j'ai décidé qu'on ne choisissait pas toujours.

– Ta ligne de cœur est très profonde. Tu es gouverné par tes émotions. Quand tu aimes, c'est pour la vie, mais quand tu détestes, c'est pareil. Tu as de belles mains, a-t-elle ajouté. Des mains fortes.

L'image de Cara se protégeant le visage avant que ma main s'abatte sur elle m'est soudain apparue.

– Alors, tu as un chez-toi, un endroit où on pourrait aller ? ai-je répété.

Seule une immense maîtrise me permettait de masquer mon impatience. Quelle conversation ridicule ! Cara et moi avions de vraies discussions.

– On peut aller chez moi, a murmuré Eva.

Pas de gifle. J'avais gagné.

Nous sommes allés jusque chez elle, la main dans la main.

– Dommage que tu n'aies pas de voiture, a dit Eva. Mes chaussures me tuent les pieds.

– Pourquoi tu les portes, alors ?

– Parce qu'elles sont jolies.

Elle était stupide. Jamais Cara n'aurait porté des chaussures juste parce qu'elles étaient jolies. Mais Cara était intelligente. Cara… Je me suis secoué. Je ne devais pas me laisser entraîner par mes pensées.

– Qu'est-ce que tu as ? m'a demandé Eva.

– Rien. Quelqu'un a dû marcher sur ma tombe…

Eva a ri. Moi non.

– Tu as des frères et sœurs ? a repris Eva.

– Non, je suis fils unique.

– Tu vis dans le coin ?

– Non, à une heure d'ici environ.

J'ai soupiré intérieurement. Est-ce qu'elle croyait vraiment qu'en me posant ce genre de questions, elle allait apprendre à me connaître ? Elle essayait de se faire croire que nous entamions une vraie relation avant de passer au lit ? C'était pathétique.

Elle a continué son interrogatoire pendant tout le trajet. J'ai continué mes réponses bidons. Je lui ai souri et j'ai ri à ses vannes. Elle s'accrochait à mon bras, je m'accrochais au sien. Puis elle s'est tue. Je savais que nous approchions de son appartement. Elle devait commencer à se dire que ce n'était peut-être pas très malin d'amener un étranger comme ça chez elle. Je sentais qu'elle était sur le point de se dégonfler. Il était temps pour moi de jouer de mon charme.

– Tu es très jolie, lui ai-je murmuré à l'oreille. C'est ce que je me suis dit quand je t'ai aperçue tout à l'heure.

Je me suis penché vers elle pour l'embrasser. Ses bras se sont lovés autour de mon cou. Je l'ai serrée contre moi. Pas trop fort, mais avec conviction. Comme pour délicatement prendre soin d'elle. Les filles adorent ça et ça marche à chaque fois.

Règle n° 12 de Jude : *Une fille s'attrape par sa vanité.*

Sauf Cara.

Quand nous avons arrêté de nous embrasser, Eva me souriait, rassurée.

– On y est, a-t-elle dit.

Des immeubles sales se dressaient devant nous. Deux épaves étaient garées sur le parking. Presque toutes les fenêtres de l'immeuble étaient éclairées. Ça ne voulait pas nécessairement dire que les occupants étaient présents. Tout le monde savait qu'une lumière éteinte était une invitation aux cambrioleurs.

– C'est là, a précisé Eva. Au troisième étage.

Je l'ai suivie. En me demandant pourquoi. C'était à mon tour d'avoir des doutes. Mais c'était simple, j'avais vraiment besoin de compagnie. Nous sommes entrés dans le hall et nous avons pris l'escalier. Les murs étaient couverts de graffitis et ça puait la pisse. Mais j'étais habitué à ce genre d'endroits.

– Ce n'est pas la peine d'essayer l'ascenseur, a dit Eva, il ne marche jamais. Et de toute façon, même quand il marche, il y a toujours du vomi, ou pire, dedans.

– L'escalier, ça va très bien.

Au troisième étage, nous avons traversé un immense couloir très étroit. Nous sommes passés devant beaucoup de portes avant de nous arrêter devant une, vert foncé, éclairée par une ampoule qui pendait au plafond.

— C'est chez moi, a dit Eva en glissant sa clé dans la serrure.

La porte s'est ouverte sur un petit couloir. J'ai suivi Eva jusqu'à la première pièce sur la droite. Le salon. Les murs étaient blanc jaune. Des posters bon marché avaient été accrochés pour dissimuler les lézardes et les taches d'humidité. Un grand tapis râpé et corné, gris et rouge, était étalé sur le sol.

— Tu veux boire quelque chose ? m'a demandé Eva sans parvenir à dissimuler sa nervosité.

— Non.

Je me suis approché d'elle et je l'ai de nouveau embrassée. Une partie de moi la désirait mais une autre partie regrettait d'être là. J'avais envie d'en finir et de partir. Mon baiser était celui d'un homme qui se noie, d'un homme qui s'accroche à une bouée de sauvetage.

Le plus étrange, c'est qu'elle m'a embrassé de la même manière. Avec la même panique, le même désespoir. J'ai entrepris de lui retirer son T-shirt.

— Allons dans la chambre, a-t-elle murmuré.

— Pourquoi ? C'est bien ici.

Je regardais le canapé.

— Dans la chambre, a insisté Eva.

Je l'ai laissée me prendre la main et m'entraîner dans une pièce tout au bout de l'appartement. Nous sommes d'abord passés devant deux portes fermées et une ouverte qui donnait sur les toilettes. Eva est entrée la première et a refermé derrière nous. Cette pièce était plus petite que le salon. Un lit à deux places occupait les trois quarts de l'espace. Les murs étaient d'un bleu trop foncé, le plancher peint en blanc mat. C'était oppressant et froid. Un portant avec des vêtements avait été poussé contre le mur. Eva est allée fermer les rideaux bleu marine. Elle est revenue vers moi avec un sourire, et nous avons recommencé à nous embrasser.

Moins de cinq minutes plus tard, nous étions couchés, nus, sur le lit. J'ai fermé les yeux. Je ne pouvais pas m'arrêter de l'embrasser, de la toucher, de la caresser. Elle m'excitait. J'embrassais ses épaules et son cou et ses oreilles, en lui murmurant les mots idiots que les filles attendent dans ces moments-là. Elle s'est soudain pétrifiée dans mes bras.

J'ai ouvert les yeux.

— Qu'est-ce qui t'arrive ?

Elle a froncé les sourcils.

— Qu'est-ce que tu viens de dire ?

Comment j'aurais pu le savoir ? Rien d'important de toute façon. Des trucs qu'on dit avant la baise. Où était le problème ?

— Quoi ? ai-je demandé.

— Tu m'as appelée Cara, m'a dit Eva.

Je n'avais jamais débandé aussi vite de toute ma vie. Je me suis éloigné d'elle.

— Je ne t'ai jamais appelée comme ça !

— Si ! a rétorqué Eva. Tu m'as appelée Cara !

— Tu as mal entendu !

Eva est restée muette, mais je lisais dans ses yeux.

— Je me tire.

J'ai remis mon caleçon. Même si ma vie en avait dépendu, j'aurais été incapable de faire l'amour.

— Tu n'es pas obligé de partir, a lancé Eva.

— Je crois que c'est mieux.

J'ai enfilé mon pantalon.

– Cara, c'est ton ex ?

– Je ne t'ai jamais appelée Cara, ai-je répété. Je ne connais pas de Cara.

– Si tu le dis.

– Oui, je le dis.

J'ai mis mon T-shirt et je me suis dirigé vers la porte.

– Tu n'es pas obligé de partir, a répété Eva. Je ne veux pas que tu partes.

Je suis sorti et j'ai couru.

Sephy

J'y étais. Devant le *Dew Drop Inn*. J'étais super nerveuse. J'avais l'impression que j'allais m'évanouir d'un moment à l'autre. C'était idiot. Ce n'était qu'une boîte, rien de plus. On était loin de la Grande Salle royale ! Il n'y avait pas de quoi se mettre dans un état pareil.

Il m'avait fallu près d'une heure pour me préparer, ce qui ne m'avait pas aidée à me calmer. J'avais essayé ma robe préférée, blanc cassé, et puis un jean beige et un T-shirt noir, mais rien n'allait.

J'avais fini par opter pour un jean noir et un haut pailleté, pas trop ajusté. Je ne voulais rien qui aurait moulé mes seins.

Je me suis un peu reculée pour avoir un meilleur aperçu de la boîte. Du moins, c'est ce que je voulais me faire croire. Je n'avais en fait qu'une envie : prendre mes jambes à mon cou et partir le plus loin possible de cet endroit.

Le quartier n'était pas trop miteux. Il y avait des boutiques autour, fermées à cette heure-ci. De cette façon, il n'y avait pas trop de résidents susceptibles d'être dérangés par le bruit.

Jaxon et les autres cherchaient une place pour garer la camionnette. Sonny avait apporté son propre clavier et Jaxon sa guitare. Il y avait une batterie dans la boîte, mais Rhino avait tenu à prendre ses propres baguettes. Quand j'avais voulu savoir pourquoi, il m'avait répondu avec condescendance : « Je suis un pro. Mes baguettes sont une partie de moi-même. Je les garde toujours avec moi. »

Rien que ça ! avais-je pensé. Rhino ne m'appréciait pas. Mais ça ne donnait pas envie de pleurer.

J'avais demandé à sortir de la voiture pour prendre l'air et me dégourdir les jambes. En fait, j'avais surtout besoin de m'éloigner des garçons, qui n'arrêtaient pas de parler de leurs anciens contrats et de leurs futurs concerts. Ils ne semblaient pas se rendre compte que ça me nouait encore plus l'estomac.

Il commençait à y avoir la queue devant le club. J'ai pris la file pour gagner du temps. Cinq minutes plus tard, les autres n'étaient toujours pas arrivés et j'avais presque atteint l'entrée. Deux videurs baraqués, habillés en bleu marine, sélectionnaient ceux qui pouvaient entrer. Ils avaient tous les deux des oreillettes discrètes. L'un portait un T-shirt violet et l'autre un T-shirt bleu marine, mais ils se ressemblaient tellement qu'on aurait dit des clones.

Excepté une fille nihil, la file était uniquement composée de Primas.

– Vous êtes seule ? Vous pouvez y aller, m'a souri le videur en violet.

J'ai jeté un coup d'œil désespéré autour de moi. Je ne pouvais pas entrer sans Jaxon et les autres. Je n'avais aucune idée de ce que je devais faire, une fois à l'intérieur.

– Alors vous y allez ou quoi ? Vous bloquez le passage, là ! s'est impatienté le videur en bleu.

À ce moment, j'ai vu les garçons arriver en courant.

– Vous vous êtes garés où ? ai-je demandé. À l'autre bout du pays ?

– Attends, c'est pas facile de trouver une place dans le quartier ! a râlé Jaxon.

Mais quand nous avons voulu passer, les videurs se sont jetés sur nous.

– C'est bon, ai-je lancé. On est ensemble.

– Ils n'entrent pas, a grommelé le videur violet.

– Pardon ?

Le videur violet m'a regardée avec un dédain non dissimulé.

– Ils ne peuvent pas entrer. Vous pouvez. Pas eux.

– Et pourquoi ?

– C'est le règlement, a dit le videur bleu avant d'ajouter : Vous devriez peut-être changer de fréquentations.

– Écoute, connard, est intervenu Jaxon. On joue ici ce soir, t'as compris ?

Les videurs ont échangé un regard.

– Alors faut passer par la porte de derrière.

– On peut jouer ici, mais on peut pas entrer, c'est ça ? s'est énervé Jaxon. On n'a même pas le droit de franchir cette putain de porte ?

– C'est le règlement, a répété le videur bleu.

J'étais sur le point de lui dire ce que je pensais de son fichu règlement quand il s'est tourné vers moi.

– Vous faites partie du groupe aussi ?

– Oui, ai-je lâché sans desserrer les dents.

– Vous pouvez entrer par ici, mais les autres doivent passer par derrière.

J'étais sans voix.

– Allez, viens, Jaxon, a dit Rhino avec une résignation froide. On a besoin de ce contrat de toute façon.

Ils se sont éloignés tous les trois, sans m'attendre. Pour eux, c'était évident que j'allais passer par l'entrée principale et que je leur laissais la porte de service. Alors, j'ai effectivement pris l'entrée principale. Mais je n'avais aucune intention d'en rester là.

– Est-ce que d'autres groupes doivent jouer ce soir ? ai-je demandé aux videurs.

– Oui. Un autre, mais ils sont déjà arrivés. Ils se changent dans la petite salle derrière la scène.

– Et où puis-je trouver le propriétaire de ce club ? ai-je continué avec mon plus joli sourire.

Videur bleu m'a évaluée du regard et a sans doute décidé que je ne représentais pas un bien grand danger pour son patron.

– M. Kosslick est dans son bureau. Au-dessus du bar. Mais il n'aime pas les surprises et si vous n'avez pas rendez-vous…

– Ne vous inquiétez pas, il sera ravi de notre discussion, ai-je répliqué d'une voix doucereuse.

J'ai avancé. Je suis passée devant les toilettes et le vestiaire. Le personnel était composé exclusivement de Nihils. Une grande porte donnait sur la piste de danse et sur la scène éclairée par des spots. Sur le côté gauche, des dizaines de clients s'agglutinaient déjà au bar. Les barmen et les serveuses étaient nihils. J'ai regardé au-dessus du bar. Deux grandes fenêtres donnaient sur la salle. On aurait dit les yeux d'un prédateur surveillant sa proie. Mais les volets en étaient fermés.

Je me suis faufilée jusqu'au bar. J'ai repéré l'escalier sur la droite. J'ai attendu que les barmen soient occupés ailleurs et je suis montée.

J'ai discrètement frappé à la porte, qui s'est ouverte presque aussitôt.

– Monsieur Kosslick ?

– Oui ?

Un Prima vêtu d'un costume discret, mais manifestement très cher, se tenait devant moi.

– Neir, me suis-je présentée.

Il m'a serré la main mais il ne savait apparemment pas du tout qui j'étais.

– Votre bureau est magnifique, ai-je lancé en passant devant lui, avant qu'il ait le temps de me poser la moindre question.

– Je peux faire quelque chose pour vous ? a-t-il demandé en refermant la porte.

Mon cœur battait fort dans ma poitrine, mais pas question de me dégonfler. Je me suis tournée vers lui en souriant.

– Eh bien, peut-être pouvons-nous mutuellement faire quelque chose l'un pour l'autre, ai-je déclaré.

– Ah oui ?

J'avais piqué sa curiosité. Il m'a observée de la tête aux pieds. Je l'ai laissé faire. Je savais que j'étais plutôt pas mal. J'avais retrouvé ma silhouette et pris des seins. Ils étaient au moins deux fois plus gros qu'avant, et ce n'était pas le genre de type à s'en plaindre. Je portais un jean noir et un haut argenté et je m'étais soigneusement maquillée.

– Je suis la chanteuse des Midges, ai-je commencé.

Il a eu un regard d'incompréhension, j'ai donc expliqué :

– Un des groupes que vous avez engagés pour la soirée.

– Ah oui ! s'est exclamé M. Kosslick. Vos musiciens sont nihils, c'est ça ?

Je me suis concentrée pour continuer d'afficher mon plus beau sourire.

– Oui. Et c'est justement pour ça que je suis venue vous voir.

– Je vous écoute.

– Eh bien, monsieur Kosslick...

J'ai posé mes fesses sur le bord de son vaste bureau et j'ai croisé les jambes. J'ai bombé le torse pour faire ressortir ma poitrine en priant que mes coussinets d'allaitement ne sortent pas de mon soutien-gorge.

– ... je me demandais si vous pouviez me régler notre cachet maintenant.

Le sourire de M. Kosslick a disparu.

– Et pourquoi ?

– Si je vous le dis, vous me promettez que vous ne penserez pas de mal de moi, ai-je minaudé.

– Je ne pourrais pas, même si je le voulais, a reparti M. Kosslick.

Mais il n'avait pas quitté son air soupçonneux.

– Eh bien, en fait, j'aimerais chanter en solo. Mais une fille doit bien démarrer quelque part, n'est-ce pas ? ai-je commencé. Alors je me suis dit que si vous entendiez ma voix et si vous l'aimiez, vous auriez peut-être envie de me signer un contrat. Un contrat de chanteuse. Sans le groupe. Je pourrais venir toutes les semaines... Vous me suivez ?

– Pas à pas, a souri M. Kosslick.

Ça m'étonnerait, ai-je songé amèrement. Mais j'ai continué de sourire.

– Ça ne m'explique pas pourquoi vous voulez toucher votre cachet d'avance, a poursuivi M. Kosslick. Ce n'est pas ma façon de traiter en affaires.

– Oh, je vous comprends quand vous traitez avec des... Néants. Mais je suis prima, monsieur Kosslick, et je ne vous entourlouperai pas, ai-je affirmé. Je sais que, dès que vous m'aurez entendue chanter, vous me voudrez. Et je veux pouvoir le dire à mes musiciens dès que notre concert sera terminé. Si vous me donnez l'argent maintenant, ils n'auront pas de raison de monter jusqu'ici et vous causer des ennuis.

M. Kosslick a ouvert la bouche pour discuter, mais je me suis empressée de reprendre :

– Je suis sûre et certaine que vous savez vous défendre et vous avez aussi ces magnifiques videurs très musclés devant la porte, mais je ne veux pas créer plus de troubles que nécessaire. Sinon, vous risquez de changer d'avis et de ne plus vouloir m'engager.

– Je vois.

– S'il vous plaît, monsieur Kosslick, vous ne le regretterez pas, je vous le promets.

J'essayais de prendre l'expression la plus niaise possible.

– Je donnerai leur part aux musiciens et ils partiront sans remous. Sages comme des agneaux qui viennent de naître.

– Je ne sais pas...

– Je suis vraiment une bonne chanteuse, ai-je poursuivi. Voulez-vous une petite démonstration ?

– Volontiers.

M. Kosslick s'est adossé à sa chaise.

Un poids m'est tombé sur l'estomac. J'avais peur qu'il dise ça.

– Que voulez-vous que je chante ?

Je rassemblais mon courage qui semblait vouloir fuir par chaque pore de ma peau.

M. Kosslick a réfléchi.

– « Fantasy » !

Je n'avais pas tout à fait prévu ça, mais je ne pouvais plus reculer. Ignorant les éléphants qui dansaient la samba dans mon ventre, j'ai pris une longue inspiration et je me suis lancée. J'allais entamer le deuxième couplet quand j'ai remarqué le front plissé de M. Kosslick. J'ai cessé de chanter.

– Qu'est-ce qui ne va pas ? ai-je voulu savoir.

– On est dans un night-club ici, et moi j'ai l'impression d'écouter un CD.

– Je ne comprends pas.

– Vous avez une bonne voix, mais le reste ! Il faut que vous bougiez, que vous dansiez, enfin quelque chose, quoi ! Vous devez avoir un peu plus de présence sur scène. Sinon, autant écouter une chanson à la radio.

– Je vois.

Je voyais même très bien.

– Je peux recommencer ?

– Allez-y, a soupiré M. Kosslick qui semblait déjà beaucoup moins intéressé.

J'ai repris une grande inspiration, je lui ai souri et j'ai recommencé. Mais cette fois, j'y ai mis du mouvement. J'ondulais au rythme de la musique, comme une star devant ses fans. Et, à ma grande surprise, ça me venait bien. J'avais toujours été douée pour faire semblant. Cette fois, M. Kosslick m'a laissée finir et quand je me suis tue, il me souriait.

– C'est beaucoup mieux, a-t-il dit. Revenez me voir après votre concert, on signera un contrat.

– Vous allez me faire signer un contrat ? Pour que je vienne chanter régulièrement ?

Ma surprise n'était pas feinte.

– Bien sûr, vous avez une très belle voix ! Vous avez encore du boulot pour l'emballage mais je pourrai vous donner des conseils. Quand nous aurons signé, je vous ferai travailler. Vous avez un truc, c'est incontestable. Je vous enverrai prendre des cours de danse, comme ça vous apprendrez ce qui vous manque. Vous gâchez votre talent en continuant de traîner avec des Néants !

– Merci, monsieur Kosslick, ai-je souri. Je ne vous laisserai pas tomber.

Il a ouvert un tiroir et en a sorti une enveloppe kraft sur laquelle était écrit : *Midges*.

– Merci beaucoup, ai-je murmuré en la prenant.

– Et voici un petit extra pour vous, a ajouté M. Kosslick en plongeant la main dans sa poche.

Il en a sorti une petite liasse de billets.

– Quand nous aurons signé, il y en aura des tas d'autres comme ça.

– Vous ne serez pas déçu, monsieur Kosslick.

J'ai battu des cils d'un air prometteur.

L'enveloppe kraft serrée dans une main, mon bonus dans l'autre, je suis sortie du bureau. J'ai descendu l'escalier, parfaitement consciente qu'il ne me quittait pas des yeux. Arrivée derrière la scène, j'ai vérifié le contenu de l'enveloppe jusqu'au dernier penny. Le compte y était. Je me suis rendue dans le vestiaire ; une grande pièce, munie d'immenses miroirs sur chaque mur. Un drap était tendu dans un coin. J'ai supposé que c'est tout ce qui était prévu pour donner un peu d'intimité lorsqu'on se changeait. Cela dit, l'endroit était simple mais loin d'être désagréable.

L'autre groupe était déjà là. Cinq Nihils, vêtus de vestes en cuir bleu coordonnées. Jaxon nous avait recommandé de bien nous habiller mais sans trop en rajouter parce que sinon on passerait pour des amateurs. Apparemment, ces cinq-là n'avaient pas le même avis sur la question.

– Bonjour, je m'appelle Neir. On devait jouer ici, ce soir, avec mon groupe, mais on a décidé d'abandonner le navire.

– Pourquoi ? m'a sèchement demandé le plus grand.

– Vous n'êtes pas au courant ? me suis-je exclamée, faussement ébahie. M. Kosslick a été prévenu que la Milice de libération avait prévu une action ici, ce soir. C'est pour ça qu'il a posté des gros bras à la porte. Mais la milice est bien décidée à causer des problèmes et je n'ai aucune envie d'être sur la trajectoire de leurs balles quand ça va commencer à siffler. Bonne chance à vous.

Un des musiciens a écarquillé les yeux.

– C'est vrai ?

– Tu crois que je pourrais plaisanter avec ce genre de choses ? Bon, à plus.

Et je me suis dirigée vers la sortie.

– Marty, il est hors de question que je joue dans une boîte qui est dans le collimateur de la Milice de libération. J'ai une femme et un fils, moi ! a lancé un des gars.

Moins d'une minute plus tard, ils avaient fourré leurs vêtements de ville dans leurs sacs et, leur instrument sous le bras, ils filaient presque en courant. C'est à ce moment que sont arrivés Jaxon, Sonny et Rhino.

– Qu'est-ce qu'ils font ? a demandé Jaxon.

– Ils ont eu une meilleure proposition, ai-je répondu.

Et je me suis installée devant le miroir, où j'ai fait semblant de me remaquiller sans m'attarder sur les regards de mépris des autres.

Jude

J'ai couru, couru dans le couloir, j'ai failli tomber dans l'escalier, sautant trois ou quatre marches à la fois. Loin d'Eva, loin de ses yeux bleus. J'ai couru comme si j'avais le diable à mes trousses.

Quand je me suis arrêté, j'ai inspiré l'air froid de la nuit et j'ai essayé de forcer mon cœur à reprendre un rythme normal.

Qu'est-ce qui m'avait pris de suivre cette fille ? Ce qui devait être une heure d'oubli s'était transformé en cauchemar. Mes poumons étaient comprimés comme si je n'avais pas respiré depuis que j'étais entré dans son appartement miteux. Je la haïssais. Je ne voulais plus jamais respirer le même air qu'elle. J'ai avancé sans savoir où j'allais. Je n'avais plus envie de rien. J'ai sorti mon téléphone portable et j'ai appelé les renseignements. L'opérateur m'a proposé de me mettre directement en contact avec le numéro que j'avais demandé. J'étais tellement à l'ouest que j'ai failli dire oui. J'ai écrit le numéro sur ma main. Il m'a fallu dix minutes pour trouver une cabine téléphonique en état de marche.

J'ai composé le numéro de l'hôpital.

– Pourriez-vous me passer l'unité de soins intensifs ? ai-je demandé.

– Un instant, a lâché la standardiste d'un ton neutre.

Quelques secondes plus tard, j'avais une autre personne en ligne. Un homme.

– Soins intensifs. Que puis-je pour vous ?

– Comment va Cara Imega ?

– Vous êtes de la famille ?

– Je suis Joshua Imega, son oncle. Je viens juste d'apprendre ce qui lui est arrivé, ai-je débité sans une hésitation. Je suis en route pour la voir mais je voulais savoir comment elle allait.

Silence.

– Allô ?

– Elle ne va pas très bien, monsieur Imega, a dit la voix avec un ton d'excuse compatissante. Je ne peux pas vous donner d'information par téléphone mais si j'étais vous, je viendrais le plus vite possible.

– Je vois.

Et j'ai raccroché.

Sephy

– Est-ce qu'on peut commencer par « Voyou » ? ai-je demandé à Jaxon.

– C'est le moment le plus fort du concert, a observé Sonny en me regardant comme si j'étais un asticot qu'il venait de trouver dans sa salade.

– Je sais, mais j'ai mes raisons.

– Je ne sais pas si... a commencé Jaxon.

– Accorde son caprice à Mlle Prima, l'a interrompu Sonny.

J'avais gagné. Je me suis remis du rouge à lèvres pendant que les gars changeaient de T-shirt dans un silence de mort. Ils prenaient bien garde de m'ignorer. Ce n'était pas bien grave, mais ça faisait mal quand même. J'ai jeté un coup d'œil vers Rhino. Pour lui, c'était comme si je n'existais pas.

Nous sommes montés sur scène. Rhino s'est installé derrière la batterie et je lui ai demandé :

– Rhino, tu peux nous faire l'intro, j'ai vraiment envie que le public soit tout de suite chaud.

Il m'a lancé un regard si noir que j'en ai eu un frisson. Et il a commencé à jouer. Doucement, sur un rythme lent et régulier. Je me suis approchée du micro. Jaxon s'est posté à ma droite, Sonny à ma gauche. J'étais cernée de tous côtés par leur présence pesante.

– Comment allez-vous ? ai-je lancé dans le micro.

Le public regroupé devant la scène a applaudi.

– Comment allez-vous ? ai-je répété plus fort.

Les applaudissements ont été cette fois presque assourdissants et accompagnés de cris.

Le rythme de la batterie s'accélérait. J'ai fait un signe de la tête à Jaxon, qui a commencé à jouer à son tour. Sonny s'est joint aux deux autres.

« Voyou » était une chanson pour minettes, mais elle était très populaire. Le public commençait à s'agiter sérieusement. La rage qui bouillonnait en moi a inondé mon corps tout entier. Je les méprisais tous – Nihils, Primas, tous ! Je haïssais leur mesquinerie, leur étroitesse d'esprit, leur bêtise. La haine était un sentiment si facile à éprouver.

Vous ne pouvez pas entrer.

Vous ne pouvez pas jouer.

On ne se mélange pas.

Prima d'un côté, Nihil de l'autre.

Ne t'approche pas.

Reste dans ton pays.

Ne viens pas sur ma planète.

Et je n'étais pas meilleure que les autres.

Je n'étais pas différente.

Je me détestais plus encore que je ne détestais les autres.

J'ai pris une longue inspiration. Il fallait que je sois la meilleure. Meilleure que pendant la répétition. Je devais chanter comme jamais. Comme personne dans cette boîte n'avait entendu chanter depuis longtemps.

J'ai commencé.

La colère donnait de la puissance à ma voix. La rage gommait ma peur. La fureur effaçait mes doutes. Je n'étais plus Sephy. J'étais Neir, une fille qui savait où elle allait, qui n'avait pas peur. Une fille qui n'avait rien à gagner et rien à perdre. Je me suis laissée aller.

À la fin de la chanson, le public applaudissait et criait si fort que j'en avais mal aux oreilles. Ils avaient adoré. « Voyou » était exactement la chanson que nous devions chanter. Elle était connue, rapide, et il était impossible de ne pas danser quand on l'entendait. Nous aurions pu faire ce que nous voulions de ce public.

– Vous en voulez encore ? ai-je crié.

– Oui !!!!

– Vous en voulez encore ?

– Oui !!!!

Pour la première fois de la soirée, j'ai cessé de sourire.

– Eh bien, tant pis pour vous !

Les cris se sont transformés en une rumeur confuse. Les gens échangeaient des regards d'incompréhension. Toute l'attention de Jaxon, Sonny et Rhino était concentrée sur moi.

– Quand nous sommes arrivés ce soir, ai-je repris dans le micro, nous avions l'intention de vous offrir un concert magnifique, mais nous n'avons pas eu le droit d'entrer par la porte principale. On nous a demandé de passer par la porte de service. Nous nous sommes dit que si nous n'étions pas assez bien pour emprunter la même entrée que vous, nous n'étions sûrement pas assez bien non plus pour vous faire profiter de nos chansons. Alors, allez vous faire voir et salut !

Sur ces mots, je me suis éloignée du micro mais j'avais oublié de leur annoncer une autre nouvelle et je suis revenue.

– Ah oui… vous n'aurez plus de musique ce soir, l'autre groupe a été tellement dégoûté par la manière dont nous avions été traités qu'ils sont partis eux aussi !

Cette fois, j'ai quitté la scène pour de bon. Jaxon et les autres n'avaient pas le choix, ils étaient bien obligés de me suivre. Un silence abasourdi s'est abattu sur la salle, ponctué de-ci de-là par quelques huées. Mais si une seule personne du public avait compris mon message, ça valait le coup.

– Qu'est-ce que tu fabriques ? a crié Jaxon dans les coulisses. On n'a pas encore été payés.

– Eh si !

J'ai agité les billets de ce gros porc de Kosslick. J'ai ajouté l'argent qu'il m'avait offert en bonus.

– Prends ça, Sonny. Je pense que personne n'ose te prendre quelque chose que tu ne veux pas lui donner.

J'ai tendu les billets au bassiste. Il les a aussitôt glissés dans la poche de son pantalon.

– On y va ? ai-je souri.

Rhino, Jaxon et Sonny me fixaient. Mais cette fois, aucun mépris dans leurs yeux. J'aimais mieux ça.

– Je sais que vous ne me connaissez pas encore bien, les gars, ai-je déclaré, mais ou on rentre par la même porte, ou on ne rentre pas du tout. D'accord ?

– D'accord, a acquiescé Sonny avec un sourire.

Dans la salle, les clameurs, les sifflets et les huées étaient à leur comble.

Kosslick a fait irruption dans les coulisses, accompagné de deux gros bras.

– À quoi vous jouez ?

Les garçons se sont aussitôt placés devant moi mais je les ai poussés et j'ai repris ma place parmi eux.

– Justement, nous ne jouons pas, ai-je dit.

– Espèce de petite salope ! Je vous ai payés, m'a lancé Kosslick avec un regard noir.

– Nous avons rempli notre part du contrat, ai-je rétorqué. Le public a eu droit à une chanson.

– Rendez-moi mon argent, a exigé Kosslick en faisant signe à un de ses gros bras.

– Je ne ferais pas ça si j'étais vous, l'ai-je menacé, alors que Sonny tentait de me mettre hors de portée de coups éventuels.

– Mais tu n'es pas moi, espèce de pute à Néants, a sifflé Kosslick. Et je vais me faire le plaisir de m'occuper personnellement de ton cas.

– Essayez, l'ai-je défié. Mon vrai nom est Perséphone Hadley. Mon père est Kamal Hadley, le Premier ministre, et je peux vous promettre que si vous touchez à un cheveu d'un seul d'entre nous, vous n'attendrez pas plus d'une semaine avant de vous balancer au bout d'une corde.

Le gros bras a jeté un coup d'œil interrogateur à Kosslick. Ce dernier ne me quittait pas des yeux. J'ai soutenu son regard. Il a décidé que je ne bluffais pas.

– Laissez-les partir, a-t-il ordonné à ses sous-fifres.

Puis il s'est tourné vers moi.

– Ne remettez jamais les pieds dans mon night-club !

– Aucun risque, ai-je rétorqué. On est trop bons pour ce bouge de toute façon.

– Vous ne vous en tirerez pas comme ça, a crié Kosslick dans notre dos. Vous aurez de mes nouvelles ! Surtout vous, mademoiselle Hadley.

– Bouh, j'ai peur ! ai-je riposté avec mépris, avant de suivre les garçons dans le vestiaire.

Nous avons rassemblé nos affaires et, après avoir traversé la salle, nous sommes sortis par la porte principale. Nous avons essuyé quelques huées mais personne ne s'est risqué à nous approcher de trop près. Je dois reconnaître que nous avons également eu droit à un ou deux applaudissements. Un ou deux.

Ni les gars, ni moi n'avons prononcé un mot. Comme si nous attendions de nous retrouver dehors pour reprendre notre respiration. Sur le trajet qui nous menait à la voiture, nous avons tous éclaté de rire. Un rire de soulagement plus qu'autre chose.

– Oh, mon Dieu, j'ai cru que nous n'en sortirions pas vivants, ai-je avoué.

– « Mon père est le Premier ministre », a mimé Sonny. Je croyais que tu préférais ne pas utiliser ton nom !

C'est vrai, c'était vrai…

J'ai haussé les épaules.

– Mais j'aime quand même mieux ça que de me faire décapiter. Et puis, n'oublie pas qu'un quart de l'argent que tu as en poche m'appartient.

– Je n'oublierai pas, a-t-il rétorqué ironiquement.

– Est-ce que ton père serait vraiment intervenu ? a demandé Jaxon.

– Tu rigoles !

Mon sourire s'est effacé.

– Il aurait plutôt tenu leurs vestes pendant qu'ils nous tabassaient.

Je me suis tournée vers Rhino, qui n'avait pas dit grand-chose jusqu'à présent. Il ne m'a pas souri. Tant pis. Rhino ne savait toujours pas quoi penser de moi, mais je n'étais plus l'ennemi public n° 1. Seulement l'ennemi public n° 2 ou 3.

– Sephy, je crois que je t'ai sous-estimée, a déclaré Sonny.

De sa part, c'était un grand compliment. Je n'ai pas répondu. C'était inutile.

– Comme je l'ai déjà dit, je ne laisserai plus jamais personne me prendre encore pour une imbécile.

Jude

Je n'ai rien fait ce week-end. Je suis resté assis dans mon appartement, à regarder la télé, à manger et à réfléchir. Andrew Dorn, le traître de la Milice de libération, est de nouveau en haut de la liste de mes priorités. J'ai de l'argent, je n'ai plus qu'à trouver un moyen de le faire payer. J'ai toujours des amis à la milice. Des amis prêts à donner leur bras droit pour moi. D'autres prêts à donner leur bras gauche à condition que je les paye bien. Je veux m'approcher au plus près d'Andrew Dorn. Je veux le faire payer.

Et je vais le faire payer.

Tiens, c'est l'heure des infos. Je ne pensais pas qu'il était déjà si tard. Mais je ne veux pas revoir les infos. Ils racontent toujours la même chose. Il n'y avait qu'une seule information

227

vraiment neuve dans le dernier bulletin. Une nouvelle qui parlait de la chasse au meurtrier de Cara Imega.

Cara est morte ce matin à l'hôpital.

Sephy

Quel week-end ! Le concert d'hier soir était un faux départ, mais Jaxon m'a téléphoné tout à l'heure pour m'annoncer que nous avions un engagement pour le samedi suivant, chez *Russell*.

– *Russell*, c'est une boîte pour Nihils ?

– Leur argent vaut celui des Primas.

– Ce n'est pas ce que je voulais dire et tu le sais parfaitement, ai-je dit sans m'énerver. Je pense juste qu'ils ne voudront sans doute pas de moi.

– Dès que tu auras commencé à chanter, ils n'y penseront plus.

– Oh, génial ! C'est censé me rassurer ?

– Tu t'inquiètes pour rien, a soupiré Jaxon.

Je savais qu'il était inutile de poursuivre la discussion. *Russell* était une boîte très branchée fréquentée par des Nihils. Une des rares boîtes de nuit en ville dirigées par un Nihil. C'est tout ce que je savais.

– On a été engagés il y a un mois, a repris Jaxon. Et ce qui s'est passé au *Dew Drop Inn* ne les a pas fait reculer. C'est déjà pas mal.

– Ils sont au courant ? ai-je demandé, ébahie.

– Évidemment, qu'est-ce que tu crois ? Dans le milieu de la musique, tout le monde est au courant.

– Ils savent qui je suis ? ai-je paniqué.

– Bien sûr que non. Tu es Neir, notre chanteuse, c'est tout ! Mais le *Russell* mène une rude concurrence au *Dew Drop Inn* et Alice aime les monter l'un contre l'autre.

– C'est qui, Alice ?

– C'est la propriétaire du *Russell*.

Des tas de sonnettes d'alarme ont résonné dans ma tête.

– Et puis, on ne peut pas laisser tomber maintenant. On a besoin de cet argent, a conclu Jaxon.

Il marquait un point. L'argent du *Dew Drop Inn* n'allait pas durer éternellement. Mais les sonnettes d'alarme ne voulaient pas s'arrêter. Nous avons terminé la conversation en nous donnant rendez-vous pour les répétitions. À présent, il fallait que je règle deux ou trois choses dans ma vie.

J'avais décidé d'arrêter de nourrir Rose au sein. Elle bénéficiait de mon lait depuis le premier jour, j'estimais que c'était suffisant.

– Je pensais que tu l'allaiterais pendant au moins un an, a fait remarquer Meggie quand je le lui ai dit.

– Plus tôt elle boira au biberon, mieux ce sera, ai-je répliqué. Comme ça, vous pourrez vous occuper d'elle pendant que j'irai travailler.

– Je ne suis pas sa mère, Sephy, a objecté Meggie.

– Ce qui veut dire ?

– Ce qui veut dire que la nourrir et la surveiller fait partie de ton travail. J'ai proposé de t'aider, pas de te remplacer.

– Rose est votre petite-fille, ai-je dit d'une voix glaciale. Le précieux enfant de votre fils Callum. Mais si vous refusez de vous en occuper, dites-le clairement.

– Ce n'est pas ce que j'ai dit. Et Callie n'est-elle pas aussi ton enfant ? a demandé Meggie sarcastiquement.

– Qu'est-ce que vous entendez par là ?

– Callie est un bébé et elle a besoin de sa mère.

– Je m'occupe d'elle ! ai-je crié. Je m'occupe d'elle toute la journée. À part deux ou trois répétitions et un concert par semaine, je ne vais jamais nulle part sans elle.

Meggie a soupiré.

– Tu as envie de te disputer avec quelqu'un, Sephy. Mais ce ne sera pas avec moi.

– Je ne veux pas me disputer avec vous, Meggie. Ça vous donnerait une trop bonne excuse pour me tourner le dos, comme Callum.

Meggie m'a tendu Rose.

– Je dois aller faire des courses.

C'était notre premier véritable conflit.

Meggie est restée absente plusieurs heures. Quand elle est revenue, elle a rangé les courses et est repartie tout de suite. Je suis restée coincée à la maison avec Rose toute la journée. Je l'ai mise dans le landau d'occasion que j'avais acheté et je l'ai emmenée en balade.

Pour une fois, je me suis attardée à regarder autour de moi. Je connaissais bien le quartier des Prairies, j'y étais venue souvent quand j'étais enfant. À l'époque, c'était un endroit merveilleux et tout le monde venait s'y promener. Je n'y remarquais que le ciel bleu, les feuilles éclairées par les rayons du soleil et les visages avenants.

J'avais vieilli.

Et le quartier des Prairies avait bien changé. Les rues pavées étaient irrégulières et pleines de trous. Pousser le landau de Rose équivalait à mener une course d'obstacles. J'avais commis l'erreur de mettre des chaussures à talons. Tous les Nihils portent des tennis. Maintenant, je comprenais pourquoi. Le trottoir était constellé de chewing-gums, pour certains si vieux qu'ils se confondaient avec les pavés. Toutes les cinq minutes, retentissait une sirène d'ambulance ou de police. Les arbres étaient rares et leurs racines, au lieu d'être entourées d'herbe ou de terre, étaient dissimulées par du goudron ou des grilles de métal. Les gens que je croisais semblaient fatigués.

Et personne ne souriait.

Pendant que nous nous promenions, Rose et moi, je ne pouvais pas faire autrement que remarquer les regards que les gens nous lançaient. La plupart des Nihils me dévisageaient avec insistance. Une femme d'une trentaine d'années, aux yeux noirs et aux cheveux foncés, a même fait demi-tour pour me suivre. Sans la voir, je la sentais derrière moi. Une espèce de sixième sens a fait vibrer mon radar interne. Un grand calme s'est emparé de moi alors que j'essayais de concentrer mon attention sur autre chose. Une voiture a klaxonné. Un homme, qui traversait en courant, a été obligé de s'arrêter au milieu de la rue avant de louvoyer entre les voitures pour atteindre l'autre trottoir. Un marteau-piqueur vrombissait au loin.

Et la femme était toujours derrière moi. Elle était de plus en plus proche. J'ai pris une grande inspiration et je me suis brusquement retournée. J'étais entre elle et mon bébé, la main serrée sur la poignée du landau.

– Je peux vous aider ? ai-je lancé sur un ton agressif.

– Excusez-moi… vous êtes… Perséphone Handley ?

Hadley, ai-je pensé avec amertume. Mais je n'ai pas eu la bêtise de lui répondre.

– C'est vous, n'est-ce pas ?

Elle m'observait. Elle s'est même approchée. Je me suis reculée.

Nous y voilà, ai-je songé, le cœur battant.

Qu'est-ce qui faisait croire aux gens que, parce que j'étais passée dans le journal, ils avaient le droit de m'arrêter dans la rue pour m'insulter ? Quand j'étais enceinte, une femme était allée jusqu'à me gifler, en me traitant de traître et en criant que « je ne valais pas plus que ce que j'étais ». Je n'avais même pas compris ce qu'elle voulait dire.

La femme a souri.

– Puis-je vous dire quelque chose ? a-t-elle demandé.

– Si vous vous sentez obligée...

– Je voulais juste... Bravo !

– Pardon ?

– Bravo ! a-t-elle répété.

Elle était devenue rouge comme une tomate. Elle a tourné les talons et a presque trébuché, dans sa hâte soudaine de s'éloigner de moi. Ébahie, je l'ai regardée partir. Il m'a fallu quelques secondes avant que ses mots atteignent mon cerveau. J'ai voulu la rappeler, mais elle était déjà trop loin pour m'entendre. J'ai souri et murmuré : « Merci. » Puis je me suis retournée et j'ai repris ma promenade. J'étais encore sous le choc, plus vraiment à cause de ce qu'elle m'avait dit, mais parce que j'avais *a priori* pensé qu'elle voulait m'agresser. Depuis quand étais-je devenue aussi méfiante, aussi cynique ?

J'ai adressé un sourire au premier Nihil que j'ai croisé. Il a baissé les yeux vers Rose et m'a jeté le regard le plus haineux que j'avais jamais vu de ma vie.

J'ai soupiré intérieurement.

Voilà, c'était fini, je n'avais plus envie de sourire. Le mieux était de rester concentrée sur moi-même et ma fille. Adulte était un euphémisme pour méfiant et cynique.

Nous nous sommes promenées pendant près de quarante minutes. Nous avions à peine passé le pas de la porte que Rose s'est mise à hurler. Je l'ai nourrie, je l'ai changée, je l'ai couchée mais elle ne s'est pas arrêtée. Meggie m'avait conseillé de la laisser pleurer, mais après une demi-heure, je n'en pouvais plus. Je l'ai reprise dans mes bras et je lui ai caressé le dos.

Ça n'a rien changé, alors je lui ai parlé tout doucement à l'oreille.

Et je l'ai regardée. C'était la première fois que je la regardais vraiment depuis que j'avais lu la lettre de son père. Ce n'est qu'à ce moment qu'elle s'est tue. Alors que nous nous fixions toutes deux droit dans les yeux.

Assise, je l'ai serrée contre moi, longtemps. Elle s'était endormie. Je venais de me rendre compte que ses yeux étaient toujours bleu foncé. Ses cheveux avaient poussé. Elle était en pleine forme, potelée et solide. Elle avait pris tant de poids que j'avais l'impression qu'elle grandissait là, sous mes yeux.

Avec qui pouvais-je partager ma fierté ?

Je me sentais si seule. Ce n'était plus du sang qui courait dans mes veines, mais de la pure solitude. J'ai fini par remettre Rose dans son berceau. C'était si simple de tout oublier quand je la regardais. Mais tout revenait si vite dès que j'étais loin d'elle.

J'avais besoin de réfléchir. J'ai décidé de me faire couler un bain. J'ai entendu Meggie rentrer et aller directement dans sa chambre.

Allongée dans l'eau parfumée à la lavande de mon bain, je savais que je ne serais pas dérangée. Meggie était manifestement toujours en colère contre moi. C'était son problème.

Il fallait que je décide ce que j'allais faire maintenant. Mais je me sentais si détendue, et c'était la première fois depuis si longtemps, que je n'arrivais plus à réfléchir. J'ai doucement remué les cuisses pour que l'eau recouvre mes seins. C'était très relaxant. J'ai fermé les yeux et j'ai posé la tête contre le rebord de la baignoire. J'ai continué de bouger doucement les cuisses pour que l'eau ondule autour de mon corps. Des images de plages dorées, de printemps au parc, de fleurs sauvages, d'enfants insouciants, de dimanche matin sous la couette remplissaient mon esprit. Je rassemblais tous mes bons souvenirs en m'enfonçant dans l'eau de mon bain. Je me suis retrouvée dans une pièce froide, au beau milieu d'une forêt.

Avec Callum.

Callum m'embrassait.

Callum me touchait.

Callum était sur moi.

Dans moi.

« Je t'aime, Sephy », murmure-t-il près de ma bouche.

Je n'ai plus assez de souffle pour lui répondre. Je m'accroche à lui, je l'aime tant. Je pourrais en mourir. Peut-il m'entendre penser ? Ou lire dans mes yeux ce que je ressens ? Ne lui suffit-il pas d'un regard pour plonger en moi ? D'une caresse pour me faire entrer en lui. Pour m'emmener, loin. Tes mains sur ma peau sont chaudes, si chaudes qu'elles me brûlent. N'arrête jamais de m'aimer.

Callum, je t'aime tant. Et j'aime ce que tu me fais. Mon sang est une lave brûlante. À chaque baiser, chaque caresse, tu me voles une partie de mon cœur, une partie de mon âme. Toi et moi, ça n'existe plus. Il n'y a que nous, un seul être. Je t'embrasse, mes lèvres se joignent aux tiennes, de plus en plus fort jusqu'à ce que nous manquions d'air, jusqu'à ce qu'il soit impossible de différencier ta bouche de la mienne. Perdus dans un rêve, nous touchons le ciel. Nous atteignons le paradis.

Callum, je t'aime...

Callum, je t'aime...

Callum, mon amour.

Quand j'ai rouvert les yeux, j'étais à moitié dans le présent, à moitié dans le passé. Mes mains ont cherché le rebord de la baignoire.

Callum, mon amour...

Mon corps tremblait. Chaque parcelle de mon corps tremblait. Et chaque frisson m'éloignait un peu plus du passé, me rapprochait un peu plus du présent. Puis j'ai fini par avoir froid. Je me suis assise dans la baignoire et j'ai plongé mon visage dans mes mains, incapable d'empêcher les larmes de couler sur mon visage. Le monde réel m'avait rattrapée et ma solitude m'envahissait de nouveau. Cette solitude allait me rendre folle, si elle ne me tuait pas.

Je suis sortie de l'eau glacée et j'ai enfilé ma robe de chambre. Je suis restée assise sur le rebord de la baignoire pendant un long moment, les yeux fixés sur le lino. Je ne me suis levée que quand j'ai commencé à avoir des fourmis dans les jambes. J'ai vidé la baignoire et je suis retournée dans ma chambre. Elle n'était éclairée que par une petite lampe posée sur la table près de mon lit. J'ai jeté un coup d'œil à Rose dans son berceau et j'ai résisté à la tentation de la prendre dans mes bras ou de lui caresser la joue. Je me suis séchée, mise en pyjama et je me suis glissée entre les draps.

J'étais épuisée, mais je savais que je ne parviendrais pas à m'endormir. J'avais trop de choses dans la tête. J'avais envie de prendre des cachets qui m'auraient fait oublier le père de Rose, pendant assez longtemps pour que je puisse me reposer. Puis j'ai abandonné l'idée de dormir. Je me suis assise dans mon lit. Que faire ? Je n'étais pas d'humeur à lire. J'avais envie de parler mais il n'y avait personne. Meggie était dans sa chambre, probablement assoupie. Et je ne pouvais pas téléphoner à ma mère ou à Minerva aussi tard dans la nuit. Pourtant, il fallait que je parle. À quelqu'un. N'importe qui. En désespoir de cause, j'ai pris mon cahier sur la table et j'ai cherché un stylo. J'en ai trouvé un dans la poche de ma veste et je suis retournée me coucher. Et maintenant ? Je voulais écrire, mais je ne savais pas quoi. Pas la réalité. Je voulais inventer. M'échapper, m'éloigner des mots écrits par Callum. Je devais trouver quelque chose qui m'empêchait de détester les mots. De souhaiter que les mots n'existent plus.

N'y pense pas, me suis-je dit. Écris, c'est tout.

C'est ce que j'ai fait.

J'ai écrit : « *Plus de mots* » et je l'ai souligné deux fois. Et j'ai noté. Vite avant que mon esprit censure mon cœur ; j'ai laissé les mots s'écouler hors de moi. J'ai inventé.

Plus de mots

Nous nous portions un amour fou.
Où est-il à présent ?
Le monde s'est dissous
Tu n'es plus là maintenant

Notre route était un arc-en-ciel
Nous chantions, la vie était belle

Mais tu n'es plus là
Ne reste que le fracas

Plus de mots
Pour évoquer notre premier baiser
Plus de mots
Notre nuit s'est évaporée
Plus de mots
Nous avons tout perdu
Plus de mots
Notre lien est rompu

Nous ne nous étions rien promis
Mais nous appartenions à l'éternité
Maintenant, je dois attendre la nuit
Pour revivre tes baisers
Tu es et tu seras toujours
Mon seul et mon unique amour
Tu me tiens entre tes mains
Je t'appartiens

Plus de mots
Pour décrire cette longue et froide nuit
Plus de mots
Pour nos moments bénis
Plus de mots
Je vis dans le passé
Plus de mots
Je ne peux t'oublier

Tu sens mon cœur qui bat ?
Tu sens mon cœur qui saigne ?
Un baiser, une nuit, ce n'était pas assez
J'ai envie de plus
J'ai besoin de plus
Reviens, reviens m'aimer

Mais tu n'es plus là
Et je t'appelle en vain
La vie est un combat
Qui ne mène à rien
Je suis ici et tu n'es pas là
Je ne sais pas pourquoi

Je n'ai plus de mots
Je n'ai plus la foi

Plus d'envie
Plus de mots
Plus de larmes
Plus de mots
Plus de joie
Plus de mots
Plus de toi
Plus de mots

Plus de mots à murmurer
Juste des souvenirs
Plus de mots à chanter
Juste mon amour à souffrir
Adieu

J'ai reposé le cahier et j'ai éteint la lumière. J'ai gardé les yeux ouverts.

Tu me vois, Callum ? ai-je murmuré. Tu as gâché ma vie. Je ne sais même pas si ça te fait rire ou pleurer.

JAUNE

Aveuglant
Fermé
Brûlant
Lâcheté
Éclair
Lasers
Cris
Haute fréquence
Pas d'espoir pour la paix
Blesser/torturer
Feu
Soufre
Puanteur
Trop lumineux, trop brillant

Manifestation contre la loi de prévention de la violence

La nouvelle loi qui permet aux policiers d'arrêter tout Nihil soupçonné de détenir de la drogue, de l'alcool ou des composants servant à fabriquer des explosifs était très controversée. Elle a pourtant été votée cette nuit au Parlement avec une confortable majorité de 22 voix.

Alex Luther, le porte-parole de la Coalition non-violente a déclaré :

« C'est un jour sombre pour chacun d'entre nous, Nihils et Primas. Cette loi est immorale et injuste. Elle représente un blanc-seing pour tout policier tenté de traiter les Nihils comme des criminels sur ses seuls a priori. La justice de ce pays vient de reculer de cinquante ans. »

Hier, des groupes protestataires nihils ont manifesté partout dans le pays, réagissant avec colère contre cette nouvelle loi. Il était inévitable que certains Nihils en profitent pour causer des dommages et se livrer à des pillages. La police a dû procéder à de nombreuses arrestations.

(lire l'éditorial p. 4)

Meggie

Nos journées sont emplies de vide. Nous discutons sans rien nous dire. Les soirées sont, quant à elles, pour la plupart emplies de silence. Hier soir, par exemple. Nous étions devant la télé. Sephy sur le fauteuil qu'elle s'est approprié, moi sur le canapé. Callie était dans son berceau dans la chambre de Sephy – que Dieu la garde. En une heure, Sephy n'avait pas dit grand-chose. En fait, elle n'avait rien dit du tout. Au début, à son arrivée, nous parlions. Des programmes de télé, de ce que nous avions vu ou entendu, du journal télévisé. À présent, il ne nous reste que le silence.

Au bout d'un moment, j'ai craqué.

– Sephy, tu ne dois pas croire ce qui est écrit dans cette lettre...

– Je vous l'ai déjà dit, m'a interrompue Sephy sans même me regarder. Je refuse d'en parler.

– Je veux seulement...

Sephy s'est levée et s'est dirigée vers la porte.

– Bon, d'accord, ai-je capitulé. Je me tais.

Sephy m'a dévisagée, essayant sans doute de deviner si j'allais tenir parole. Puis elle est revenue à son fauteuil. Et le silence a de nouveau empli la pièce. Mais je n'ai pas osé prononcer un mot. J'avais peur que Sephy s'en aille. Pas seulement du salon, mais qu'elle parte de chez moi en emmenant ma petite-fille. Je fais mon possible pour ne pas la critiquer, pour ne pas me mêler de ce qui ne me regarde pas, mais ce n'est pas facile. Je ne veux pas perturber Sephy en la harcelant, mais parfois, j'ai le sentiment que nous traversons les mêmes angoisses, les mêmes doutes. Aucune de nous deux n'a le courage de les exprimer à voix haute. Quelquefois, les yeux de Sephy s'assombrissent brusquement. Ça ne dure qu'une minute ou deux, mais ça suffit. Je sais qu'elle essaie de faire correspondre ses souvenirs aux mots écrits par Callum dans la lettre.

Cette fichue lettre.

Je ne crois pas une demi-seconde que Callum ait écrit ces horreurs. Pas un instant. Callum aimait Sephy. Je ne sais pas grand-chose, mais ça je le sais. Il aimait Sephy comme Ryan, mon mari, m'aimait. Comme Lynette aimait Jed. Comme Jude pourrait aimer s'il parvenait à se débarrasser de la haine qui l'habite. Ça doit être un trait de notre famille : aimer à l'extrême ou haïr à l'extrême. Rien entre les deux.

Peu importe ce que les gens disent – comme ma sœur Charlotte, par exemple –, sur un point au moins, ma famille a eu de la chance. Nous nous aimions. Et ça, personne ne pourra me l'enlever. Ryan aurait donné son bras droit pour ses enfants. Quand je pense à ma famille, je comprends que dans la vie, peu de choses sont immuables. Mais l'amour que nous nous portions fait partie de ces choses. Quand mes souvenirs remontent à la surface et menacent de me submerger, je m'accroche à cet amour. Ce qui m'empêche de devenir folle.

Parfois, je surprends Sephy qui me regarde, à la dérobée, avec un air d'incompréhension totale. Elle tourne la tête dès qu'elle remarque que je l'observe. Mais cette expression dans ses yeux, je l'ai vue plus de fois que je ne pourrais le dire. Je crois que Sephy n'arrive pas à se persuader que je ne la déteste pas. Et si je ne la déteste pas, pourquoi ? J'espère qu'elle n'a pas accepté de venir vivre ici comme une sorte de pénitence pour se faire pardonner un péché imaginaire. Sephy ne comprendra jamais tout ce qu'elle représente pour moi. Elle m'est presque aussi chère que ma fille Lynette. Mais je ne peux pas le lui dire, elle ne me croirait pas. Quand je la regarde manger ou lire, ou quand elle s'assoupit sur le canapé, je me répète intérieurement tout ce que j'aimerais lui dire.

Combien je l'admire, par exemple, pour ce qu'elle a fait le jour où mon fils a été pendu. Combien je la chéris d'élever ma petite-fille, Callie Rose. Elle aurait pu se faire avorter. C'est sûrement ce que son salaud de père voulait. Elle aurait aussi pu faire adopter cet enfant. Mais non. Elle n'a pas idée de la force dont elle fait preuve.

Quant à Callie Rose, eh bien, à chaque fois que je la regarde, je vois Callum. Les mêmes yeux, les mêmes expressions, le même hochement de tête étonné. Quand je regarde Callie, j'ai envie de la serrer contre moi, de l'envelopper dans mes bras et de la cacher au fond de mon cœur. J'ai tellement, tellement envie que cette petite ne connaisse que la joie et l'amour. Pourtant, je sais que sa vie ne sera pas facile. Elle n'est ni Nihil, ni Prima. Et dans ce monde où chacun doit appartenir à une catégorie, à une caste, elle se sentira peut-être obligée de choisir son camp.

Alors qu'elle appartient aux deux.

Alors qu'elle n'appartient à aucun.

Elle est unique, différente. Elle est elle-même. C'est sans doute ce dont nous avons besoin : être mélangés, secoués, pétris vigoureusement jusqu'à ce que cette notion de Nihil et de Prima perde tout sens.

Mais mes désirs sont si loin de la réalité.

Sephy m'inquiète. Elle a beaucoup changé. À cause de la lettre de Callum. C'est difficile à exprimer, mais c'est comme si quelque chose était mort en elle. Elle aurait pu me hacher menu avant, quand je lui suggérais de laisser Callie pleurer dans son berceau. C'était avant la lettre. À présent, elle suit mon conseil un peu trop souvent. Parfois, je suis assise dans le salon avec Sephy et j'entends Callie hurler. Je suis obligée de me mordre la langue pour m'obliger à me taire. J'ai envie de crier à Sephy de se lever et d'aller s'occuper de sa fille. J'ai très souvent failli craquer. Mais à ce moment, Sephy s'extirpe en soupirant de son fauteuil et va dans la chambre. Avant la lettre, Sephy ne laissait jamais Callie crier plus de cinq secondes.

C'était avant la lettre.

Et maintenant, on vit après la lettre.

Hier après-midi, Sephy était dans la cuisine. Elle se préparait un sandwich. J'étais dans le salon, devant la télé. Callie a commencé à grogner. J'ai regardé ma montre. C'était l'heure du biberon. Quelques instants plus tard, les grognements s'étaient transformés en véritables hurlements. Callie manifestait son mécontentement d'être ignorée. Je me suis levée. Je me demandais si Sephy irait s'occuper de sa fille qui continuait de pleurer. Puis je me suis rassise. Si j'entendais Callie, Sephy l'entendait aussi. Mais Callie a continué de pleurer. Encore et encore. J'ai fini par me lever pour aller la réconforter, pensant que Sephy estimait son sandwich plus important que les besoins de sa fille.

Mais je me trompais.

Sephy était dans sa chambre. Debout près du berceau de Callie et elle la regardait. Je ne comprenais pas pourquoi elle ne prenait pas sa fille, et soudain, en remarquant l'expression sur son visage, mon sang s'est glacé dans mes veines. En fait, il n'y avait aucune expression sur son visage. Ni amour, ni tendresse, ni haine. Rien.

– Tout va bien, Sephy ? lui ai-je demandé.

Elle s'est tournée vers moi et ça m'a fait l'effet de volets que l'on ferme. Sa bouche m'a souri mais pas ses yeux. Elle a acquiescé.

– Oui, Meggie, oui, tout va bien.

Et seulement à ce moment, elle a pris Callie dans ses bras. J'ai reculé, en frissonnant. Pourtant il ne faisait pas froid dans la pièce. Je suis en train de perdre Sephy. À cause de la lettre. Mais il y a pire, Callie est aussi en train de perdre sa mère.

Et je ne sais pas comment faire pour empêcher cette catastrophe.

Sephy

Le Russell était la première boîte nihil où je mettais les pieds. Nous sommes entrés – par la porte principale – et avons été accueillis par la plus grosse femme que j'avais jamais vue. Elle n'était pas grosse en fait, plutôt bâtie comme une armoire blindée. Elle avait les cheveux teints en rouge et elle avait dû appliquer son maquillage à la truelle.

– Comment allez-vous ? l'ai-je saluée en tendant la main.

– Eh bé ! Vous êtes vachement bien élevée ! a ri la femme. Comment allez-vous, vous-même ! Je suis Alice !

Et elle m'a serrée contre elle, si fort que mes côtes se sont douloureusement compressées les unes contre les autres. J'ai souri. Je n'osais plus parler, de peur qu'elle se moque à nouveau de moi.

– Faut que je vous prévienne, a-t-elle lancé en se tournant vers les autres, le public est un peu chaud ce soir. On a deux anniversaires et une soirée de poules.

– Une soirée de poules, a grogné Jaxon. Quelle veine !

Alice a dû voir sur mon visage que je ne comprenais pas de quoi il s'agissait, puisqu'elle a expliqué, à mon intention :

– Les soirées de poules, ça craint. Gérer des gars, je sais faire, mais des filles en folie ! Faut toujours que je fasse appel à mes videurs.

Elle a de nouveau regardé Jaxon, Sonny et Rhino.

– Vous êtes pas couchés, les gars !

Pendant une minuscule seconde, j'ai pensé : « Elle plaisante, oui, c'est sûr, elle plaisante », mais le visage de mes musiciens m'a très vite détrompée.

– Génial, a grommelé Sonny, ouais, génial.

– Hé, les gars, a lancé Alice, c'est pas pour rien que je vous paye aussi bien !

Pour toute réponse, Sonny a ricané.

Alice nous a fait traverser la boîte pour nous conduire au vestiaire. L'odeur était très différente de celle du *Dew Drop Inn*. Ici, flottaient une douceâtre senteur de bière et un parfum âcre de fumée de cigarettes et de substances illicites. La boîte était déjà aux trois quarts pleine, alors qu'elle n'était ouverte que depuis une demi-heure. J'étais la seule Prima et je jurais dans le paysage. Au *Dew Drop Inn*, le personnel était nihil, Jaxon et les autres n'étaient pas complètement isolés. Bon d'accord, les Nihils n'étaient que des serveurs, mais au moins, ils avaient le mérite d'être là. J'avais l'impression que tous les regards étaient fixés sur moi. J'avais des bouffées de chaleur et mon malaise empirait de minute en minute.

– Qu'est-ce qu'elle fait là ?

– C'est qui, cette Primate ?

Quelques commentaires sifflaient à mes oreilles. Et je n'entendais sans doute pas le pire.

– Vous êtes là pour le strip-tease ? a crié une fille sur notre passage.

– Rêve pas ! a rétorqué Jaxon.

– On dirait que t'as quelque chose à cacher, a lancé un homme en me toisant. Qu'est-ce que tu dirais si on t'arrêtait et qu'on te fouillait ?

D'autres se sont mis à huer et à siffler. Je regrettais déjà le fauteuil et la télé chez Meggie. Nous avons poussé une porte sur laquelle était indiqué *Privé*. Elle donnait sur une petite pièce située entre les toilettes des hommes et les toilettes des femmes, qui dégageaient déjà une odeur nauséabonde. Nous suivions toujours Alice. J'espérais trouver au moins un drap tendu derrière lequel j'aurais pu me changer, mais il n'y en avait pas. Six chaises, un miroir mural, du lino sur le sol, une ampoule nue pendue au plafond et une boîte de mouchoirs en papier sur la table qui servait de coiffeuse, devant le miroir. C'était tout. Il n'y avait ni radiateur ni abat-jour. C'était une bonne leçon. Les prochaines fois, je viendrai déjà habillée pour chanter.

– Vous passez en première partie, ce soir, a dit Alice. Vous commencez dans cinq minutes et... vous avez plutôt intérêt à être bons !

La dernière partie de sa phrase s'adressait directement à moi.

Si j'étais nerveuse en arrivant, ce n'était rien en comparaison de ce que je ressentais maintenant. Mon cœur battait au rythme de la batterie d'un mauvais orchestre en répétition. L'idée de chanter au *Dew Drop Inn* avait été angoissante, mais ma colère m'avait portée. Je n'avais eu aucun mal à chanter... une seule chanson. Alice partait et j'avais presque envie qu'elle se retourne pour me balancer une méchanceté.

Ça m'aurait permis de me concentrer sur autre chose que sur la panique qui me retournait l'estomac. Mais elle est sortie sans nous jeter un regard. À peine avait-elle refermé la porte, que j'ai demandé acerbement à Jaxon :

– Où est-ce que je suis censée me changer ?

– Chez toi ? a hasardé Sonny.

– Je m'en souviendrai pour la prochaine fois. Mais en attendant ?

– Ici, avec nous, a riposté Jaxon impatiemment.

– Pas question ! ai-je protesté.

– Qu'est-ce que tu suggères ? a demandé Sonny.

J'étais sur le point de leur proposer de se tourner ou même de quitter la pièce, mais je savais que c'était inutile.

– Je vais dans les toilettes, ai-je soupiré.

J'ai pris mes affaires et je suis sortie. J'avais envie de dire à Jaxon, Sonny et Rhino que c'était à eux de me laisser le vestiaire, mais j'avais plus de chances d'obtenir de la neige bleue en plein été. J'ai donc laissé tomber. Plongée dans mes pensées, je suis entrée dans les toilettes des femmes. Je me suis aperçue que je n'étais pas seule quand un doigt osseux s'est enfoncé dans ma clavicule.

C'était Amy. L'ex-chanteuse de Jaxon. Elle m'avait suivie. Et ce n'était pas difficile de deviner qu'elle en voulait à ma peau.

– Tu te crois vraiment bonne, hein ?

Je n'ai pas répondu. Mon instinct me soufflait de me taire.

– Tu crois que Jaxon en a quelque chose à foutre de toi ? Il t'utilise, c'est tout. Tu lui sers juste à faire engager le groupe dans des boîtes primas. T'es juste là pour lui rapporter plus de pognon !

Je le savais déjà. Si Amy croyait me perturber par cette révélation, elle était loin du compte.

– Et il se dit que tu ne vas pas être trop difficile à mettre dans son lit, a continué Amy. Après tout, t'as déjà baisé avec un Nihil, alors pourquoi pas avec lui ? Il dit que t'aimes bien les plans bizarres !

C'était tellement vulgaire que je lui ai presque ri au nez. Je me fichais de savoir si Jaxon avait vraiment dit ça ou si Amy inventait, mais je n'aimais pas du tout la tête qu'elle faisait en se rendant compte qu'elle ne m'atteignait pas.

Nous étions seules, mais ce n'était peut-être pas plus mal. Pas sûr que j'aurais trouvé beaucoup d'alliées dans la place. Amy n'était sans doute pas la seule Nihil du coin à vouloir me casser la figure.

– Vous me donnez tous envie de gerber ! m'a postillonné Amy en plein visage. C'est notre boîte, notre musique, mais vous êtes toujours là, vous êtes partout, vous essayez tout le temps de prendre notre place. C'est moi qui devais chanter ce soir, pas toi !

J'avais envie de lui dire d'aller régler ses comptes avec Jaxon. De me foutre la paix. Mais je suis restée silencieuse. Elle en avait gros sur la patate. Pourquoi m'avait-elle choisie moi plutôt que Jaxon, pour vider son sac ? Parce que j'étais une cible plus facile à atteindre ? À blesser ?

– Vous me donnez vraiment envie de gerber, a-t-elle répété.

– Écoute, c'est Jaxon qui est venu me chercher. Je ne lui ai rien demandé.

– Tu aurais pu refuser, a riposté Amy, tu aurais dû refuser. Tu n'as rien à faire ici. Tu n'as rien à faire avec ce groupe. Je me demande ce que Jaxon te trouve !

Je n'aimais pas sa façon de sous-entendre que Jaxon et moi avions une liaison.

– Jaxon aime ma façon de chanter, c'est tout. Et maintenant, salut !

– Mais oui, c'est ça, a craché Amy. On sait, toi et moi, que tu finiras dans son lit. D'après ce que j'ai entendu sur toi, t'aimes bien t'encanailler. Tu sortais avec le terroriste Callum McGrégor, il me semble. Moi, j'irais pas baiser avec un type de la Milice de libération !

Cette fois, j'en avais assez !

– Si tu as fini, va-t'en ! Je dois me changer.

Elle m'a jeté un regard haineux et j'ai compris qu'elle allait se jeter sur moi. Elle m'a sauté dessus, prête à m'arracher les yeux.

Pas question de me laisser tabasser.

J'ai levé le bras pour me protéger le visage et je l'ai violemment repoussée. Quelques années plus tôt, j'avais été battue dans les toilettes de mon collège. J'avais juré que plus jamais je ne laisserais personne lever la main sur moi. Jamais. Amy a atterri contre le mur. Elle s'est redressée pour revenir aussitôt à l'attaque. Je l'ai esquivée et je lui ai donné un coup de poing dans l'estomac. Elle est tombée par terre, sonnée.

– Tire-toi avant qu'il soit trop tard, lui ai-je conseillé. Je ne te laisserai pas lever le petit doigt contre moi. Tu peux me croire.

– Tu… tu vas le regretter, a toussé Amy. Je te jure que tu vas le regretter.

J'ai soupiré intérieurement. Est-ce qu'un des concerts se déroulerait un jour sans souci ? Peu de chances. Amy s'est relevée et est sortie en chancelant. Deux filles entraient au même moment. Elles m'ont regardée de haut en bas avant de disparaître, chacune dans un WC.

J'ai enlevé mon T-shirt, je l'ai fourré dans mon sac et j'ai enfilé mon chemisier, en un clin d'œil. Je me boutonnais quand une des filles est ressortie des toilettes. Mais au lieu de se laver les mains, elle s'est appuyée contre un des lavabos et m'a regardée.

J'ai fini de fermer mon chemisier. Il y a eu un autre bruit de chasse d'eau et l'autre fille est sortie à son tour. Elle s'est lavé les mains et a secoué la tête à l'adresse de son amie.

J'ai pris mon sac et je me suis dirigée vers la porte. En essayant, malgré mon angoisse, de ne pas me hâter. J'espérais que je n'avais pas l'air trop troublée.

J'ai poussé la porte du vestiaire et les autres sont aussitôt venus vers moi.

– On y va, a lancé Jaxon.

– On peut prendre cinq minutes, ai-je grommelé. J'ai besoin d'un peu de temps pour me concentrer.

– Ça va ? m'a demandé Sonny.

– Oui, pourquoi ?

– Je ne sais pas, tu as l'air… troublée…

Jaxon m'a observée, inquiet.

– Je vais bien, ai-je soupiré.

– Évidemment que tu vas bien, il est temps de monter sur scène ! a-t-il souri avec l'air assuré de l'homme d'affaires.

J'ai jeté un coup d'œil vers Sonny. Il a froncé les sourcils. J'ai remonté l'extrémité de mes lèvres pour imiter un sourire. Il n'a rien dit mais il n'était pas convaincu. J'ai posé mon sac par terre et je les ai suivis. Ils semblaient plutôt détendus, mais ils ne venaient pas de se faire agresser dans les toilettes. J'étais sur le point d'être accueillie par un public qui me détestait à l'avance. Cette soirée ne s'annonçait pas comme la meilleure de ma vie.

Meggie

Sephy est sortie. Elle avait un concert au *Russell*. Pour être franche, je suis contente. Ces deux dernières semaines, nos relations se sont beaucoup dégradées. Sephy change Callie, elle la baigne et la nourrit, mais elle ne la serre plus dans ses bras. Les câlins appartiennent au passé. Et bien sûr Callie pleure de plus en plus souvent et de plus en plus fort. Je l'ai prise dans mes bras plus fréquemment que sa mère ces derniers temps. Sephy est sans arrêt en répétition avec ce Jaxon Robbins – en qui je n'ai pas plus confiance qu'en un mouchoir usagé – et quand elle n'est pas avec lui, elle trouve des excuses pour quitter la maison.

Elle prétend avoir besoin de s'aérer, de faire les boutiques, d'aller voir des amis. Mais au bout du compte, le résultat est qu'elle ne passe presque plus de temps avec sa fille. J'ai pris une décision. Je n'ai pas le choix. Même si je sais que Sephy me désapprouverait.

J'ai décroché le téléphone et j'ai composé le numéro.

J'avais une boule dans la gorge. Je ne savais même pas si je serais capable de parler. La sonnerie a retenti deux fois.

– Bonsoir, résidence Hadley ?

Mon cœur est devenu lourd comme du plomb avant de bondir dans ma poitrine. C'était la voix de Sarah Pike. Elle travaillait donc toujours pour Jasmine. Elle était plus habile que moi pour faire profil bas et toujours prendre le parti de sa patronne. J'avais commis l'erreur de croire que Jasmine et moi étions amies, une erreur qui m'avait coûté cher.

– Allô ? a dit Sarah.

Je me suis forcée à parler.

– Puis-je parler à Mme Hadley, s'il vous plaît ?

– Qui dois-je annoncer ?

Elle n'avait pas reconnu ma voix. Rien d'étonnant.

– Eh bien... c'est... C'est Meggie McGrégor, ai-je murmuré.

Sarah s'est étranglée à l'autre bout. Mais elle s'est immédiatement reprise et a débité :

– Oh, Meggie ! Je... bonsoir... je vais voir si Mme Hadley est disponible.

Elle a brutalement posé le combiné.

Bonsoir à toi, ai-je songé avec amertume. Elle ne m'avait pas demandé comment j'allais, même en souvenir du bon temps. Sarah était toujours la même petite souris effrayée. J'imaginais parfaitement la conversation qui se déroulait en ce moment même entre elle et Jasmine.

J'avais eu une très mauvaise idée. Mais au moins j'aurais essayé.

Peut-être devrais-je raccrocher tout de suite, avant que Sarah ne me donne une excuse pour « l'indisponibilité » de Mme Hadley.

– Allô Meggie.

La voix de Jasmine m'a fait sursauter.

– Meggie ? Vous êtes là ?

– Bonsoir madame Hadley.

– Appelez-moi Jasmine, s'il vous plaît. Comment va ma fille ? Il ne s'est rien passé de grave ?

– Non, non, elle va bien. Sephy et Callie vont bien toutes les deux. Tout le monde va bien, ai-je balbutié.

– Pourquoi m'appelez-vous alors ? a demandé Mme Hadley.

Elle n'était pas Jasmine, ne serait jamais Jasmine. Mme Hadley, c'est tout.

– Je m'inquiète pour Sephy, mais je ne peux pas vraiment en discuter au téléphone. Pourrions-nous nous voir ?

– Est-ce que Perséphone est malade ? Pourquoi ne me dites-vous rien ?

– Je vous promets que Sephy n'est pas malade.

J'ai pris une inspiration avant de poursuivre.

– Je suis inquiète de son comportement et je voudrais en parler avec vous de vive voix.

– Voulez-vous que je vienne demain ?

J'étais surprise de sa proposition. La Jasmine Hadley que je connaissais n'aurait jamais songé à mettre les pieds dans un quartier comme le mien, où presque tous les résidents sont nihils.

– Eh bien… pourrions-nous nous retrouver dans un café ?

Silence.

– Voudriez-vous venir chez moi ? a fini par proposer Mme Hadley. Nous pourrions prendre le café ici. Vous êtes la bienvenue.

– Non, non, je ne crois pas.

Trop de temps avait passé. Je ne pouvais pas retourner chez elle. Cet endroit ne ferait que raviver de mauvais souvenirs.

– Chez *Java Express*, alors, le café de la grand-rue, près de la librairie Markman.

– À dix heures ?

– Très bien. À demain, alors… et… Meggie ?

– Oui ?

– Merci d'avoir appelé.

Après avoir raccroché, je me demandais encore si j'avais bien fait. Sephy allait me détester.

Mais je n'avais pas le choix.

Je devais penser à Callie. Callie était la plus importante. Elle serait toujours la plus importante.

Sephy

Je suis montée sur scène dans un silence de mort. Tous les regards étaient fixés sur moi. J'ai été prise d'une soudaine migraine. Les nerfs. Le public était massé près de la scène et nous n'avions droit à rien, pas d'applaudissements, pas d'encouragement, pas de signe de bienvenue. Rien.

Jaxon est venu vers moi.

– On peut le faire, m'a-t-il murmuré, loin du micro. Mets-leur-en plein la vue, comme tu l'as fait au *Dew Drop* la semaine dernière. On commence par « Spontaneous ».

Jaxon est retourné derrière son micro. J'avais l'impression d'être seule face à la foule. En ligne de mire. Jaxon était à un mètre de moi sur ma gauche, Sonny à un mètre de moi sur ma droite et Rhino à un mètre derrière moi. Ils auraient aussi bien pu se trouver à des milliers de kilomètres. Je me sentais comme un morceau de viande qu'on vient de jeter dans la cage aux lions.

Jaxon, Rhino et Sonny ont commencé à jouer. Le clavier produisait une musique très douce. Les baguettes de Rhino caressaient les caisses. Les cordes de Jaxon auraient pu briser le cœur des plus endurcis, mais mon esprit était totalement vide. C'était bientôt à mon tour et j'étais incapable de me souvenir de la moindre parole. Je transpirais comme dans un sauna. J'ai ouvert la bouche, espérant que les mots viendraient d'eux-mêmes… mais rien.

– Houououou !

Les huées ont été immédiates. Amy avait été la première à crier. Elle se tenait devant la scène, avec un sourire malicieux. La musique continuait. Dans le public, on me regardait, on chuchotait, on se moquait de moi.

Et je suis de nouveau devenue la petite fille à l'enterrement de la sœur de Callum. Celle a qui l'on demande de partir.

J'étais la petite fille à la cantine du collège, que l'on traînait loin de la table de Callum.

J'étais cette petite fille battue dans les toilettes, pour avoir osé parler à Callum.

Le plus effrayant était que je n'avais pas changé. À l'intérieur, j'étais toujours cette petite fille.

– Qu'est-ce que tu fabriques ? a sifflé Jaxon entre ses dents. Chante ou on ne sortira pas d'ici vivants !

Il a adressé un signe de tête aux autres et ils ont repris l'intro au début.

Mais je les entendais à peine sous les sifflets et les clameurs du public.

– Retourne d'où tu viens !

– Tire-toi de là !

– On ne veut pas de Primates ici !

– Pute primate ! Casse-toi !

Et une fois de plus, j'ai raté le moment où je devais attaquer. Quelqu'un a jeté un petit objet dur qui m'a atteint le front. Une pièce. J'ai chancelé en portant la main à ma tempe. Je saignais. Quelques personnes ont commencé à rire. J'avais du sang sur les doigts. Rouge. Si rouge. La musique s'est de nouveau arrêtée. Jaxon m'a tirée loin du micro.

– On se casse !

Il enlevait déjà sa guitare.

Je ne l'ai pas regardé. À l'autre bout de la salle, Alice venait vers nous, en se frayant un chemin à travers la foule.

– Tu vois, a crié Amy, personne ne veut de toi ! Rentre chez toi, pute primate !

Du sang coulait sur ma joue. Je l'ai essuyé de la main. Puis du bout des doigts, je l'ai étalé sur mes pommettes.

Je ne sais pas pourquoi. Mais ça m'a semblé indispensable. J'ai levé la main pour montrer au public le sang qui tachait ma paume. Ils voulaient du sang, mon sang ? J'allais leur en donner. La rumeur s'est adoucie puis s'est tue. Je regardais chaque personne droit dans les yeux. Je me suis de nouveau approchée du micro.

– Vous avez gagné, je vais descendre de scène, ai-je déclaré, mais après ceci.

Je me suis tournée vers Jaxon.

– Je veux « Voyou ».

Jaxon est venu vers moi sans quitter la foule des yeux.

– T'es folle, m'a-t-il chuchoté. Tu ne peux pas chanter ça. Ils vont croire que tu parles d'eux !

– Ça a marché au *Dew Drop Inn* ! Ce qui est bon pour là-bas est bon pour ici !

– Ça ne fonctionne pas comme ça, a protesté Jaxon.

– « Voyou » ou je m'en vais ! ai-je menacé.

Jaxon m'a fusillée du regard.

– J'espère que tu sais ce que tu fais.

Il a secoué la tête avant d'aller prévenir Sonny et Rhino que nous démarrions sur « Voyou ».

Deux secondes plus tard, ils commençaient à jouer. Je me suis campée devant le micro. Cette fois, je ne me laisserai pas déconcentrer.

Tes yeux reflètent ta méchanceté
Tu portes ta haine en bandoulière
Tu te balades droit et fier
Ta soif n'est jamais apaisée

Tu te prends pour un voyou

Sur ton épaule droite est écrit
Pourquoi moi ?
Sur ton épaule gauche est inscrit
Pourquoi pas moi ?
Tu ne veux pas discuter
Tu préfères te bagarrer

Tu te prends pour un voyou

Tu es toujours prêt à trahir
Toujours prêt à mentir
Tu veux vivre vite
Ne jamais donner
Encore moins partager
Tu crois que c'est ça la réussite

Tu te prends pour un voyou

Tu me dis que je ne sais pas vivre
Que toi tu sais ce qui est bon
Ne jamais s'endormir si l'on n'est pas ivre
Ne traîner que dans les bas-fonds

Tu te prends pour un voyou

Et ton cœur est fermé
Et ton âme est glacée
Tu seras toujours celui qui écrase
Celui qui prend, qui tue, qui embrase

Tu te prends pour un voyou

Tu es toujours prêt à trahir
Toujours prêt à mentir
Tu veux vivre vite
Ne jamais donner
Encore moins partager
Tu crois que c'est ça la réussite

Tu es toujours prêt à voler
Sans t'embarrasser du passé
Sans jamais réfléchir
Toujours prêt à mourir

Tu te prends pour un voyou

Tu n'as nulle part où aller
Personne pour t'accueillir
Rien ne peut te blesser
Mais toujours tu dois fuir

Tu es un voyou
Tu es un voyou
C'est triste mais
Tu es un voyou

Ils ont commencé à siffler et à huer à partir du second couplet. Quand la chanson a été terminée, je n'entendais plus la musique. Ce n'était pas moi qui l'avais écrite, cette chanson ! J'ai souri intérieurement, mais avec une grande tristesse.

Je les avais délibérément provoqués, je récoltais ce que j'avais semé : une salle haineuse, prête à me dépecer.

Et je les haïssais tout autant.

Mais soudain, malgré moi, j'ai songé à Rose. À Rose, quand elle s'endort en souriant. Et ma colère est tombée. Un objet m'a atteint l'épaule. Puis d'autres ont suivi. Je n'ai pas bougé. Les cris étaient de plus en plus fort. Amy avait raison. Personne ne voulait de moi ici. Personne n'avait besoin de moi. Sauf Rose. Meggie ne voulait sans doute pas de moi non plus. Elle ne m'acceptait que pour avoir sa petite-fille près d'elle.

Ma fille Rose était la seule personne importante de ma vie. Elle était tout ce qui comptait. À cet instant précis, j'aurais vendu mon âme pour être de retour chez Meggie. J'aurais vendu mon âme pour serrer ma fille contre moi.

Callum était le passé. Rose, le présent et le futur. Je ne devais pas laisser Callum s'interposer entre ma fille et moi. J'avais le choix entre m'enterrer dans le passé avec lui ou me projeter avec ma fille dans l'avenir. Mais c'était si difficile. Et je ne savais pas comment m'y prendre. J'étais perdue et fatiguée.

– J'ai encore une chanson pour vous, ai-je lancé. « L'enfant arc-en-ciel » ! Je la dédie à ma fille Rose.

Je n'ai même pas attendu que les autres commencent à jouer, j'ai fermé les yeux et j'ai chanté. À un moment, Jaxon, Sonny et Rhino se sont mis à leurs instruments, mais je les entendais à peine. Je n'étais plus au *Russell*. J'étais avec mon bébé, ma petite fille, je la serrais contre mon cœur et nous tournions, tournions. Non, c'était le monde qui tournait autour de nous.

Quand la chanson s'est finie, j'étais toujours avec elle. Je la serrais si fort qu'elle pouvait à peine respirer. Je la serrais si fort. J'avais peur d'être à nouveau seule. Sans elle. Je n'étais rien sans elle. Ma vie n'était rien sans elle. Autour de moi, un silence étrange régnait. Un silence inquiétant. Mais mon cœur battait calmement et ma migraine ne me faisait plus souffrir. Loin, très loin, quelqu'un a poussé un cri. Peut-être Amy. Peut-être pas. Ça n'a pas duré longtemps et ensuite, il y a eu des applaudissements. Mais toujours loin, très loin. Jaxon s'est approché et m'a passé la main dans le dos. Il me parlait, mais je n'entendais pas les mots qu'il prononçait. J'ai ouvert les yeux. Sa bouche s'ouvrait et se fermait, mais aucun son ne parvenait à mes oreilles. Il avait l'air plutôt content.

Et j'ai arrêté d'essayer de le comprendre.

Prends de la distance, Sephy.

J'étais hors de moi-même. J'assistais à la scène comme si je n'y participais pas. Je voulais rentrer chez moi. J'avais tellement, tellement envie de prendre ma fille dans mes bras, de sentir son odeur, de la toucher, de l'embrasser. J'avais tellement, tellement besoin de la serrer contre moi. De la garder pour toujours contre moi. J'ai regardé Amy, qui me fusillait des yeux. Dans le public, presque tout le monde applaudissait. Pourquoi applaudissaient-ils encore ? Je me suis tournée vers Jaxon… et mes jambes sont devenues comme du coton. Et toutes les lumières se sont éteintes.

Meggie

La sonnette de la porte d'entrée a retenti. Je m'y étais préparée mais pas assez pour empêcher mes entrailles de se crisper. Callie dormait dans mes bras. Je suis descendue ouvrir avec elle.

– Bonjour, madame Hadley.

– Bonjour, Meggie. Bonjour, Callie, ma jolie.

Mme Hadley a caressé la joue de Callie et l'a embrassée. Et je n'arrivais pas à m'empêcher de la fixer. Voir Mme Hadley en personne était très différent d'entendre sa voix au téléphone. Elle était impeccablement habillée comme toujours, mais même son maquillage coûteux ne parvenait pas à masquer sa tristesse. Une tristesse qui durait depuis longtemps. Les cernes sous ses yeux étaient plus sombres, les rides autour de sa bouche plus profondes ; ses cheveux étaient soigneusement tirés en arrière mais les mèches argentées étaient trop évidentes. Elle portait un tailleur pantalon lie-de-vin, des chaussures coordonnées et une étole dorée.

– Puis-je entrer ?

– Bien sûr.

Je me suis effacée pour la laisser passer. Mme Hadley avait un pas hésitant. J'ai fermé la porte. Quand je me suis retournée vers elle, elle me regardait.

– C'est bon de vous revoir, Meggie. Vous ne vous imaginez pas combien de fois j'ai eu envie de passer, ces dernières années.

Je ne savais pas quoi répondre. Et à ce moment, de la manière la plus surprenante, Mme Hadley m'a prise dans ses bras. J'étais stupéfaite et je ne pouvais pas lâcher Callie.

Mme Hadley s'est vite reculée. Pourquoi avait-elle fait ça ? J'ai détourné le regard, gênée, les joues en feu.

– Comment va ma fille ? a demandé Mme Hadley.

– Bien. Elle n'a pas été blessée. Elle s'est évanouie sous le coup de l'émotion. Jaxon l'a immédiatement ramenée à la maison et elle est restée couchée depuis. C'est pour ça que je vous ai demandé de venir. Je ne voulais pas la laisser seule.

– Elle en fait trop, a soupiré Mme Hadley. Elle oublie qu'elle vient juste d'avoir un bébé !

– C'est ce que j'essaie de lui dire, mais elle refuse de m'écouter, ai-je dit. Sephy n'en fait qu'à sa tête en ce moment.

– Puis-je la voir ?

– Elle est dans sa chambre. Elle dort. J'ai pensé que nous pourrions peut-être discuter avant.

Mme Hadley a acquiescé.

– Que se passe-t-il ?

– Suivez-moi.

Je l'ai précédée dans le salon. Alors qu'elle observait la pièce, j'ai levé le menton et l'ai défiée du regard. Le tapis marron était une vieillerie et les meubles étaient d'occasion. Mais c'était chez moi et je ne lui permettrais aucun commentaire. Elle s'est assise sur le canapé sans cesser son inspection.

– C'est une jolie pièce, a-t-elle souri. Confortable et accueillante.

J'ai hoché la tête. Une fois de plus, je ne savais pas quoi répondre. J'ai décidé de poursuivre les politesses :

– Voulez-vous un thé ou un café, madame Hadley ?

– Ne voulez-vous pas m'appeler Jasmine ?

– Ce ne serait pas très… approprié, ai-je répliqué.

– Très bien, madame McGrégor. Nous n'utiliserons donc pas nos prénoms.

Je n'aimais pas qu'elle m'appelle Mme McGrégor. Même Renée à la Poste m'appelait Meggie et on se connaissait à peine.

J'ai souri.

– Voulez-vous un thé ou un café, Jasmine ?

Elle m'a retourné mon sourire.

– Non merci Meggie, mais je serais ravie de prendre ma petite-fille dans mes bras.

Je lui ai tendu Callie. Mme Hadley l'a embrassée et lui a chatouillé le ventre. Pour moi, elle serait toujours Mme Hadley. Elle a soudain relevé la tête comme si elle avait senti que je pensais à elle.

– Dites-moi ce qui se passe avec Sephy, a-t-elle demandé.

Je lui ai donc raconté. Sans omettre la lettre que Callum était censé avoir écrite. Elle ne m'a pas interrompue une seule fois.

Quand j'ai eu terminé, elle a serré les lèvres. Elle regardait Callie sans sourire et a fini par lâcher :

– Je vois. Sephy est très sensible. Elle ressent toujours les émotions au plus profond d'elle-même. Trop profondément parfois.

Je sentais qu'elle allait poursuivre. Je suis donc restée silencieuse. Après un long silence, Mme Hadley a repris en me regardant droit dans les yeux.

– Perséphone a été livrée à elle-même pendant son enfance. C'est ma faute. J'avais consacré ma vie à mon mari, puis à la bouteille. Quand j'ai enfin eu le courage de redresser la tête, je ne connaissais plus mes enfants. Surtout Sephy. Elle me ressemble plus qu'elle ne veut bien le croire. Elle a consacré sa vie à Callum. Il était la raison de chacun de ses actes. Alors, cette lettre…

Mme Hadley a tristement secoué la tête.

– Elle ne sait sans doute pas quel chemin emprunter à présent.

– Callum n'a pas écrit cette lettre, ai-je affirmé.

– En êtes-vous sûre ?

– Ça ressemble à son écriture, mais Callum n'aurait jamais écrit de telles horreurs. Il aimait trop Sephy.

– Qu'il l'ait écrite ou non n'est pas vraiment le problème, a dit Mme Hadley. Ce qui importe, c'est ce que pense Sephy.

– Que devons-nous faire ?

– Le pire serait de la forcer à quoi que ce soit. Vous pouvez me croire, avec Sephy, ça n'a jamais marché. Elle fera exactement le contraire de ce que vous lui direz.

– Mais nous devons agir. Callie mérite que l'on s'occupe d'elle. Que Sephy, sa mère, s'occupe d'elle.

– Et vous pensez qu'en ce moment, ce n'est pas le cas ?

– Non, ai-je reconnu. En ce moment, ce n'est pas le cas.

Mme Hadley a fait une moue.

– Sephy n'est elle-même qu'une enfant. Et elle a traversé tant d'épreuves. Il est normal qu'elle ne parvienne pas à s'occuper seule de sa fille.

– Je suis d'accord mais je m'inquiète de la manière dont elle traite Callie, ai-je avoué.

– Pourquoi ? a demandé Mme Hadley, sur la brèche. Que fait-elle ?

– Oui, de quoi parlez-vous, Meggie ?

La voix froide de Sephy m'a glacée jusqu'aux os.

Consternée, je me suis tournée vers elle. Sephy nous regardait, sa mère et moi, avec mépris.

– Sephy, je ne voulais pas dire que…

– Comment osez-vous être assises là, face à face, occupées à me critiquer et à me condamner ?

Sephy était furieuse.

– Vous n'avez ni l'une ni l'autre la moindre idée de ce que je traverse depuis un an. Meggie, vous ne cessez de répéter que Callum n'est pas l'auteur de cette lettre, eh bien j'ai de bonnes nouvelles pour vous. C'est son écriture. Je la connais mieux que la mienne. Et le pire est que vous le savez. Vous essayez de me faire passer pour une menteuse ou une idiote, mais vous vous bercez d'illusions ! Et toi Maman, tu es là, avec Callie dans les bras, répétant à qui veut l'entendre que tu es prête à tout pour elle. Mais tu t'es plantée avec Minerva et moi, et Rose n'est pas ta deuxième chance.

– Sephy, nous ne…

– Sephy, tu es injuste…

Mme Hadley et moi essayions de protester, mais Sephy ne voulait rien entendre. Elle était en rage.

– J'aimerais que vous disparaissiez de ma vie et que vous me laissiez tranquille, continuait-elle d'une voix de plus en plus aiguë. Quoi que je fasse, je le fais mal, alors maintenant, allez tous vous faire voir. Je ne ferai plus les choses que pour moi-même. Et vous pouvez aller au diable !

Sephy est sortie du salon et a claqué la porte avec une telle force qu'elle a rebondi contre le cadre et s'est rouverte. Mme Hadley et moi nous sommes regardées, avec sans doute la même expression désolée sur le visage. Quelques secondes plus tard, la porte d'entrée claquait elle aussi violemment. L'atmosphère de la pièce était plus froide, plus triste et plus menaçante que jamais.

Comme si quelque chose avait irrémédiablement empiré.

Sephy

Je chante avec les Midges depuis un mois. Nous avons eu quatre engagements pour le moment. Ce qui semble être bien. Nous avons joué dans deux boîtes primas, une boîte nihil et pour un anniversaire. Nous n'entrons jamais par l'entrée principale – le *Russell* a été la seule exception –, les directeurs insistent pour que tous les artistes empruntent la porte de service. Je m'en fiche. Je participe aux répétitions, chante au concert et attends le prochain. Nous n'avons jamais reparlé de ce qui s'est passé au *Russell*. Ça me va. Je fais de mon mieux pour oublier cet endroit. Mais je n'ai jamais été assez forte pour oublier. Dommage. Notre dernier engagement était pour un anniversaire d'enfants chez des Primas. Un cauchemar !

J'avais – comme disait Meggie autrefois – les mains qui me démangeaient de gifler ces sales gosses mal élevés. Je devais me mordre la langue et sourire, alors que je n'avais qu'une envie : les remettre à leur place.

Et la fête d'anniversaire a été sans conteste le pire moment de l'après-midi. C'était pour les dix ans d'une petite fille. Je crois qu'elle s'appelait Romaine. Mais elle était si désagréable que je préfère ne pas me rappeler son prénom. Le temps était très doux et ensoleillé et les parents nous avaient demandé de jouer dans le jardin. Un jardin de la taille d'un terrain de football. Nous nous sommes installés près de la maison, de façon à pouvoir brancher les instruments et le micro. Tout avait été prévu. Même une scène surélevée. Ça aurait été parfait sans Romaine. Pendant tout le temps où j'ai chanté, elle se tenait devant moi et hurlait :

– Je voulais les Scarlett pour mon anniversaire ! Pas eux ! Personne n'a jamais entendu parler des Midges. Je veux les Scarlett !

Mais bien sûr, comme si un groupe aussi connu que les Scarlett allait se déplacer pour l'anniversaire d'une gamine !

– Ma chérie, Papa et Maman t'ont expliqué que les Scarlett n'étaient pas disponibles, tentait d'expliquer la maman. Les Midges sont très bons.

– Non ! Ils sont nazes ! hurlait Romaine en me jetant des regards mauvais. Je voulais un chanteur, pas une chanteuse. Ils sont trop nazes !

J'aurais aimé avoir une indigestion et vomir sur cette charmante enfant. La maman m'a adressé un sourire d'excuse mais je n'étais pas d'humeur à le lui rendre. Alors j'ai continué à chanter et les garçons à jouer, même si aucun des gamins ne faisait attention à nous. Ils couraient dans tous les sens, sur la magnifique pelouse, tout à leurs jeux et nous ignoraient complètement. Entre deux chansons, je suis allée voir Jaxon.

– C'est ton idée, cet engagement ? Génial ! Les gosses en ont marre de notre musique et je ne peux pas leur en vouloir.

– Ce n'est pas moi qui ai choisi les chansons, a rétorqué Jaxon. C'est la mère de Romaine.

– Mais ce qu'on chante plairait à ma mère ! ai-je protesté.

– Vois ça avec Mme Debela, pas avec moi, a reparti Jaxon. Et puis, non, d'ailleurs, ne le fais pas. J'essaie de me mettre le mari dans la poche.

– Pourquoi ?

– C'est un gros producteur de disques, m'a informée Sonny. Pourquoi tu crois que Jaxon a accepté ce boulot ? En temps normal, il ne s'abaisserait pas à jouer ce genre de musique. Ça offenserait sa dignité.

Après avoir vérifié que personne ne le regardait, Jaxon a levé son majeur en direction de Sonny.

– Si tu veux impressionner quelqu'un, ai-je insisté, essayons une chanson des Scarlett. Pourquoi pas « Cher journal », c'est le titre qui marche le mieux en ce moment.

– Il n'est pas sur la liste de Mme Debela.

– Qu'elle aille se faire voir avec sa fichue liste. Si ça continue comme ça, je vais étrangler un des gosses !

– Elle ne va pas aimer ça, a soupiré Jaxon.

Mais il me connaissait assez pour savoir que quand j'avais pris une décision, je ne changeais plus d'avis. Le groupe a commencé à jouer et je suis allée vers le micro. Enfin une chanson correcte ! J'ai entamé le premier couplet et Jaxon est venu près de moi et nous avons chanté en duo. Quand nous sommes arrivés au refrain, les nains dansaient tous devant la scène. À la fin de la chanson, Mme Debela est montée sur scène pour nous demander, poliment, mais fermement, de ne plus chanter de chansons « inappropriées ».

– En quoi cette chanson vous a-t-elle semblé inappropriée, madame Debela ? ai-je demandé.

Elle s'est penchée vers mon oreille pour murmurer :

– Je ne veux pas que Romaine soit exposée à de la musique nihil. Les refrains sont toujours un peu vulgaires.

J'ai haussé les sourcils.

– Pardon ?

– Les Nihils parlent toujours de s-e-x-e, si vous voyez ce que je veux dire, a-t-elle continué à voix très basse.

Je ne comprenais pas de quoi elle parlait. « Cher journal » parlait d'amour, pas de sexe. Et puis même si ça avait été le cas, quel était le problème ?

– Romaine est beaucoup trop jeune pour être exposée à ce genre de propos, a reniflé Mme Debela. Je préférerai que vous vous en teniez à la liste que je vous ai confiée.

Jaxon et moi avons échangé un coup d'œil, mais nous n'avions pas le choix. Nous devions lui obéir si nous voulions être payés. Et nous avions besoin d'argent. Nous nous sommes lancés dans la chanson suivante et trois secondes plus tard, tous les enfants étaient repartis jouer plus loin.

Au moment où Jaxon a annoncé que nous prenions une pause de quelques minutes, il n'y avait plus personne pour applaudir ou huer. Je suis allée dans la maison. Je cherchais les toilettes. Un des gamins était en train de vomir dans celles du rez-de-chaussée, je suis donc montée. Il était évident que cette maison avait au moins trois ou quatre WC. D'ailleurs, la première porte que j'ai poussée en haut de l'escalier donnait sur une salle de bains. Les carreaux au mur, sur un mètre environ, étaient en faux marbre. Les murs au-dessus étaient dorés. Il y avait un immense Jacuzzi blanc et une douche assez grande pour cinq personnes. Le lavabo était blanc avec des robinets dorés. C'était un peu ostentatoire à mon goût, mais ça avait l'avantage de montrer que les Debela roulaient sur l'or. À vrai dire, je n'avais jamais entendu parler de M. Debela, mais j'étais toute nouvelle dans la musique. J'ai fermé la porte à clé et je me suis adossée au mur. Enfin, un peu de paix. Avec deux biscuits au chocolat et un soda, j'aurais pu rester là toute la journée. Mais ce n'était qu'un rêve. Du moins, j'allais prendre mon temps.

Dix minutes plus tard, en me lavant les mains, je me demandais ce que je fichais là. Il y avait des moyens plus faciles pour gagner de l'argent. Quand je suis sortie, je me suis cognée à M. Debela.

– Je suis désolée, ai-je marmonné. Je ne savais pas qu'il y avait la queue.

– Pas de problème, a souri M. Debela.

Il a fait un pas sur le côté pour m'empêcher de passer.

– Vous n'avez pas besoin de me fuir, a-t-il susurré.

Oh oh, ma sonnette d'alarme résonnait très fort.

– Vous avez une voix magnifique. Je vous ai regardée tout l'après-midi, a-t-il continué en passant sa main moite sur mon bras.

J'ai retiré le bras en fronçant les sourcils.

– Excusez-moi.

– Je suis producteur de disques et je pense que nous pourrions travailler ensemble. Je peux vous aider bien plus que vous ne le croyez.

– Merci, ai-je lâché froidement. Mais c'est Jaxon qui s'occupe des contrats.

– Mon offre ne concernait pas tout le groupe. Des musiciens, on en trouve treize à la douzaine. Alors qu'une voix comme la vôtre !

Je suis restée silencieuse. M. Debela a ajouté sur un ton mielleux :

– Je pourrais faire de vous une star.

Possible, mais manifestement, il avait l'intention d'obtenir une avance en nature avant de commencer toute négociation !

– Je vous remercie, mais je ne suis pas intéressée.

Une fois de plus, j'ai essayé de passer.

– Ne rejetez pas mon offre aussi vite. Prenez ma carte.

Il a glissé sa carte dans la poche de mon pantalon – en prenant tout son temps.

– Pensez-y, parlez-en autour de vous. Je suis très connu dans le milieu.

– Connu pour quoi ? ai-je demandé.

Mais mon sarcasme lui est complètement passé au-dessus.

– Je suis un des meilleurs producteurs sur le marché. Et la chance ne frappe pas tous les jours à la porte, Perséphone.

– Je ne connais pas de Perséphone, ai-je rétorqué. Je m'appelle Neir.

Il a émis un rire aussi onctueux que sa voix.

– Neir ! C'est une idée à vous ? Cette habitude de traîner avec des Nihils vous donne de drôles de goûts. Neir à l'envers, ça donne rien, c'est ça ? C'est ce que vous avez le sentiment d'être en chantant avec des Nihils ? Je peux vous arranger ça, très facilement, vous savez.

– Neir est seulement un pseudonyme. Il n'a pas de signification particulière… ai-je tenté de nier.

– Vous n'êtes pas rien, a poursuivi M. Debela, d'une voix de plus en plus mielleuse. Vous êtes très belle.

À ce moment, il a penché la tête pour m'embrasser. Je me suis reculée et je l'ai violemment giflé. Il s'est aussitôt redressé. Il avait soudain oublié sa bonne éducation.

– Qu'est-ce qui t'arrive ? Tu couches qu'avec des Néants, c'est ça ?

– Si vous essayez de me toucher encore une fois, ai-je sifflé, vous deviendrez soprano en moins de temps qu'il ne faut pour le dire. Et maintenant, dégagez de mon chemin.

Il m'a toisée et je lui ai renvoyé son regard méprisant.

Il a fini par hausser les épaules.

– Alors t'es vraiment une pute à Néants ! Tout le monde sait que tu couches avec ton guitariste. Tu n'es pas trop regardante apparemment. Mais je réitère néanmoins mon offre. Je peux vraiment faire de toi une star, Perséphone.

– Excusez-moi, ai-je lancé sèchement.

Il s'est écarté. Furieuse, j'avais déjà descendu la moitié des marches quand j'ai aperçu Sonny en bas, dans l'entrée. Il avait sans doute entendu toute ma conversation avec monsieur Gros Porc.

Je l'ai rejoint et, sans un mot, il m'a accompagnée dans le jardin.

– Tu me cherchais ? ai-je fini par lui demander.

– Non, je cherchais les toilettes comme toi. Juste au moment où Debela te faisait son petit numéro.

– Pauvre con, ai-je lâché.

– Il ne te racontait pas de bobards, a repris Sonny avec son calme habituel. Il est vraiment très connu dans le milieu de la musique, et quand il te promet de faire de toi une star, il en a vraiment le pouvoir.

– Je ne suis pas intéressée. Et même si c'était le cas, je n'ai aucune envie de devenir célèbre en écartant les jambes. C'est tout ce que ce crapaud pustuleux voulait de moi.

– Certaines personnes penseraient que ça vaut le coup.

– Je ne suis pas certaines personnes.

– Tu ne veux pas devenir riche et célèbre ?

– Ma mère était riche et mon père célèbre, ai-je répliqué. Ça ne les a pas rendus plus heureux.

– Alors que cherches-tu, Sephy ? Tu chantes avec nous depuis quelque temps, maintenant, et je n'ai toujours pas compris.

– Dommage, ai-je souri. J'espérais que tu pourrais me le dire.

Sonny a secoué la tête.

– Je suis sérieux.

Moi aussi, j'étais sérieuse. J'ai réfléchi.

– Ce que je cherche ? Sans doute, plus que tout autre chose, la paix de l'esprit. Rien de plus, rien de moins.

– Et comment comptes-tu l'obtenir ?

– Quand je le saurai, je te préviendrai.

Alors que nous nous rapprochions des autres, Sonny a ajouté :

– Comment va ta fille ? Rose, c'est ça ?

Je ne m'attendais pas à cette question. Je suis devenue rouge comme une tomate.

– Elle va bien.

– Tu ne parles pas beaucoup d'elle.

– Tu veux que je t'informe à chaque fois que je change sa couche ?

– Non merci, a tout de suite répondu Sonny. Mais tu es loin de faire partie de ces parents imbuvables qui sortent une, voire dix photos de leurs bambins dès qu'ils en ont l'occasion.

– Je peux apporter des photos si tu y tiens vraiment !

– Ne sois pas toujours sur la défensive, a soupiré Sonny.

– D'accord, ai-je soupiré à mon tour.

– Tout va bien chez toi ? a continué Sonny.

– Pourquoi tu me demandes ça ?

– Tu n'en parles pas beaucoup non plus.

– Je ne veux pas vous ennuyer avec ça. Et puis, pourquoi ce soudain intérêt pour ma vie privée ?

– Simple curiosité, a dit Sonny. Tu as un petit ami ?

– Tu rigoles, ai-je ricané. Je viens juste d'avoir un bébé !

– À chaque concert, il y a toujours des tas de types qui te draguent.

– Ça ne m'intéresse pas.

– La vie doit continuer, Sephy. Tu dois laisser le passé derrière toi et avancer.

– Tu crois que je ne le fais pas ?

– Je crois que tu ne le veux pas.

J'ai froncé le nez.

– Ce qui veut dire ?

– Ça veut dire…

Sonny s'est interrompu.

– Ça veut dire qu'il est temps que je m'occupe de mes affaires, a-t-il conclu.

– Sonny, je te promets que j'essaie de vivre au mieux, mais il est trop tôt pour que je pense à avoir une relation, quelle qu'elle soit. Et puis, maintenant, il faudra me prendre avec ma fille. Peu de mecs sont intéressés par ce genre de lot.

– Je connais quelqu'un qui le serait…

– Ah oui ? ai-je ricané. Et qui ça ?

Sonny m'a jeté un regard entendu et a souri devant mon air ébahi, quand j'ai enfin compris le message qu'il essayait de me faire passer.

– Tu es sérieux ?

Je n'arrivais pas à y croire.

Les yeux de Sonny étaient plus que sérieux. Ils reflétaient aussi un sentiment que je n'avais pas vu depuis longtemps.

– Tu pourrais tomber plus mal, a-t-il dit d'une voix douce.

– Et tu pourrais tomber beaucoup mieux, ai-je rétorqué. Sonny, je…

– Arrête ! Tu n'as pas besoin de répondre. Si ça ne t'intéresse pas…

– Ce n'est pas ça, ai-je protesté tristement. C'est juste que je ne suis pas prête. Pas tout de suite.

– Pourquoi ?

Comment répondre à cette question ? Je le savais, c'est tout. Ça n'apporterait que souffrance et douleur. J'essayais d'élever un enfant que j'avais eu avec un homme qui me détestait. Quelque chose en moi était cassé. Je ne savais pas comment le réparer. Mes émotions étaient enfouies au plus profond de moi et je ne parvenais pas à les exprimer. Je n'avais pas versé une larme depuis la lettre. Plus rien ne m'atteignait. Même ma fille me semblait loin de moi.

Toutes ces phrases étaient des réponses. Laquelle voulait-il ?

– Je ne suis pas prête, c'est tout, ai-je répété.

– Alors, quand tu le seras, souviens-toi que je suis là.

Nous nous sommes regardés quelques instants en silence.

– Eh vous deux, vous venez ou quoi ? nous a appelés Jaxon.

– Et au fait, tu avais bien écrit une chanson ? m'a demandé Sonny en montant sur la scène à ma suite. Tu en es où ?

J'étais déconcertée par ce brusque changement de sujet, mais j'ai compris que Sonny essayait de garder notre conversation privée. Ce que nous avions échangé ne regardait personne d'autre.

J'ai rejoint Jaxon et Rhino en me mordant la lèvre inférieure. J'aimais beaucoup Sonny, mais je n'avais aucune envie de sortir avec lui. Mais si son regard était sincère, il tenait beaucoup à moi. L'amour montrait à nouveau son affreux visage. Je pouvais seulement espérer que si je ne l'encourageais pas, Sonny passerait vite à autre chose. Une histoire d'amour, avec qui que ce soit – Nihil ou Prima –, signifiait ouvrir une porte que je tenais à laisser fermée.

Meggie

– Et celle-là, Meggie, qu'en pensez-vous ?

J'ai réprimé un sourire. Une paix fragile s'était établie entre nous et je ne voulais prendre aucun risque. Sephy me parlait à nouveau. Nous discutions à nouveau. C'était peu mais il fallait bien commencer quelque part.

Au-dessus du grand bleu
Je danse sur mes rêves
Des rêves enfin heureux
Dans mon esprit le soleil se lève

Et je vois la lumière
Car cette longue nuit s'achève
Perdue dans l'aube claire
Voilà enfin la trêve...

– Euh... qu'est-ce que ça veut dire ? l'ai-je interrompue, incapable d'entendre plus de bêtises.

Sephy a été stupéfaite par ma question. Elle a regardé sa feuille. Silence. Cette fois, j'ai dû me mordre la lèvre pour ne pas éclater de rire. Comment aurais-je dû lui dire ? Quels mots utiliser pour ne pas la blesser ? Sephy travaillait beaucoup sur ses chansons.

– Ça... ça parle de rêves...

– Eh bien, si tu ne me l'avais pas dit, je ne l'aurais pas deviné.

– De quoi croyiez-vous qu'il s'agissait alors ?

– Je ne savais pas trop. Mais à mon avis, une chanson sert à communiquer et à partager ses émotions et ses sentiments, je me trompe ?

– Non. Et alors ?

– Que penses-tu que ton poème ou ta chanson me raconte ?

Sephy a soupiré et a baissé la tête vers son papier.

– Il vous raconte que je suis prétentieuse ! a-t-elle lancé avant de le froisser dans son poing.

– Ce n'était pas si mauvais, Sephy, ai-je essayé de la rassurer.

– Si. Et même pire que ça. Je vais recommencer.

Sephy a repris son stylo et son carnet et s'est mise à écrire. J'ai esquissé un sourire. Elle était repartie. Elle n'abandonnait jamais. Mon sourire s'est estompé. Sephy n'avait jamais rien abandonné de toute sa vie, sauf mon fils. Il ne se passait pas une journée sans que je pense à cette lettre qu'il était supposé avoir écrite. Mais jusqu'à la tombe, je continuerai de penser que Callum aimait Sephy plus que lui-même. Si seulement je pouvais la convaincre de ça.

Elle a levé les yeux et a remarqué mon sourire. Elle m'a souri en retour. Elle semblait timide tout à coup.

– Qu'est-ce qu'il y a ? lui ai-je demandé.

– Eh bien, j'ai écrit d'autres poèmes, a commencé Sephy avec hésitation. Des poèmes… sur moi et… Callum.

J'avais l'impression de donner la becquée à un moineau tombé du nid. Un mot déplacé et Sephy se refermerait sur elle-même. J'ai préféré ne rien dire.

– Je ne les ai montrés à personne. Pas même à Jaxon, a continué Sephy.

– Et tu as envie de les montrer ?

– Oui et non. Je suis un peu… angoissée à l'idée de les faire lire.

– Eh bien, Sephy, tu dois prendre une décision. Montre-les et fiche-toi comme d'une guigne du reste du monde, ou garde-les pour toi, sachant que du coup, tu ne sauras jamais s'ils émeuvent quelqu'un.

– Ce n'est pas si simple…

– Bien sûr que si. C'est extrêmement simple. Tu fais un choix, tu t'y tiens et c'est tout ! Soit c'est du caca, soit tu gardes le pot !

Sephy s'est mise à rire. Je me suis jointe à elle.

– Vous avez toujours de ces expressions, Meggie ! Vous arrivez toujours à me faire rire !

– *Comment rendre un Néant fou ? Présentez-lui trois pelles et demandez-lui de prendre la pioche !*

Le public du studio s'est esclaffé à cette bonne blague. Je me suis tournée vers la télévision. Sephy aussi. L'humoriste – le soi-disant humoriste – Willy Wonty – quel nom ridicule ! – se gargarisait des rires de son auditoire. Ce crétin de Néant était trop idiot pour se rendre compte que les gens ne riaient pas avec lui, mais de lui. J'ai secoué la tête. Il souriait à la caméra comme un imbécile heureux.

– *Vous savez quoi, un bon ami à moi est venu me voir hier, il avait le moral à zéro. « Que t'arrive-t-il ? », je lui ai demandé. « Ma famille est un désastre, il a répondu, mon épouse m'a quitté pour une femme, mon père est complètement gâteux, mon plus jeune fils est en prison, ma fille vient d'avoir un bébé métis, et mon aîné vient de se faire élire au Parlement. Comment vais-je survivre à cette honte ? » Je lui ai répondu : « Dis à tout le monde que ton fils aîné est un cambrioleur ! »*

– Pourquoi regardez-vous cette émission ? a râlé Sephy. Je n'apprécie pas que ma fille soit mise dans le même sac que des gens en prison ou séniles. Pas plus que d'imaginer qu'elle voudra devenir membre du Parlement. Qu'est-ce qui est censé être drôle ?

– Ce n'est pas moi qui ai écrit cette blague, Sephy, ai-je rétorqué. Je suis de ton avis, ce type est détestable.

– On dirait pas ! a marmonné Sephy.

– C'est pourtant vrai, ai-je insisté avec fermeté. Entendre ce genre de blagues racontées par des Primas est une chose, les entendre dans la bouche d'un Nihil en est une autre. C'est comme s'il déclarait que c'est normal de se moquer des Nihils !

– On peut éteindre alors ? a soupiré Sephy. Ce minable me donne envie de vomir.

J'ai changé de chaîne. Je suis tombée sur les infos. Et j'ai eu le choc de ma vie.

– *Tôt ce matin, la police a annoncé une avancée importante dans l'enquête concernant le meurtre de Cara Imega. Un homme est à présent recherché : Jude McGrégor. Il est demandé à chacun de garder son visage à l'esprit et de ne pas hésiter à prévenir les autorités. La police souligne qu'il ne doit être approché sous aucun prétexte. Il est dangereux et sans doute armé.*

Une photo de Jude à 18 ans emplissait l'écran et me brûlait les yeux.

– Oh, mon Dieu, a murmuré Sephy.

Je ne pouvais plus prononcer un mot. Jude. Mon fils. Recherché pour meurtre. C'était impossible. Jude était un combattant pour la paix, pas un meurtrier. Il n'aurait jamais fait une chose pareille. Battre une pauvre fille à mort. Seul un fou aurait pu agir de cette façon. Jude ne l'avait pas fait.

Non. Non ?

L'avait-il fait ?

Sephy m'observait. Elle m'observe. Mon fils avait sans doute commis des actes dont je n'étais pas fière. Je sais qu'il est loin d'être un saint. Il appartient à la Milice de libération et prétend être un combattant pour la liberté. La liberté avant tout, c'est leur devise. Et en tant que membre de ce groupuscule, il a forcément été amené à accomplir de terribles actions. Mais c'était et c'est toujours pour une cause. Ce n'est pas une excuse, ça ne lui donne aucun droit, mais il se bat pour un but. Il a foi en ce but. Tuer cette fille de sang-froid… une coiffeuse ! Une personne qui employait des Nihils comme des Primas, et les payait le même salaire. Il n'aurait jamais fait ça. Ils croient qu'il l'a fait. Et maintenant, ils vont le rechercher et l'attraper et… mon Dieu… ils vont le pendre.

Je ne veux pas perdre mon dernier enfant.

Je vous en supplie, mon Dieu, faites que je ne perde pas mon dernier enfant.

MON DIEU, MON DIEU, NE LES LAISSEZ PAS ME PRENDRE MON DERNIER ENFANT !

Mon Dieu, mon Dieu, ne les laissez pas prendre mon dernier enfant…

Mon Dieu, mon Dieu, je vous en supplie…

VERT

Du neuf avec du vieux
Du vieux avec du neuf
Changement, réarrangement
Absence de passion
Nature humaine
Mère Nature
Branches et bâtons
Pointu
Nouveauté
Créativité
Révélations
Le début de la fin
La fin du début
Plier
Olive kaki citron vert sauge feuille
herbe

Des Nihils dans Pottersville

Pottersville, le feuilleton télévisé qui bat tous les records d'audience, va accueillir de nouveaux protagonistes : une famille nihil. Catherine Burdon, la productrice, a déclaré au *Daily Shouter* : « *Nous sommes très excités par cette nouvelle idée. Une famille de Nihils dans le scénario va apporter un regain de dynamisme à la série. Pottersville est déjà en tête et l'arrivée de cette famille nihil ne peut qu'augmenter notre audience.* »

Les détails concernant cette nouvelle famille sont, bien entendu, gardés secrets, mais nous pouvons dès maintenant vous révéler son nom : les Slotters, et sa composition : des grands-parents, un père, une mère et quatre enfants.

J u d e

Le froid était mordant. Nous étions pourtant encore en été. L'air glacial me gelait jusqu'aux os. J'ai remonté la fermeture Éclair de mon blouson et j'ai plongé mes poings fermés dans mes poches.

– Une seconde, Morgan, ai-je murmuré dans mon portable.

Nerveux comme un lapin tombé par erreur dans un terrier de renard, j'ai observé les alentours. J'étais en sécurité ici. Le centre-ville était pratiquement désert et les rares personnes encore dehors ne traînaient pas à cause du froid.

– C'est toi ? m'a demandé Morgan pour la dixième fois. Est-ce que c'est toi qui as tué cette fille ?

– Combien de fois devrais-je te répéter que non avant que tu me croies ?

– Je n'ai aucune confiance en toi, Jude.

– Merci beaucoup.

– Je suis sérieux. Tu me fais peur parfois et je te connais bien. Ça ne m'étonnerait pas d'apprendre que tu as tué une fille parce qu'elle te regardait de travers.

Je me suis arrêté et j'ai éloigné le téléphone de mon oreille. Si Morgan avait eu le culot de me dire ça en face, je lui aurais cassé la figure.

– Je suis ravi d'apprendre que j'ai un véritable ami sur cette Terre, ai-je rétorqué ironiquement.

Je n'avais pas oublié que Morgan m'avait piqué Regina. Je n'avais pas grand-chose à faire de la fille, mais je lui en voulais de me l'avoir prise. On ne fait pas ça à un pote. J'avais là la démonstration de la loi de Jude n° 8 : *Les amis n'existent pas. Il y a juste des connaissances, sur qui vous ne pouvez jamais compter.* Mâtinée d'un soupçon de loi n° 3 : *Surveille toujours tes arrières.*

– Je suis avec toi, Jude. Tu n'y crois peut-être pas, mais c'est vrai.

– Ah oui ? Et comment va Gina ?

Morgan a soupiré.

– Si ça t'ennuie vraiment que je sorte avec elle, tu n'as qu'à dire un mot et je la largue.

Il avait presque l'air sincère.

– Tu sais ce que tu as à faire. C'est ton problème.

Je n'allais sûrement pas lui apporter sur un plateau l'occasion de se donner bonne conscience. De la bonne conscience, je n'en avais pas à revendre.

– Compris, a reparti Morgan. Dis-moi, tu la connaissais, cette Cara Imega ?

– Possible.

– Tu sais qui l'a tuée ?

Je n'ai pas répondu.

– Peu importe, a repris Morgan. De toute façon, t'as vraiment intérêt à te planquer pendant quelques mois.

– Bon, maintenant, dis-moi un truc que je ne sais pas déjà, ai-je lancé, irrité. Et Morgan, je te le répète : je ne l'ai pas tuée.

J'ai raccroché. Je n'arrêtais pas de me répéter que je n'avais rien fait de mal. Je suis un combattant de la liberté. Nous devons parvenir à nos fins par tous les moyens nécessaires. Mais à chaque fois que j'essayais de me convaincre, les mots sonnaient creux dans mon esprit. J'ai à nouveau regardé autour de moi. Depuis que la police avait diffusé ma photo et mon nom, j'étais comme un chat sur des charbons ardents.

Je savais que ce n'était qu'une question de temps. Bientôt, ils confronteraient mes empreintes digitales à celles trouvées chez Cara.

J'avais pris trop de temps avec elle. J'aurais dû aller plus vite. Ou ne rien faire du tout. Je ne devais pas seulement jouer profil bas, je devais disparaître. Loin des projecteurs. Loin des regards. Je m'étais bouclé dans un hôtel miteux et je vivais comme une chauve-souris, ne sortant que la nuit et me cachant dans les coins sombres où personne ne pouvait distinguer mon visage.

Ça m'allait assez bien.

Cara était hier. Il me restait aujourd'hui et demain pour continuer de réfléchir, planifier, comploter. Je n'avais pas encore une seule preuve pour dénoncer Andrew Dorn. Je n'avais même pas la moindre idée de comment j'allais m'y prendre. J'ai enfourné mon téléphone dans la poche de mon blouson et je me suis frotté les mains. C'était bizarre, depuis quelques jours, quoi que je fasse, j'étais toujours frigorifié. Nous étions pourtant encore en été et, malgré la température très douce, mes pieds et mes mains étaient souvent gelés.

– Bonjour Jude…

En entendant mon nom, j'ai sursauté et je me suis retourné. Pour me rendre compte que je venais de tomber dans le plus vieux piège du monde. Ma main a cherché à atteindre mon arme, dans ma poche intérieure, mais c'était déjà trop tard. Huit flics armés jusqu'aux dents, cachés sous les voitures et dans les renfoncements des portes, ont surgi. J'étais encerclé.

– Mains en l'air ! Tout de suite !

Je suis resté immobile, me demandant combien j'avais le temps d'en descendre avant qu'ils m'explosent la tête. Mon

pistolet n'était pas facile à atteindre. Je risquais le coup ?
Oui ?

– Allonge-toi sur le sol ! Vite !

Je pouvais peut-être me faire les trois qui se tenaient face
à moi, et avec un peu de bol, celui de gauche. Mais après
réflexion, je me suis dit que je n'aurais sans doute même pas
le temps de prendre mon flingue. Je me suis agenouillé.

– Mains en l'air. Allonge-toi ! On te le répétera pas !

Lentement, j'ai remonté mes mains à la hauteur de mes
épaules. Je me suis laissé tomber en avant, me retenant sur
les paumes au dernier moment. Presque immédiatement,
quatre flics primates m'ont sauté dessus, m'ont tordu les bras
dans le dos et m'ont passé les menottes. Un autre s'est approché et m'a collé un coup de pied dans les côtes. Des mains
fouillaient dans mes poches, tâtaient mes jambes, trouvaient
mon flingue et le couteau que je planquais dans ma chaussette gauche. Les menottes me cisaillaient les poignets. Mes
bras étaient tellement tirés en arrière que j'avais l'impression
que mes épaules allaient se déboîter. On m'a brutalement
redressé et poussé dans une voiture de police, encadré par
deux flics primates.

– Tu vas être pendu haut et court, McGrégor, a lancé le flic
sur ma gauche. Comme ton violeur et meurtrier de frangin.
Vous devez avoir le sang pourri dans la famille.

– Va te faire foutre, ai-je sifflé.

Il m'a cogné les lèvres, en grimaçant presque autant que
moi. Un goût de sang m'est venu à la bouche. Satisfait, je
l'ai regardé se frotter le poing. On était presque quittes.

– Celui-ci te fera plus mal à toi qu'à moi, a-t-il craché en
me tirant par les cheveux et en me cognant dans le bas du
dos.

J'ai laissé échapper un grognement de douleur.

– Ça suffit, Powell, a ordonné le flic à ma droite.

– Il n'a que ce qu'il mérite.

– C'est à la cour de le décider, pas à toi ! a rétorqué l'autre.

– T'es vraiment qu'une midinette, a ricané Powell avec dédain.

L'autre flic s'est tourné vers la fenêtre. Je me suis appuyé contre le dossier.

Ils m'avaient eu. J'étais mort.

Sephy

Rose dormait dans son landau. J'étais assise dans le fauteuil que j'avais fini par m'approprier. Je recousais un bouton de ma chemise préférée. Meggie était dans l'entrée, au téléphone. Je l'ai entendue raccrocher et elle nous a rejointes dans le salon ; elle s'est assise sur le canapé. Dirigeant la télécommande vers l'écran, elle a zappé avant de s'arrêter sur une émission qui parlait des roussettes, une espèce de chauve-souris. J'ai continué ma couture approximative, attendant que Meggie éteigne la télé. Mais elle ne l'a pas fait. J'ai jeté un coup d'œil vers elle. Elle ne regardait même pas. Elle avait les yeux dans le vague. J'ai froncé les sourcils. J'avais envie de changer de chaîne mais ce n'était pas ma télé. Dès que j'aurai comblé mon découvert, payé mes factures et mes dettes, je m'achèterai une petite télé portative. Comme ça je pourrais rester dans ma chambre et regarder ce que je veux. Et une chose était sûre, je ne m'arrêterai jamais sur une émission parlant des roussettes. Même le commentateur avait l'air de s'ennuyer à cent sous de l'heure. Son ton était soporifique. Tout à coup, j'en ai vraiment eu assez.

– Meggie…

– Sephy, tu viendrais avec moi voir Jude ?

– Aïe !

Je me suis piquée avec mon aiguille. J'ai tout de suite mis le doigt dans la bouche. J'avais forcément mal entendu.

– Quoi ?

– Jude vient de téléphoner du commissariat. Il a été arrêté pour le meurtre de cette fille, Cara Imega. Il sera transféré à la prison de Bellevue après-demain. Est-ce que tu viendrais le voir avec moi ?

J'ai soigneusement plié ma chemise, tout en essayant de remettre mes pensées en ordre.

– Je suis sûrement la dernière personne que Jude a envie de voir, ai-je murmuré.

– Tu ne seras pas obligée de lui parler. Tu pourras m'attendre dehors. Mais je ne veux pas aller toute seule au commissariat.

– Votre sœur…

– Ne veut rien avoir à faire avec cette histoire, m'a interrompue Meggie. Mais tant pis, oublie ça. Je n'aurais pas dû te demander…

– Bien sûr que je vais venir avec vous.

J'ai essayé de sourire mais c'était impossible. J'avais le cœur prêt à éclater. Je ne voulais pas y aller. Je ne voulais pas m'approcher de Jude. Et s'il était vraiment coupable de ce meurtre ? Et s'il ne l'était pas ? J'avais envie de fuir les problèmes, pas de me précipiter à leur rencontre. Je ne pouvais pas en vouloir à la sœur de Meggie. Moi non plus, je ne voulais rien avoir à faire avec cette histoire.

Mais Meggie avait besoin de moi.

– Sephy, je ne t'aurais pas demandé si…

Elle n'a pas fini sa phrase. C'était inutile.

– Bien sûr que je vais venir avec vous, ai-je répété. Mais qu'allons-nous faire de Rose ? Je ne peux pas l'emmener.

– Notre voisine, Mme Straczynski, la gardera.

L'idée de laisser Rose à une femme qu'elle ne connaissait pas ne m'enchantait guère. Même si Mme Straczynski était une des rares du quartier à me sourire et à me saluer.

– Vous devriez aller lui demander, ai-je soupiré. Je prépare les affaires de Rose.

– Merci, merci, Sephy, a souri Meggie avec gratitude. Tu es vraiment gentille, vraiment…

Elle se dirigeait déjà vers la porte. Elle n'a pas vu que je ne lui rendais pas son sourire.

Jude

– Avez-vous bien compris vos droits ? m'a demandé le détective Georgiou.

Trois. Quatre. Un.

– Oui.

J'étais dans la salle d'interrogatoire ; deux policiers primates étaient assis en face de moi. Le détective Georgiou, une femme, était la seule à parler. L'autre flic, le détective Zork, n'avait pas encore ouvert la bouche. La salle d'interrogatoire n'était pas beaucoup plus grande que ma cellule. Il y avait une table rectangulaire et quatre chaises. Deux de chaque côté. Un des côtés de la table était fixé au mur. Pour empêcher les suspects de la balancer sur les flics, sans doute. Il y avait également une caméra accrochée dans un coin au-dessus de la porte. Les murs étaient couleur bouillie trop cuite. Pas de posters, pas de photos, aucune marque d'aucune sorte. Rien qui permette de détourner l'attention. Sur le sol était posée une moquette super épaisse qui durerait probablement plus longtemps que le bâtiment lui-même. J'ai levé les yeux vers la caméra braquée sur moi. Est-ce que cette caméra me garantissait qu'on n'allait pas m'extorquer un aveu en me tapant dessus ? J'avais du mal à y croire. Pour les flics, comme pour moi, la fin justifie les moyens. J'ai traîné mon pied sur la moquette sous la table. Quatre fois en avant, quatre fois en arrière. C'est un truc que j'ai appris à la Milice de libération. Une façon de se concentrer pour pouvoir répondre seulement aux questions auxquelles on veut bien répondre.

Quatre en arrière.

Quatre en avant.

Simple et efficace. Concentre-toi sur ton compte. Réponds aux questions sur ce rythme. Donne-toi le temps de réfléchir. Fais simple. Des réponses courtes et posées.

Quatre en avant.

Quatre en arrière.

– Ton nom est Jude Alexander McGrégor ?

Deux. Trois. Quatre. Un.

– Oui.

– Veux-tu appeler un avocat ?

Un.

– Non.

– Il a été proposé un avocat au suspect. Il a décliné l'offre, a dit le détective Georgiou dans le micro.

L'interrogatoire était enregistré et filmé. C'était nouveau. Je suppose que beaucoup d'arrestations, ces derniers temps, s'étaient transformées en bavures.

– Quand avez-vous rencontré Cara Imega pour la première fois ? a demandé le détective Georgiou.

Je n'ai pas répondu.

– Depuis quand connaissiez-vous Cara Imega ? a répété le détective en reformulant sa question.

Comme si je n'avais pas compris la première fois.

Je n'ai toujours pas répondu.

Puis les questions se sont abattues de plus en plus vite.

– Nous avons trouvé vos empreintes dans la maison de Cara Imega. Vous feriez mieux d'avouer.

T'as raison !

– Où l'avez-vous rencontrée ?

– Nous savons que vous l'avez tuée. Expliquez-nous pourquoi ?

– Vous a-t-elle surpris pendant que vous la cambrioliez ? C'est ce qui s'est passé ?

On y était depuis plus d'une heure. Et hormis pour confirmer mon nom et refuser un avocat, je n'avais pas ouvert la bouche.

Un autre truc que j'avais appris à la Milice de libération.

– On sait que c'est toi ! s'est décidé le détective Zork. Et ta parfaite imitation de l'huître ne nous empêchera pas de te coller le meurtre de Cara Imega sur le dos. Et tu seras pendu.

Je me suis redressé sur ma chaise. C'était marrant de voir ces deux flics de plus en plus énervés. Pas très pro de leur part. J'ai pensé à ma mère. Je l'avais appelée sans grande conviction et je commençais à le regretter. Ce n'était bien ni pour elle, ni pour moi qu'elle vienne jusqu'ici.

– Interrogatoire terminé à…

Le détective Georgiou a regardé sa montre et a donné l'heure. Le détective Zork a appuyé sur des boutons. Le voyant rouge de la caméra s'est éteint. Il y a eu un clic qui annonçait que la machine n'enregistrait plus. Les détectives se sont levés. Moi aussi.

– Dans ta cellule, McGrégor, a dit Zork.

J'ai affiché un sourire triomphant.

– C'est votre vrai nom, Zork ? Pas de chance, hein ?

J'ai reçu un coup de poing dans l'estomac qui m'a plié en deux. J'ai toussé.

– Tu trouves toujours que j'ai un nom marrant ? a craché le Primate, les poings toujours serrés.

Je me suis doucement redressé.

Un. Deux. Trois. Quatre.

Bien fait pour moi. J'avais pas besoin de l'ouvrir. Mais je me régalais quand même devant leur évidente frustration. Cela dit, ça ne se reproduirait pas.

– Vous allez le laisser me frapper ? ai-je demandé à Georgiou.

– Je ne vois pas de quoi vous parlez, a-t-elle rétorqué froidement. Vous avez trébuché et vous avez atterri contre la chaise.

– Et s'il me balance par la fenêtre ? ai-je insisté sur un ton sarcastique.

– Je dirai que vous avez voulu vous suicider ou que vous avez tenté de vous échapper, a lancé Georgiou. Qui sait ce qui peut se passer dans la tête d'un meurtrier de sang-froid ?

– J'ai besoin d'une pause, a dit Zork. Retourne dans ta cellule, McGrégor.

Nous sommes restés silencieux. Les deux flics me toisaient, me défiant de seulement sourciller. Ma mère n'a pas élevé des enfants idiots.

– Retourne dans ta cellule, McGrégor, a répété Zork.

– Oui, monsieur, ai-je répondu.

Sephy

– Puis-je vous aider ?

Un policier s'est approché de moi en me souriant amicalement.

– Oui, nous voudrions voir Jude McGrégor, s'il vous plaît.

Le sourire du policier s'est figé comme de la cire chaude plongée dans une bassine d'eau froide.

– Et vous êtes ?

Je ne voulais pas donner mon nom. Et puis qu'est-ce que je fichais là de toute façon ?

– Je suis Sephy, j'accompagne la mère de Jude, Meggie McGrégor.

– Je vois. Sephy comment, s'il vous plaît ?

Le policier essayait de me coller au mur juste en me regardant dans les yeux.

– J'ai besoin de votre identité complète pour le registre des visiteurs, a-t-il ajouté.

J'ai levé le menton avant de répondre d'une voix claire :

– Perséphone Mira Hadley.

Meggie a avancé et s'est placée devant moi.

– Pouvons-nous voir mon fils, s'il vous plaît ?

– Asseyez-vous, je vais regarder ce que je peux faire.

Le policier a pris tout son temps pour écrire nos noms pendant que nous nous asseyions. Puis il a posé son stylo et est resté là, sans bouger, pendant encore une bonne demi-heure. Il a ensuite disparu pour revenir moins de deux minutes plus tard. Meggie et moi l'avons regardé s'occuper des autres personnes qui arrivaient. Et nous avons attendu. Attendu. Deux heures plus tard, j'étais mûre pour arracher à mains nues la tête du premier venu. J'étais déjà passée par là, quand Callum était en prison. Ils me faisaient patienter et me laissaient en plan pendant des heures, pour finir par me renvoyer chez moi sans que j'aie pu même apercevoir le père de ma fille. Je me suis levée et je me suis dirigée vers la réception.

– Allez-vous nous laisser voir Jude McGrégor, oui ou non ? ai-je demandé.

Meggie m'avait suivie. Elle a posé sa main sur mon bras.

– Tout va bien, Meggie, lui ai-je souri. Allez vous asseoir. J'ai juste quelques questions à poser.

Elle m'a obéi et est retournée sur le banc.

– Nous aimerions voir Jude McGrégor et nous aimerions le voir maintenant, ai-je repris calmement. Je pense que vous nous avez fait attendre assez longtemps.

– Jude McGrégor est une pourriture, a répondu l'officier avant d'ajouter à mi-voix : et les Primas qui veulent lui rendre visite sont encore plus pourris que lui.

– Écoutez-moi, sergent…

J'ai observé les numéros inscrits sur ses épaulettes et j'ai pris une grande inspiration.

– Sergent 2985…

– Sergent Duvon, madame, D-U-V-O-N.

– Si vous ne nous laissez pas voir Jude McGrégor tout de suite, je vous promets que vous devrez chercher un autre travail. J'ai les relations nécessaires pour vous faire virer. Alors, arrêtez de la ramener et laissez-nous entrer.

Le sergent Duvon s'est redressé et, droit comme un « i », le menton levé, il m'a toisée. Mais je n'ai pas baissé les yeux. S'il pensait que je bluffais, il allait avoir un choc.

– Suivez-moi, a-t-il fini par lâcher d'une voix glaciale.

Je me suis forcée à sourire avant de me tourner vers Meggie.

– Venez, Meggie, nous pouvons voir Jude maintenant.

Meggie s'est levée et a posé sa main sur mon épaule. Le sergent Duvon a ouvert la porte de sécurité qui donnait sur le couloir. Il nous a montré une salle d'interrogatoire.

– Attendez ici, s'il vous plaît.

J'ai écarquillé les yeux.

– Jude McGrégor est en cellule, a précisé Duvon. Il doit être accompagné et surveillé pendant toute votre entrevue.

– C'est très bien, a accepté Meggie avant que j'aie le temps d'ouvrir la bouche.

Dès que le sergent eut disparu, j'ai soufflé à Meggie :

– Je vous attends à la réception, d'accord ?

Meggie a acquiescé. Je suis sortie de la pièce et j'ai repris le chemin que nous venions d'emprunter. Lorsque j'ai refermé la porte de sécurité, mes mains tremblaient.

J'étais surprise de voir à quel point j'avais peur de revoir Jude.

Surprise et terrifiée.

J u d e

– Bonjour Jude.

Quand ils sont venus m'annoncer que j'avais une visite, une part de moi a souhaité que ce soit Maman. Pourtant, une autre part de moi souhaitait encore plus fort qu'elle ne soit pas venue. Sa visite serait marquée sur les registres, et s'il se passait le moindre événement dans un périmètre de deux cents kilomètres qui ait plus ou moins à voir avec la Milice de libération, les flics viendraient frapper à sa porte. Je l'avais prévenue, mais elle m'avait répondu qu'elle s'en fichait.

Peut-être n'avait-elle pas compris. Ou alors, elle s'en fichait vraiment. J'ai regardé autour de moi, dans la salle d'interrogatoire, plus pour retarder le moment de croiser le regard de ma mère que pour autre chose. Ce n'était pas la même salle que tout à l'heure. J'ai scruté chaque coin et recoin de la pièce, même s'il n'y avait rien à voir. Jusqu'à ce que je n'aie pas d'autre choix que de regarder ma mère. Je pouvais supporter beaucoup de choses, mais pas la douleur que j'ai lue dans ses yeux. La douleur et ce déjà-vu. Combien de fois s'était-elle déjà retrouvée dans cette situation ?

– Comment vas-tu ? Ils te traitent bien ?

– Ça va, Maman. Ça va.

Le détective Zork se tenait près de la porte. Il enregistrait mentalement notre conversation. Sale petit fouineur !

– Est-ce que je peux t'apporter quelque chose ?

– Non, Maman.

– Est-ce que je peux faire quelque chose pour toi ?

– Non, Maman.

– Et un avocat ? Tu en as déjà un ?

– Je vais en prendre un.

Je me suis forcé à sourire.

Maman avait les yeux fixés sur la table qui nous séparait. Quand elle a de nouveau levé les yeux vers moi, elle était sur le point de pleurer. J'ai détourné la tête. Ses larmes ne pouvaient plus rien pour moi à présent.

– Cette fille, Cara Imega… tu la connaissais ?

J'ai haussé les épaules et je me suis penché en avant pour lui répondre à voix basse :

– Oui, Maman, je la connaissais.

– Est-ce que... est-ce que tu lui as fait les choses qu'ils disent ?

Comment répondre à ça ?

Quelles choses disent-ils ?

Pourquoi « les » choses, au pluriel ?

Que disent-ils ?

Qui, « ils » ?

J'ai regardé ma mère droit dans les yeux.

– Maman, je n'ai tué personne.

Ma mère était le seul et unique être humain encore capable de croire à mon innocence. Au moins, elle m'avait posé la question. Personne d'autre ne l'avait fait. Comment aurais-je pu balayer d'un seul coup cette once d'espoir qu'elle conservait ?

– Je ne l'ai pas fait, Maman.

Je me suis tourné vers le flic près de la porte. Il arborait un demi-sourire moqueur. Son expression disait qu'il avait déjà entendu cette phrase des milliers de fois. Si nous n'avions été que tous les deux, je n'aurais pas détourné les yeux en premier. Mais j'avais plus important à gérer. Maman a poussé un soupir de fatigue. Elle a essayé de sourire, mais elle a tout juste réussi à retenir ses larmes.

– Ça va, Maman.

– Je ne sais pas quoi faire.

La voix de Maman tremblotait comme la flamme d'une bougie prête à s'éteindre.

– Il faut que je te sorte d'ici.

– Ne t'inquiète pas, Maman, ai-je menti. Je me suis occupé de tout. Un ami à moi va me trouver un avocat. Ils ne peuvent pas me condamner, parce que je suis innocent.

– Alors pourquoi croient-ils que c'est toi ?

J'ai secoué la tête.

– Je ne sais pas. Ils ne m'ont rien dit. Ils ne cessent de me répéter qu'ils ont une montagne de preuves contre moi, mais je ne sais même pas lesquelles.

Maman a pris mes mains dans les siennes. Ses paumes étaient fraîches et sèches. Un peu rugueuses. J'ai refermé mes doigts.

– Il est interdit de se toucher, est immédiatement intervenu Zork.

Il s'est approché pour examiner nos mains. Histoire de s'assurer que Maman n'en avait pas profité pour me glisser un objet. Je l'ai regardé retourner à sa place contre le mur, près de la porte.

– Je vais découvrir ce qu'ils ont contre toi, a repris Maman.

– Comment ?

– Je ne sais pas, mais je vais me débrouiller. Tu me fais confiance ?

– Bien sûr, ai-je souri.

– C'est fini ! a lancé Zork. McGrégor, dans ta cellule.

Il en avait pas marre de répéter tout le temps la même phrase ?

Je me suis levé.

– Ne t'inquiète pas, Maman. Ils ne peuvent rien contre moi. Je suis innocent.

Maman a éclaté en sanglots. Elle s'est rapidement essuyé les yeux et a essayé d'arrêter de pleurer. En vain. J'ai voulu m'approcher d'elle, la consoler, la prendre dans mes bras, mais Zork m'a tiré en arrière, comme s'il avait voulu me déboîter l'épaule. J'ai adressé un dernier sourire à Maman, avant de me laisser entraîner à l'extérieur. Et là, mon sourire a disparu comme s'il n'avait jamais existé.

Pardon Maman.

Que dire d'autre ? Que faire d'autre ? J'ai besoin de toi et de ta confiance en moi. Parfois, cette nuit-là m'apparaît en rêve et c'est comme si je voyais quelqu'un d'autre avec Cara. Comme si moi, j'étais dans le fond, les bras croisés, immobile, incapable de faire autre chose que de regarder. D'abord, je vois Cara se protéger le visage. Elle a peur. J'essaie de me convaincre de ne pas regarder, et j'utilise toute ma concentration pour me détourner. Mais sans cesse, mon regard revient sur elle et sur cet homme qui la frappe. Cet homme qui est moi. Et soudain, je n'assiste plus à la scène. Je retrouve mon propre corps et je suis celui qui frappe. J'essaie d'arrêter, mais je n'y arrive pas. Je cogne. De toutes mes forces. Mais la personne que je cogne, ce n'est plus Cara, c'est moi.

Tu sais, Maman, c'est étrange, mais je ne peux pas m'empêcher de penser à une des histoires que tu nous racontais à Lynette, Callum et moi, quand nous étions petits. L'histoire de cet homme qui va en enfer et à qui le diable apprend qu'il y a une issue. Un moyen de se sortir de là. Une chance. Une seule. Maman, tu es ma chance. Ma seule et unique chance. Tu comprends, Maman, je ne sortirai jamais de l'enfer si tu cesses de prier pour moi.

Sephy

Assise sur le banc de l'accueil, j'essayais d'ignorer les regards méprisants que me lançait le sergent. Le fait que je demande à rendre visite à Jude lui suffisait pour me condamner. Coupable par association. Je regardais la moquette.

J'étudiais les posters sur le mur, j'observais une araignée traverser le plafond pour rejoindre sa toile. Je regardais partout sauf vers le sergent. Les gens qui entraient et sortaient. Une femme est arrivée en pleurant, elle tenait son enfant par la main et a essuyé ses larmes avant de s'adresser au sergent. Un homme a fait irruption, un mouchoir ensanglanté appuyé sur le front. Une vieille femme nihil a boité dans le hall, et s'est dirigée droit vers le sergent. Avant même de prononcer un mot, elle a secoué la tête dans tous les sens comme pour être sûre d'obtenir l'attention du sergent. Et pendant tout ce temps, mes pensées étaient ailleurs. Que Jude pouvait bien raconter à Meggie de l'autre côté ? En profitait-il pour tout avouer ? Ce serait sans doute le mieux. Mais j'étais sûre que Jude ne dirait rien. Il était prêt à tout pour assouvir sa vengeance contre les Primas. Avait-il tué Cara Imega ? Il en était capable. Je n'en doutais pas une seconde. Il avait tiré sur ma sœur et il avait essayé de me tuer.

Si j'avais laissé Minerva le dénoncer à la police, peut-être que Cara Imega serait encore en vie aujourd'hui ? Peut-être. Je n'aimais pas la direction que prenaient mes pensées. Je me suis efforcée de reprendre le contrôle. J'avais envie de rentrer à la maison. De retrouver ma fille.

Meggie est enfin revenue. Je me suis levée en souriant, mais l'expression sur le visage de Meggie a effacé mon sourire.

– Sephy, j'ai besoin de ton aide, a-t-elle commencé avec une excitation malsaine.

– Quoi ? Que se passe-t-il ?

– Je dois savoir quelles sont les preuves qu'ils détiennent contre Jude.

J'ai secoué la tête.

– La police ne me dira rien…

– Mais tu connais des gens, m'a interrompue Meggie. Tu peux faire appel à eux. Je suis désolée, mais je ne sais pas à qui d'autre demander.

– Mais pourquoi ? Jude prétend être victime d'un coup monté ?

– Non, mais il m'a juré qu'il est innocent.

– Et vous le croyez ?

– Je crois en lui.

Ça ne répondait pas à ma question.

Nous avons quitté le commissariat et avons rejoint l'arrêt de bus en silence. Jude était un être vicieux et vindicatif, mais Meggie refusait de le voir.

– Est-ce que vous croyez que Jude a tué Cara Imega ? ai-je de nouveau essayé.

– Il jure que non…

– Et vous le croyez ?

Je ne pouvais pas m'empêcher de demander à nouveau.

Meggie m'a regardée droit dans les yeux.

– Il ne me mentirait pas à moi.

Je n'ai pas répondu.

– Tu vas m'aider, Sephy ? S'il te plaît…

J'ai soupiré.

– Je vais voir ce que je peux faire, mais je ne promets rien.

– Tu découvriras la vérité, j'en suis sûre.

Chacun des mots de Meggie sonnait plein d'espoir.

– Je sais que tu la découvriras, a-t-elle répété.

Et moi, je me demandais quelle vérité elle cherchait. Celle de Jude, la mienne ou la sienne ?

Jude

– Votre nom est bien Jude Alexander McGrégor ?

– Oui.

– Quelle est votre adresse ?

– Je n'ai pas d'adresse fixe pour le moment.

– Quelle est votre résidence actuelle ?

– Chambre 14, Hôtel Cartman, à Bridgeport.

– Vous êtes accusé d'avoir, la nuit du 17 juillet, intentionnellement causé la mort de Cara Imega. Comprenez-vous les charges qui vous sont imputées ?

J'ai acquiescé.

– Pouvez-vous donner vos réponses à voix haute pour l'enregistrement, s'il vous plaît ? a demandé le magistrat.

Je me suis retenu de lui balancer qu'il pouvait se mettre son enregistrement où je pense et j'ai répondu poliment :

– Oui, je comprends les charges.

– Votre honneur, est intervenu l'épouvantail qui me servait d'avocat, mon client demande une libération sous caution dans l'attente du procès.

– Demande refusée, a immédiatement déclaré le magistrat. Jude McGrégor, vous resterez en cellule jusqu'à la date du procès. Suivant !

Sephy

J'étais installée à Anada, le célèbre restaurant de fruits de mer, et j'attendais. Je n'étais jamais venue ici. Ce n'était pas vraiment le genre de restau que j'avais les moyens de m'offrir. Les murs étaient d'un jaune éblouissant et la moquette d'un bleu profond. Il y avait des nappes sur chaque table et des couverts en argent. Au plafond était accroché un filet de pêche orné de coquillages, d'étoiles de mer et d'autres trucs du genre. Le plus bizarre, c'est que ça fonctionnait. Ça empêchait le restaurant d'avoir l'air insupportablement prétentieux. J'ai étudié le menu avant l'arrivée de ma sœur. Je l'avais appelée pour lui demander si on pouvait se voir et, à ma grande surprise, elle avait sauté sur l'occasion et m'avait donné rendez-vous dans ce restaurant.

J'avais besoin d'elle. Je n'étais pas sûre qu'elle accepterait ma proposition. J'allais donc avoir recours à un petit subterfuge. Mais l'idée de tromper ma sœur ne plaisait pas à ma conscience. Je m'efforçais donc de me concentrer sur le menu. J'avais toujours préféré les desserts. Ils avaient un truc appelé « le délice du Néant : une mousse légère au chocolat blanc, aromatisée au brandy et servie avec de la crème fraîche ». Charmant ! J'ai jeté un coup d'œil aux tables alentour. Pas de clients nihils évidemment et seulement un au service. Je me demandais ce qu'il ressentait quand on lui commandait un « délice du Néant ».

Dégoûtée, j'ai lu la liste des plats principaux. Grossière erreur. Tout était parfaitement présenté et certains plats semblaient extrêmement appétissants, mais les prix n'étaient pas indiqués. J'ai discrètement pris mon porte-monnaie dans mon sac. Je n'avais aucune idée de ce que mes maigres moyens me permettaient dans ce genre d'endroit. La moitié du chocolat qu'ils servaient avec le café ? Avec un peu de chance... Je pouvais toujours essayer de payer avec ma carte, mais je n'étais pas sûre qu'elle serait acceptée. J'ai décidé de prétendre que j'avais déjà mangé et que je voulais seulement un verre d'eau gazeuse. Si je leur précisais de garder les glaçons et de ne pas s'enquiquiner avec une rondelle de citron, j'aurais peut-être les moyens. C'est Minerva qui avait choisi le restaurant. J'aurais dû deviner qu'elle m'attirerait dans un lieu où il fallait laisser sa jambe droite en gage.

– Bonjour Sephy, comment vas-tu ?

Surprise, je me suis levée brusquement.

– Bonjour Minerva. Merci d'avoir accepté de me voir.

Minerva a haussé les épaules.

– Bien sûr que oui, j'ai accepté. Que croyais-tu que je ferais ?

Nous ne nous sommes pas prises dans les bras l'une de l'autre, nous ne nous sommes pas embrassées.

– Comment vas-tu ? a répété ma sœur en s'asseyant. Et Callie Rose ?

– Rose va bien. Elle est avec Meggie.

– Ça ennuierait Meggie que je passe voir Callie Rose de temps en temps ?

– Non, bien sûr que non.

Quelle drôle de question !

– Et toi, ça t'ennuierait ?

– Non. Pourquoi ça m'ennuierait ?

Minerva a de nouveau haussé les épaules en prenant un air indéchiffrable. Elle avait de drôles d'idées. D'après elle, que pourrais-je faire si elle venait ? La mettre à la porte ? Mais il y avait un moment que Rose et moi vivions chez Meggie maintenant, pourquoi est-ce que, tout à coup, elle avait envie de nous rendre visite ?

Ma sœur m'a observée d'un œil critique, a pincé les lèvres avant de lancer :

– Tu as perdu du poids, Sephy.

– Un peu.

Minerva m'a regardée encore quelques minutes puis a fait signe à un serveur d'approcher. Il est arrivé si vite que je me suis demandé s'il n'était pas monté sur roulettes. Ce n'était pas le serveur nihil, ce dernier avait disparu dans les cuisines.

– Ça ne t'ennuie pas que je commande pour toi ? m'a demandé Minerva.

– Eh bien, en fait, je veux juste un verre d'eau gazeuse, ai-je commencé.

– N'importe quoi ! a riposté Minerva.

Elle s'est adressée au serveur.

– Nous voudrions du haddock fumé et une bisque de homard, pour commencer, s'il vous plaît. Sans safran sur la mienne. Ensuite nous prendrons des steaks d'espadon.

– Pas de problème, madame, a approuvé obséquieusement le serveur. Et si je peux me permettre, c'est un excellent choix.

Quel lèche-bottes ! Au moment où il allait partir en se répandant, je n'ai pas pu m'empêcher de l'interpeller :

– Vous ne trouvez pas insultant de nommer un de vos desserts « le délice du Néant » ?

Le serveur s'est renfrogné.

– C'est le chef qui rédige le menu.

– Ça ne change rien, ai-je répliqué.

– Le délice du Néant est un dessert qui existe depuis des siècles.

– Il serait temps d'en changer le nom, vous ne pensez pas ?

– Euh… je vais chercher votre commande, a marmonné le serveur, pressé de fuir cette conversation.

– Est-ce que c'était bien nécessaire ? a soupiré Minerva quand il a été parti. Mon journal amène beaucoup de clients à ce restaurant. Mon rédacteur en chef ne sera pas très content s'il apprend ça.

– Comment une jeune journaliste comme toi peut se payer un repas ici ?

– Je travaille au *Daily Shouter*, tu sais, a fièrement souri Minerva. Et je ne suis peut-être qu'une jeune journaliste, mais j'ai l'intention de vite grimper les échelons.

– Ça marche pour toi, alors ?

– Jusqu'à présent, oui, a acquiescé Minerva. Je suis ambitieuse, Sephy, très ambitieuse.

– Tant mieux. Désolée de t'avoir causé des soucis en me plaignant du nom de ce dessert.

– Aucune importance. Et même si tu me créais des problèmes, je n'ai peur de rien ! a affirmé ma sœur.

– Tu ne penses pas que cet endroit devrait évoluer et enfin entrer dans le XXIe siècle ? Pourquoi n'écris-tu pas à ce sujet ?

– Mon rédacteur ne publierait pas ce genre d'article, a calmement répondu Minerva. Ça n'a rien de nouveau.

Elle n'avait pas tort. Une situation qui existe depuis des siècles n'a rien d'alléchant pour un journal.

– Mais tu dois te montrer patiente, Sephy. Personne ne peut changer le monde en un jour. Même pas toi.

– Un jour ? Des siècles, tu veux dire, ai-je reparti. Et les choses ne vont pas en s'améliorant mais en empirant. Récemment, je me promenais en ville avec Rose et trois personnes différentes m'ont demandé de qui elle était. Quand j'ai dit que c'était ma fille, un type m'a balancé que j'aurais mieux fait de la faire adopter par une famille de Néants !

– Et qu'est-ce que tu lui as répondu ? a demandé Minerva.

– Si je te le répète, on va se faire sortir du restaurant !

Minerva a ri.

– Tu as eu raison. Garde les pieds sur terre, Sephy. Mais tu sais, ceux qui parlent le plus fort n'expriment pas nécessairement l'opinion de la majorité.

– Tu crois ? La plupart des gens préfèrent traverser la rue pour ne pas être impliqués dans ce genre d'histoire. Cet homme me criait des insultes et personne n'est venu demander ce qui se passait. Quand ce salaud a hurlé que j'aurais dû me faire avorter, ou que je n'aurais pas dû coucher avec un Nihil, ils ont tous baissé la tête. Il est allé jusqu'à affirmer avec hargne qu'il aurait mieux valu que Rose meure.

– Tu l'as envoyé balader, quand même, non ?

J'ai soupiré et essayé de me calmer.

– Oui, bien sûr. Mais ce n'est pas lui qui m'a le plus blessée, ce sont tous les autres, ceux qui nous dépassaient, sans lever les yeux, ceux qui n'ont rien fait… ce sont eux qui me dégoûtent.

– N'y pense plus, m'a conseillé Minerva. Ils n'en valent pas la peine.

– C'est facile pour toi.

Je n'avais plus envie de discuter de ça. Je ne voulais pas gâcher ce déjeuner avec ma sœur.

– J'espère que tu ne m'en veux pas d'avoir commandé pour toi ? a repris Minerva. Tout est bon, ici, mais je peux recommander la soupe et l'espadon les yeux fermés.

– Ça a l'air parfait. Mais c'est vrai que je voulais juste un verre d'eau.

– C'est mon journal qui paie l'addition ! a déclaré Minerva. On aurait tort de ne pas en profiter. Et même si c'était moi qui réglais, j'aurais les moyens de t'inviter.

– Tu as un bon salaire au *Daily Shouter*, alors ?

– Tu plaisantes ? Les jeunes journalistes ambitieux pullulent ! Mais Papa me verse de l'argent chaque mois. Sinon, je ne sais pas comment je me débrouillerais.

Une douleur vive m'a traversée. Ce n'était pas tant pour l'argent – même si j'en avais terriblement besoin – mais l'idée que Papa n'avait eu aucun mal à oublier qu'il avait deux filles. Malgré tout ce que nous nous étions dit, malgré tout ce qui s'était passé entre nous, je devais reconnaître qu'une partie de moi-même avait envie de le revoir.

– Papa s'occupe toujours de toi ?

Minerva a écarquillé les yeux.

– Oh Sephy, je suis désolée, je n'ai pas pensé que…

J'ai haussé les épaules.

– Ne t'inquiète pas. Puisque c'est toi qui invites, je vais me régaler !

Je me suis adossée à ma chaise et j'ai essayé de me détendre.

– Tu as su que Jude McGrégor avait été arrêté ? m'a demandé Minerva en posant sa serviette sur ses genoux.

– Bien sûr. Je ne vis pas dans une île déserte.

Quelle coïncidence. Je voulais justement aborder le sujet de Jude.

– Et qu'est-ce que tu ressens ?

– À propos de Jude ?

– Oui.

– Tu es en train de m'interviewer, Minerva ?

Ma sœur a soudain semblé trouver la nappe absolument fascinante. Elle ne pouvait plus en détacher le regard.

– Tu m'interviewes, c'est ça ? ai-je insisté. C'est pour ça que tu as accepté de me retrouver pour déjeuner ?

– Pas seulement pour ça, a-t-elle marmonné.

– Mais surtout pour ça.

– C'est mon travail, Sephy.

– D'utiliser ta sœur pour écrire un article ?

– Ce n'est pas ce que je fais, a-t-elle protesté.

– Alors qu'est-ce que tu fais ?

– J'ai besoin de ton aide.

J'ai pris une grande inspiration, attendant qu'elle en vienne au fait.

– J'ai quelque chose à te demander, Sephy, a-t-elle poursuivi. Et je veux juste que tu m'écoutes jusqu'au bout. D'accord ?

Je n'ai pas répondu. Je commençais à avoir des nausées. J'avais le sentiment que Minerva allait me faire mal. Mais avant qu'elle ait pu continuer, un homme à la taille ceinte d'un tablier immaculé s'est approché de notre table. Il semblait furieux.

– C'est vous qui vous êtes plainte du menu ! a-t-il grondé en s'adressant directement à moi.

– Excusez-nous, monsieur Sewell, ma sœur ne s'est pas vraiment plainte, a tenté ma sœur. Elle pense, comme moi, que votre cuisine est exquise.

J'ai regardé Idriss Sewell. Je ne savais pas qu'il était le chef de ce restaurant. Je connaissais sa tête parce qu'il passait régulièrement à la télé. Il était beaucoup plus grand qu'il en avait l'air à l'écran. Et à l'instant précis, beaucoup moins aimable.

– Vous avez critiqué mon menu ? m'a-t-il défiée, ignorant ma sœur.

Je me suis mordu les lèvres.

– Je trouve seulement honteux que vous proposiez un dessert nommé « le délice du Néant ».

– La recette du délice du Néant m'a été donnée par ma grand-mère, qui l'avait elle-même reçue de sa propre mère, m'a informée Idriss Sewell. Quel est le problème ?

– Je suis sûre que ce dessert est délicieux, est intervenue Minerva.

– Oui, mais son appellation est insultante, ai-je ajouté.

– Sephy… a gémi Minerva.

J'ai haussé les épaules.

– Il m'a demandé mon avis, je le lui donne, c'est tout !

Je reconnais qu'une partie de moi-même s'amusait beaucoup de cette confrontation. J'avais envie de lui crier dessus au beau milieu du restaurant. Je voulais faire payer au monde entier cette façon que certaines personnes avaient de nous condamner, moi et ma fille.

– Ce n'est qu'un nom, a reparti Idriss Sewell, avec agressivité. Il existe des comptines, des chansons, des publicités qui parlent des Néants. Où est le problème ?

– Ce sont des Nihils, ai-je rétorqué, pas des Néants.

– Ils devraient être fiers d'avoir un dessert qui porte leur nom, a rétorqué Sewell. Et j'ai des clients nihils, blancs comme du lait, qui ne s'en plaignent pas. Si eux, ça ne les dérange pas, pourquoi ça vous dérangerait, vous ?

– Je n'en parle qu'en mon propre nom et je trouve cette appellation humiliante.

– Peut-être devriez-vous déjeuner ailleurs, si mon menu vous « humilie » !

La plupart des clients nous écoutaient, en prenant soin de ne pas regarder dans notre direction.

– Vous n'allez pas vous débarrasser de moi aussi facilement, ai-je dit. Je suis ici pour manger. Si ça ne vous dérange pas de servir la mère d'une petite fille moitié Prima, moitié Nihil !

– Votre fille pourrait être un canard, du moment que vous payez l'addition, a grommelé Idriss Sewell. Mais je n'aime pas que l'on manque de respect à mes plats.

– Je respecte vos plats, je ne critique que les termes de votre menu.

Mais le chef repartait déjà dans ses cuisines.

– Mon dieu, a soupiré Minerva, et maintenant, il va sûrement rater sa béarnaise et ce sera notre faute.

Elle affichait cependant un sourire amusé.

– Tu regrettes de m'avoir invitée ici ? lui ai-je demandé.

– Non. C'est mon déjeuner le plus drôle depuis longtemps.

– C'est peut-être amusant pour toi, Minerva, mais moi, c'est ma vie. Je ne peux pas m'en échapper. Ma fille non plus.

Le sourire de Minerva s'est effacé.

– Oui, bien sûr. Je ne voulais pas me montrer insensible.

Il valait mieux laisser tomber. J'ai haussé les épaules pour signifier à ma sœur que tout ça n'avait pas tant d'importance.

– Tu crois que le chef va cracher dans notre soupe ? ai-je blagué pour détendre l'atmosphère.

Minerva a ri.

– Non, il est bien au-dessus de ça. Et puis...

Elle s'est penchée en avant et a ajouté à voix basse :

– Je suis sûre qu'il sait que je travaille au *Daily Shouter*. Il aura trop peur d'une mauvaise critique.

Le pouvoir de la presse.

– Est-ce que ton travail au *Daily Shouter* ressemble à ce que tu imaginais ? ai-je voulu savoir.

– C'est encore mieux que ça. Il me reste encore deux mois d'essai. Ils m'auront laissé une chance de six mois.

– Mais comment as-tu obtenu ce travail ?

Le *Daily Shouter* était le tabloïd le plus lu du pays. Beaucoup de gens voulaient y travailler.

– Réfléchis. Papa est Premier ministre, Maman est Jasmine Adeyebé Hadley… J'ai quelques relations. Moins que je l'ai suggéré pendant mon rendez-vous d'embauche, mais plus que les autres postulants.

– Je vois.

Oui, je voyais parfaitement.

– Je te l'ai dit, a lancé Minerva en me jetant un regard de défi. Je suis ambitieuse.

Je n'avais pas l'intention de discuter de ce qu'elle voulait faire de sa vie. Au moins, elle avait un but. Un but à elle.

– Que voulais-tu me demander ? ai-je repris.

– Toi d'abord, a lâché ma sœur après une courte hésitation. Pourquoi voulais-tu me voir, si l'on excepte le plaisir de profiter de ma scintillante compagnie ?

– Moi aussi, je voulais te parler de Jude, ai-je reconnu.

– Ça rend les choses plus faciles ! s'est exclamée Minerva.

Je suis allée droit au but.

– Est-ce qu'il est coupable ?

– Les preuves vont toutes dans ce sens.

– Quel genre de preuves ?

Minerva m'a observée, réfléchissant sans doute aux conséquences éventuelles de ses révélations.

– Je n'ai pas l'intention de te griller et de les diffuser dans d'autres journaux, l'ai-je rassurée. J'ai de bonnes raisons pour poser ces questions.

– Ces informations sont confidentielles, a fini par lâcher Minerva. Je ne suis pas censée en parler à qui que ce soit. Donc tu gardes ta langue. Tu n'en parles même pas à Meggie.

J'ai acquiescé.

– Le *Daily Shouter* me virera à coups de pied aux fesses, s'ils apprennent que j'ai dévoilé une information secrète.

– Minerva ! me suis-je impatientée.

– Bon. Tout ce que je sais, c'est que les empreintes de Jude McGrégor ont été trouvées dans toute la maison de Cara Imega. Il avait donné à la jeune femme une fausse identité, mais la police n'a eu aucun mal à établir qu'il s'agissait de lui. Il se faisait appeler Steve Winner et il sortait avec elle…

Quoi ?

– Jude sortait avec Cara ?

– Oui. Ils étaient ensemble.

– C'est impossible. Jamais Jude ne sortirait avec une Nihil. Jamais.

Je savais de quoi je parlais. Minerva a hoché la tête.

– Je reconnais que j'ai eu la même réaction que toi, mais le rédacteur en chef a obtenu cette information directement d'un ami à lui, un policier qui travaille sur l'affaire. Beaucoup de témoins au salon Delaney ont identifié Jude comme le petit ami de Cara. Et après sa mort, des chèques à son nom ont été encaissés dans différentes banques de la ville.

– C'était Jude ?

– Les policiers ne sont pas sûrs. Ils cherchent encore des preuves. Les vidéos des banques montrent, à chaque fois, une silhouette encapuchonnée et méconnaissable. La taille et la carrure correspondent à celles de Jude.

– Mais on ne voit jamais son visage ?

– Je ne crois pas. Mais je ne suis pas sûre, a dit Minerva après un silence.

– Ils ont trouvé des vêtements tachés de sang, ils ont déterminé l'ADN du tueur ?

– Non, pas de vêtements, mais il a eu tout le temps de se débarrasser de ce qu'il portait le jour du meurtre. Il n'est pas stupide. Cruel, méchant, mais pas stupide. En ce qui concerne l'ADN, la police scientifique cherche encore.

J'ai passé la main dans mes cheveux.

– Pourquoi toutes ces questions ? a voulu savoir Minerva.

La bisque est arrivée dans des bols de la taille de tasses à café. Ça sentait merveilleusement bon, mais je n'avais pas très faim.

– À ton avis, il y a assez de preuves pour le condamner ? ai-je demandé.

– D'après ce que je sais, oui. Largement.

– Mais ce ne sont que des témoignages… à part les empreintes, bien sûr. Rien ne prouve qu'il était chez Cara le soir du meurtre. Rien ne prouve qu'il l'a tuée.

– C'est vrai, a reconnu Minerva. Mais tous les témoignages concordent. Et les policiers sont certains de bientôt trouver d'autres preuves.

– Que dit Jude ?

– Aucune idée. Je ne suis pas son avocate.

– Je sais.

Je n'ai pas réussi à masquer mon impatience.

– Mais tu dois avoir entendu les bruits de couloir !

– Jude est muet comme une carpe. Il reconnaît qu'il connaissait Cara, c'est tout. À moins que son avocat surprenne tout le monde en lui trouvant un alibi en béton, Jude est cuit.

– Il sera pendu s'il est condamné ?

Pause.

– Oui. C'est presque sûr.

– Je vois.

J'ai pris une cuillerée de soupe. Elle aurait aussi bien pu avoir goût de papier mâché.

– Pourquoi t'intéresses-tu autant à Jude ? a fini par lâcher Minerva. Ce salaud m'a tiré dessus, il t'a menacée, toi et ton bébé. Tu n'as pas oublié ? Il pensait tout ce qu'il te disait ce jour-là. Il est dangereux.

– Je sais.

Minerva s'est mordu la lèvre.

– Tu acceptes de répondre à ma question ?

J'ai fait semblant de ne pas comprendre, Minerva a souri.

– Bien essayé, Sephy, mais je t'ai posé une question : pourquoi t'intéresses-tu autant à Jude ?

J'aurais pu mentir. Mais j'étais trop fatiguée.

– Je voulais savoir pour Meggie. Personne ne veut lui dire ce qui se passe. Je lui ai promis d'essayer de l'aider.

– Ne te mêle pas de tout ça, Sephy, m'a mise en garde Minerva. Toute cette histoire n'a rien à voir avec toi et si tu commences à y fourrer ton nez, Jude va t'entraîner dans les ennuis. Et je t'en supplie, ne raconte pas à Meggie ce que je viens de te dire. De toute façon, ces informations n'ont rien pour la rassurer.

– Je veux seulement l'aider. Elle a déjà tant perdu. Depuis l'arrestation de Jude, elle ne sort plus de la maison et elle ne parle plus à personne. Sauf à Rose. Je m'inquiète pour elle.

– Jude est responsable de ses actes. Elle n'y est pour rien.

– Meggie a perdu sa fille Lynette dans un accident, son mari Ryan a été électrocuté en tentant de s'échapper de prison, son plus jeune fils a été pendu. Si Jude meurt, il ne lui restera rien. Quand nous avons appris que Jude était suspecté du meurtre de Cara Imega, elle s'est effondrée.

– Je suis désolée, mais si Jude est coupable...

Je l'ai interrompue brutalement.

– Son autre fils était innocent et ça ne l'a pas vraiment aidé, à ce que je sache !

Minerva a bruyamment reposé sa cuiller dans son bol vide. Elle m'a dévisagée, comme si j'étais un extraterrestre. J'ai soutenu son regard.

– Sephy, ne commets pas l'erreur de confondre les deux frères.

– Quoi ?

– Jude n'est pas Callum. Loin de là. Ne cherche rien de bon en lui. Tu y perdras ton temps et ta raison. Il a essayé de nous tuer. Tu n'as pas oublié ?

– Aucun risque que j'oublie ça un jour.

– J'espère bien que non. Callum avait commis des erreurs mais...

– Je ne suis pas venue pour parler de... lui, ai-je soupiré.

Minerva a secoué la tête.

– Pourquoi est-ce qu'il t'est si difficile de prononcer le nom de Callum ?

– Ce n'est pas difficile, ai-je nié.

– Alors dis-le.

– Pourquoi ? À quoi ça servirait ?

– Si tu t'ouvrais un peu, si tu étais capable d'exprimer ce que tu ressens pour lui, ce que tu ressens à propos de... sa mort, alors peut-être te sentirais-tu capable d'avancer dans la vie et peut-être que Meggie en ferait autant. Tu vous donnerais une chance à toutes les deux.

– Nous ne voulons ni l'une ni l'autre vivre dans le passé, ai-je rétorqué. Meggie et moi avançons.

– Tant que vous ne pourrez pas parler de Callum et Ryan, tant que vous ne pourrez pas les laisser derrière vous, vous traînerez votre passé comme un boulet. Et ce passé, chaque jour, s'alourdit, a insisté Minerva.

Elle avait pris un ton grave.

– Tu étudies la psychologie pendant tes loisirs ? l'ai-je taquinée sans humour.

– Je n'en ai pas besoin. C'est évident. Personne ne vous demande d'oublier. Vous avez seulement besoin de le laisser derrière vous.

Et comment on fait ça ? me suis-je interrogée. Loin des yeux, loin du cœur, ne fonctionnait pas du tout. Chaque fois que je posais les yeux sur ma fille, je voyais Callum. Parfois, je me demande même si l'âme de Callum n'a pas pu ressusciter dans le corps de Rose. Et puis je me reprends. Et ensuite je recommence. Oui, l'âme de Callum pourrait se trouver dans le corps de ma fille. Pourquoi pas ? Rose rit exactement comme son père, chaque jour, elle lui ressemble un peu plus… Et ses yeux… c'est comme regarder dans les yeux de Callum. Ils ne sont pas de la même couleur mais ce n'est pas ce qui importe. Ils ont la même forme, les mêmes longs cils et la même façon de me dévisager.

– Tu es proche de Meggie ? m'a demandé Minerva.

J'ai haussé les épaules.

– Je suppose.

– Alors, je suis contente que tu sois à ses côtés, a poursuivi Minerva d'un air sombre. Parce que ne te berce pas d'illusions, il est évident que Jude sera pendu.

Le plat principal est arrivé. Nous avons commencé à manger en silence. Je n'arrivais pas à penser. Si je n'agissais pas, Meggie allait perdre son dernier enfant.

– À ton tour, maintenant, ai-je dit à ma sœur. Pourquoi voulais-tu me voir ?

Minerva a pris une longue inspiration.

– Je voudrais interviewer Meggie.

– Pardon ?

– Je voudrais obtenir une interview de Meggie pour mon
journal, a répété Minerva. Est-ce que tu peux m'arranger ça ?

Je n'en revenais pas.

– Tu as bu ou quoi ! Il est hors de question que je formule
une telle demande auprès de Meggie. Tu me prends pour
qui ?

– Sephy, j'ai besoin de cet article. Si Meggie accepte, mon
avenir au *Daily Shouter* est assuré !

– Pas question !

– Sephy, j'ai besoin de ce travail.

– Ce n'est pas mon problème, ai-je tranché. Et encore
moins celui de Meggie. Est-ce que tu n'as pas entendu ce
que je t'ai expliqué. Meggie traverse un véritable enfer…
une fois de plus. Comment pourrais-je lui demander une
chose pareille ?

– Je prendrai toutes les précautions, elle sera présentée sous
son meilleur jour dans l'article.

– Minerva, quelle partie du mot NON as-tu du mal à comprendre : le N ou le ON ?

– Pose-lui au moins la question, a insisté ma sœur. Laisse
Meggie prendre cette décision.

J'ai secoué la tête.

– S'il te plaît, Sephy. Fais-le pour moi. Je ne te demande pas
grand-chose.

Je n'ai pas cherché à dissimuler le mépris qui s'était peint
sur mon visage.

– C'est mon travail, Sephy, a dit Minerva. Et il est très important pour moi... S'il te plaît...

– Non, je ne peux pas.

– Je me suis fait tirer dessus à ta place, m'a calmement rappelé Minerva. Fais ce que je te demande et nous serons quittes.

Tout en moi s'est immobilisé à ces mots. Comme si une partie de mon corps ou de mon cerveau se recroquevillait.

Je me suis fait tirer dessus à ta place...

– Je vois, ai-je fini par soupirer.

– Oublie ce que je viens de dire !

Minerva secouait la tête.

– Je ne le pensais pas, vraiment !

Je n'ai pas répondu.

– Sephy, je suis vraiment désolée d'avoir dit ça, d'accord ?

J'ai haussé les épaules.

– D'accord Minerva, je vais faire comme tu veux. Je vais demander à Meggie. Mais c'est tout. La décision lui appartient.

– C'est génial ! Merci, merci beaucoup !

Minerva était tout excitée. Je devais la refroidir un peu.

– Meggie refusera très certainement.

– Tu réussiras à la convaincre, je sais que tu peux !

Minerva était tout sourire.

Je n'ai pas pris la peine de répondre. C'était inutile. Minerva était persuadée qu'avoir passé un peu de temps avec moi et m'avoir mis la pression lui permettrait d'obtenir une interview avec Meggie. Avec quelques mots choisis, elle avait su m'amener là où elle voulait. Son travail était la chose la plus importante de sa vie. Je pouvais comprendre ça. Et puis, quand elle apprendrait comment je comptais utiliser les informations que je lui avais soutirées, elle ne viendrait plus jamais me demander un service.

La manipulation fonctionnait dans les deux sens.

Jude

– Monsieur McGrégor, il est important que vous me considériez comme votre allié, a répété, pour la dixième fois, M. Clooney.

– J'ai pas à croire les conneries que vous me bavez, ai-je répondu sèchement.

Pourquoi on me refilait tous les croulants ? Ce type devait avoir au bas mot soixante et des poussières, et il était temps qu'il prenne sa retraite. Le pauvre était complètement paumé. Il avait des cheveux blancs coiffés en brosse et sa lèvre supérieure était ornée d'une moustache poivre et sel. Nous étions dans une des salles de la prison prévues pour les visites privées. En fait, strictement réservées aux entretiens avec les avocats, ou aux retrouvailles entre époux.

– Je voudrais vous faire profiter de mon expérience, a dit le Primate en essayant de se montrer patient. Les charges qui pèsent sur vos épaules ne sont pas anodines.

– Pas la peine de la ramener avec moi, l'ai-je interrompu. Je sais que je suis dans la merde. Je suis pas du genre à me planquer la tête dans un trou de souris.

– Acceptez-vous d'entendre mes conseils ?

– Dites toujours.

J'attendais pas grand-chose de ce type et j'ai pas été déçu.

– Vous devriez plaider coupable et demander la grâce et le pardon de la cour, a lancé le crétin.

– C'est la meilleure solution pour moi ? ai-je demandé avec mépris.

– C'est votre seule chance d'échapper à la peine de mort. Si vous plaidez non coupable et que votre culpabilité est prouvée, votre exécution sera automatique, a répondu Clooney.

Comme si je ne le savais pas.

– Et si je plaide coupable ?

– Vous prendrez vingt-cinq ou trente ans, mais au moins, vous aurez l'opportunité de refaire votre vie.

Vingt-cinq ou trente ans ! Est-ce qu'il s'entendait ? Il pourrait aussi bien parler de vingt-cinq ou trente siècles ! Je n'avais aucunement l'intention de rester à pourrir dans une cellule pendant toutes ces années ! Je préférais nettement la pendaison.

– Et si j'accepte ?

Le visage de Clooney s'est illuminé comme un arbre de Noël.

– Je soumettrai vos nouvelles dispositions à la cour et nous pourrons tout décider en moins de quinze jours.

– Et si je refuse ?

Le sourire de Clooney s'est effacé comme il était venu.

– Eh bien, le procès va sans doute durer des mois et des mois, et vous serez très probablement déclaré coupable.

– Votre confiance en moi m'arrache des larmes, ai-je sifflé. Je n'arrive plus à m'arrêter de pleurer.

La loi n° 2 de Jude résonnait dans ma tête avec une once de loi n° 9 : *Tu ne peux compter que sur toi-même.*

– J'essaie seulement d'être réaliste, a-t-il protesté.

– Vous épuisez ma patience, ai-je rétorqué. Et si vous êtes le seul type à vous occuper de ma défense, il est clair que je suis dans la merde.

– Je suis de votre côté, a répété Clooney.

– Plus maintenant. Vous êtes viré.

– Pardon ?

– Lave-toi les oreilles, papi. Tu es viré ! On n'a plus besoin de toi ! Tu peux te casser !

– Vous avez besoin d'un avocat, a hoqueté Clooney.

– Je vais m'en occuper moi-même !

– Je ne vous le conseille pas.

– Vos conseils, je me les mets au cul ! Et maintenant, tirez-vous !

Clooney s'est levé et a commencé à ramasser ses affaires.

– Vous commettez une sérieuse erreur, a-t-il marmonné.

– Possible, mais au moins, c'est mon erreur, pas la vôtre !

Clooney m'a toisé et a secoué la tête. Je me suis levé.

– Vous savez ce que je suis en train de regarder ? m'a-t-il demandé.

– Non, quoi ?

– Un homme mort qui marche.

Si les gardes n'avaient pas été là, je l'aurais frappé. Ce trou du cul qui se prenait pour le centre du monde. Pourtant, il avait raison sur un point : je ne pouvais prendre pire décision que celle de me défendre moi-même.

Sephy

Réfléchis bien, Sephy, réfléchis à ce que tu t'apprêtes à faire. Tu connais bien Jude McGrégor. Si tu étais sur le point de tomber d'une falaise et que son bras était collé au tien, il se le couperait plutôt que de t'aider à remonter. N'oublie pas qu'il a tiré sur ta sœur. Et il t'aurait tiré dessus, s'il n'avait pas songé à un meilleur moyen de t'atteindre. Alors, ne le fais pas, Sephy. Ne le fais pas.

Mais je dois bien ça à Meggie.

Laisse tomber, Sephy, tu ne dois rien à personne, pas plus à Meggie qu'à qui que ce soit d'autre. Tu ne peux pas prendre tous les problèmes de l'univers à ton compte.

Mais Callum est mort à cause de moi. Jude a raison au moins sur ce point. Je dois aider Meggie. Elle a déjà trop souffert.

Même si ça signifie aider ton pire ennemi ?

Je ne le fais que pour Meggie.

Tu en es bien sûre ? Est-ce que tu ne le fais pas plutôt pour toi ?

Non, évidemment. Comment un acte pareil pourrait me servir ?

Peut-être que c'est ta façon à toi de te sentir mieux avec toi-même.

Je me sens très bien, merci.

Bien sûr, regarde-toi dans le miroir et répète ça.

Tu oublies un élément important : Jude est peut-être innocent.

Regarde-toi dans le miroir et répète-toi cette phrase aussi. Quand te pardonneras-tu à toi-même, Sephy ? Quand t'autoriseras-tu à vivre ?

Arrête ! ARRÊTE !

Je me suis retournée une nouvelle fois dans mon lit, incapable de m'endormir. L'obscurité censée être mon alliée ne m'apportait pas le réconfort habituel. Normalement, je me sentais en sécurité dans le noir. Libre. Anonyme. Personne pour m'observer. Personne pour me juger. Mais cette fois, la nuit semblait se moquer de moi. Si quelqu'un pouvait entendre mes pensées, je serais immédiatement transférée dans un hôpital psychiatrique. J'étais en train de discuter avec moi-même, de me contredire, d'essayer de me convaincre que ma résolution était mauvaise. J'étais vraiment folle.

Mais à qui pouvais-je parler ?

Vers qui me tourner ?

D'une façon ou d'une autre, j'étais sur le point de commettre un acte absolument idiot, voire dangereux, mais je savais que rien ne m'en empêcherait. Je commençais mon voyage en enfer.

Et il n'y aurait aucun moyen de revenir en arrière.

Jude

– Visite !

– Je veux voir personne, ai-je lâché au garde primate.

Je ne m'étais même pas donné la peine de lever la tête vers lui. Allongé sur mon lit, dans ma cellule, je comptais les taches de peinture au plafond. Dans quelques jours, mon procès commencerait. Ils avaient fait vite. J'allais une fois de plus demander une libération sous caution, mais mes chances de l'obtenir étaient quasiment nulles. Ils allaient évidemment me garder en détention provisoire jusqu'à la fin du procès. Ils procédaient toujours comme ça avec les Nihils. La prison serait mon foyer jusqu'au jour de la pendaison. Qui de toute façon ne tarderait pas. J'ai tourné la tête. Le garde était toujours là.

– Quoi ?

– Votre visite insiste. Elle m'a dit de vous dire que c'est votre frère qui l'envoie.

Je me suis redressé. Maman… Je ne voulais plus lui parler – pas après ce qui s'était passé la dernière fois. Je ne voulais plus voir son visage blessé et triste. J'avais déjà un pied dans la tombe. Ce serait mieux pour tout le monde qu'elle laisse tomber. Mais alors que j'allais ouvrir la bouche pour dire que je refusais de la recevoir, les mots ne sont pas sortis. J'ai essayé de nouveau, mais toujours rien. Bravo ! Un raté dans la loi n° 4 de Jude : *Ne jamais tenir à personne, ça rend trop vulnérable. Ne te montre jamais vulnérable.*

J'ai soupiré intérieurement.

– J'arrive.

Je me suis redressé sur mon lit. Mon instinct me soufflait que je commettais une grosse erreur, mais après tout, elle était la seule famille qui me restait. Ce n'était pas rien. Je me suis levé. La porte de ma cellule s'est ouverte après un long cliquetis.

– Est-ce qu'il faut que je te mette les menottes ? m'a demandé le Primate.

J'ai secoué la tête. Je ne voulais pas que Maman me voie avec les menottes.

– Tu vas bien te tenir ?

– J'ai dit oui. T'es sourd ?

Si ce Primate ne cessait pas immédiatement de me regarder comme ça, il allait le regretter. J'étais peut-être dans une sale position, mais je n'avais aucune intention de me laisser emmerder par des connards.

Un autre garde primate est arrivé de nulle part et m'a accompagné jusqu'au parloir. Pour des criminels de mon genre, les visites devaient toujours être surveillées. Et une vitre me séparait de la personne qui venait me voir. Nous avions aussi des vitres de chaque côté, ce qui nous donnait l'illusion d'être dans des cabines et de pouvoir avoir des conversations privées, mais les gardes observaient tout et écoutaient tout. Je suis passé devant d'autres prisonniers eux aussi en visite et le garde m'a indiqué une chaise. Je me suis assis avant de regarder mon visiteur. Ce n'était pas Maman.

C'était Perséphone Hadley.

Qu'est-ce qu'elle foutait là ? Le choc m'a coupé le souffle. Je ne la quittais pas des yeux. Pendant une seconde, je me suis demandé si mon cerveau ne me jouait pas un tour. Nous nous sommes regardés. Une colère terrible commençait à bouillir en moi. À présent que je savais que j'allais mourir, je regrettais amèrement de n'avoir pas tué Sephy Hadley quand j'en avais eu l'occasion. J'aurais voulu que Sephy se soit trouvée en face de moi quand j'ai pété un plomb. Pas Cara. Là, j'y aurais vraiment pris plaisir.

– Bonjour Jude, m'a calmement salué Sephy.

– T'es venue te régaler ?

– Non, je suis venue te sauver la vie.

Je m'attendais à tout sauf à ça. Sephy était sérieuse. Moi j'ai éclaté de rire.

– C'est la meilleure de l'année ! ai-je fini par lancer après avoir repris ma respiration. Merci de me permettre de me marrer un bon coup. C'est déjà ça !

– Ce n'est pas une plaisanterie.

– Tu veux me sauver la vie ? Et comment tu vas t'y prendre ?

Elle s'est penchée en avant et a soufflé d'une voix très basse :

– En te procurant un alibi.

Tout à coup, ce n'était plus drôle du tout. Je ne comprenais pas. Mon cerveau était incapable d'enregistrer l'information.

– Est-ce que tu as tué Cara Imega ? m'a demandé Sephy.

Mais elle a immédiatement ajouté :

– Non, laisse tomber. Ça n'a pas d'importance, je ne veux pas le savoir.

Je suis resté silencieux. Sephy a regardé autour d'elle. À sa gauche, une femme nihil essayait de consoler un bébé. Elle se tenait si près de la vitre qui la séparait de l'homme qu'elle donnait l'impression de la toucher.

– Combien de temps es-tu resté chez Cara ? a poursuivi Sephy à voix toujours extrêmement basse.

J'ai observé Sephy. Essayant de deviner, à son expression, à sa façon de se tenir, à ses vêtements, à ses longues boucles d'oreilles en argent qui ressortaient sur sa peau noire, si elle était sérieuse ou pas. Elle, elle attendait que je lui réponde. Bon... j'allais jouer son jeu... juste pour voir.

– À quoi ça va te servir de le savoir ? ai-je lancé.

Sephy est restée silencieuse un instant, un garde passait derrière elle. Dès qu'il s'est éloigné, elle s'est de nouveau penchée en avant.

– Si je te donne un alibi, est-ce que tu es prêt à marcher avec moi ou est-ce que tu préfères me traiter de menteuse et être pendu ?

Je n'ai pas répondu.

– J'ai besoin de le savoir, a insisté Sephy.

– Pourquoi tu fais ça ?

– Meggie.

– Qu'est-ce qu'elle vient faire là-dedans ?

– Si tu meurs, elle ne s'en remettra jamais, a dit Sephy. Je ne veux pas que ça arrive.

– Qu'est-ce que ça peut te faire ? Elle n'est rien pour toi. Et je ne suis rien pour elle, ai-je ajouté.

– Tu es toujours sûr d'avoir raison, a rétorqué Sephy. Tu as fermé ton cerveau à clé et tu as jeté la clé, il y a longtemps déjà. Tu ne pourrais pas rouvrir, aujourd'hui, même si tu le voulais. C'est triste.

– Garde ta pitié ! Va te faire foutre avec ta pitié. T'es venue pour me faire un sermon ? Si c'est le cas, tu peux…

– Calme-toi, m'a interrompu Sephy sans s'énerver.

Je lui ai jeté un regard noir, mais c'est contre moi-même que j'étais en colère. Comment avais-je pu la laisser m'atteindre ? Ça ne devait pas se reproduire.

– Dis-moi, ai-je repris. Est-ce que mon frère hante toujours tes pensées ?

Sephy n'a pas répondu. Elle s'est figée comme une statue et ses yeux se sont rétrécis.

– C'était ton petit joujou érotico-exotique, ai-je continué. Tu as baisé avec d'autres Néants depuis sa mort ? Une fois que t'as eu du blanc, tout devient évident !

– L'expression est « une fois que tu as du noir, enfin arrive l'espoir », m'a-t-elle reprise. Puisqu'on en est aux formules débiles !

– Tu n'as pas répondu à ma question. Est-ce que tu penses toujours à Callum ?

– Je ne suis pas venue pour te parler de ton frère, a dit Sephy.

D'un coup d'œil, elle a vérifié que le garde était toujours assez loin.

– Voilà ce que je te propose : tu ne peux pas nier que tu connaissais la maison de Cara Imega parce qu'ils ont trouvé tes empreintes partout. Mais on va raconter que je suis venue t'y chercher et que tu es parti avec moi. Je témoignerai qu'à ce moment-là, Cara était toujours en vie. Pour les chèques, ils ne peuvent pas prouver qu'elle ne te les a pas donnés.

– Tu viendrais à la barre et tu commettrais un parjure pour moi ? Tu risquerais la prison, pour moi ? Je n'y crois pas une seconde !

– Nous n'irons pas jusqu'au procès, a reparti Sephy. Si je fais cette déclaration, il y aura suffisamment de doute sur ta culpabilité et ils n'auront plus assez d'éléments pour instruire.

– Ils ne croiront jamais que nous avons quitté la maison de Cara ensemble. Tout le monde sait que nous nous détestons. J'ai tiré sur ta sœur !

– Personne n'est au courant, sauf toi, Minerva et moi. Minerva ne dira rien, parce que personne ne comprendrait pourquoi elle ne t'a pas dénoncé plus tôt. Quant à notre haine respective, elle nous servira de justification à cette rencontre.

Sephy s'est mise à parler plus vite.

– Nous dirons que nous avions décidé de mettre de côté nos dissensions et de nous associer pour laver le nom de ton frère. Nous avions tous deux décidé de nous retrouver chez Cara. Tu nous as présentées l'une à l'autre, mais nous sommes partis très vite.

– La police ne me fichera la paix que s'ils trouvent un autre coupable, ai-je observé.

– Oui, mais…

Tout à coup, j'ai eu une idée. Je me suis adossé sur la chaise. Pouvais-je faire confiance à Sephy ? Pour que mon idée fonctionne, je devais m'en remettre à elle… et cette perspective ne m'enchantait vraiment pas.

Mais je n'avais pas le choix.

– Comment tu vois ça ? lui ai-je demandé. Tu vas aller voir les flics et leur raconter ta petite histoire ?

– Non, la police peut décider de ne pas prendre mon témoignage en compte. Je vais m'adresser directement aux journaux. Très vite, tu auras la télé sur le dos, qui te demandera ta version de l'histoire. Tu n'auras qu'à t'en tenir à ce que je t'ai dit.

Sephy avait apparemment tout prévu.

Mais j'avais une ou deux cartes dans la manche.

– Alors, tu vas me laisser t'aider ? a voulu savoir Sephy.

– Comment puis-je être sûr que tu es digne de confiance ?

– Tu ne peux pas. Mais tu n'as pas le choix. Comme je te l'ai dit, je ne fais pas ça pour toi. Je te déteste, Jude. Tu me donnes envie de vomir. Je ne veux pas t'aider. Je fais tout ça pour Meggie.

– Je vois.

– J'espère bien. Parce que je veux ta parole que tu nous laisseras, moi et ma fille, en paix.

– Ah tiens, ma mère n'est donc pas la seule raison…

J'ai esquissé un demi-sourire. Sephy n'avait pas toutes les cartes en main. Elle en avait beaucoup, mais pas toutes.

– Pense ce que tu veux, a-t-elle dit. Ce n'est pas mon problème.

– Et je serai censé te vouer une reconnaissance éternelle quand tout sera terminé ?

Je me suis à mon tour penché en avant.

– Tu sais ce que je pense ?

– Ce qui se passe dans ton cerveau dépravé ne m'intéresse pas, m'a interrompu Sephy. Promets que tu laisseras Rose tranquille et que je ne te reverrai jamais. Je ne veux plus entendre parler de toi, je ne veux même plus savoir que tu as existé.

– C'est comme ça que tu penses à mon frère maintenant ? J'ai remarqué que tu n'avais pas prononcé son prénom une seule fois.

Sephy a froncé les sourcils.

– Ton frère n'a rien à voir avec toute cette histoire.

– Bien sûr que si. Il a tout à voir, au contraire. C'est pour Callum que tu es là.

– Bon, tu fais affaire avec moi, ou pas ? s'est impatientée Sephy.

Les visites seraient bientôt terminées et les gardes commençaient à prévenir chaque visiteur qu'il ne restait plus qu'une minute.

– Ça te rapporte quoi à toi ? ai-je demandé.

– La paix de l'esprit.

Je ne voulais pas que Sephy puisse atteindre la paix de l'esprit. Jamais. Je lui ai murmuré doucement :

– Même si tu sais que j'ai tué cette salope de Primate ?

Pour la première fois, Sephy a détourné le regard. J'ai souri. J'avais repris le contrôle.

– La paix de l'esprit n'est apparemment pas pour moi, a murmuré Sephy.

– Alors, ça marche. D'accord pour ton histoire d'alibi.

Je souriais jusqu'aux oreilles.

Vivant ou mort, quoi qu'il arrive, j'aurai ma vengeance, Sephy. Même si je dois revenir des enfers pour toi. Je te le promets.

Sephy

La sonnette a retenti. Un coup bref, suivi d'un autre.

– J'y vais, ai-je crié du haut de l'escalier.

De toute façon, je n'avais pas le choix. Meggie était dans sa chambre et elle n'ouvrait plus jamais la porte. Trop de photographes, trop de flashs. J'ai pris une grande inspiration avant d'ouvrir.

C'était Minerva.

– Qu'est-ce que tu fais là ? ai-je lancé.

– Bonjour à toi aussi !

Minerva a haussé les sourcils.

– Je peux entrer ?

Je me suis effacée, Minerva s'est glissée dans le couloir et a attendu que je referme la porte.

– Sephy ? Qui c'est ? a crié Meggie depuis sa chambre.

– Ma sœur Minerva.

– Oh.

Meggie est apparue sur le palier. Elle semblait si vieille et si fatiguée.

– Bonjour Minerva.

– Bonjour Meggie, a souri ma sœur. Comment allez-vous ?

Meggie a hoché la tête.

– Ça va. Puis-je vous apporter une tasse de thé ou du café… un jus d'orange peut-être ?

– Meggie, si ma sœur a soif, j'irai lui chercher ce qu'elle veut moi-même, suis-je intervenue. Allez vous reposer.

– Je veux bien un café, si ça ne vous dérange pas, a répondu Minerva en s'adressant directement à Meggie.

– Sephy, tu veux boire quelque chose, toi aussi ?

– Non merci, Meggie.

J'ai jeté un regard en coin à Minerva. Une idée désagréable commençait à se former dans mon esprit. Pendant que Meggie s'affairait dans la cuisine, j'ai entraîné ma sœur dans le salon et j'ai refermé la porte derrière nous.

– Minerva, je te promets que si tu es venue pour obtenir une interview de Meggie, je te fiche dehors à coups de pied aux fesses ! Et je t'assure que tu ne pourras plus t'asseoir pendant longtemps, lui ai-je lancé, furieuse.

Minerva a reniflé.

– Charmant ! Ta façon de parler prouve que tu fréquentes trop de Nihils.

– Va te faire foutre, Minerva. Qu'est-ce que tu veux ?

La poignée de la porte a commencé à tourner. Je me suis approchée pour ouvrir à Meggie. Elle est entrée avec un plateau sur lequel étaient posés trois tasses, un sucrier et un petit pot de lait.

– Sephy, j'ai pensé que tu apprécierais une tasse de thé vert au jasmin.

– C'est très gentil de votre part, Meggie, ai-je dit en lui prenant le plateau des mains, sans quitter Minerva des yeux.

Si nous n'avions pas été des Hadley, Meggie nous aurait servi le sucre et le thé. Mais nous étions des Hadley.

– Le café est dans la tasse jaune, a indiqué Meggie.

Minerva a versé un peu de lait dans son café avant de prendre sa tasse et de s'installer dans le fauteuil.

– Vous allez bien vous asseoir avec nous, Meggie ? a-t-elle dit.

Meggie a pris la tasse bleue et s'est assise sur le canapé. J'ai pris la dernière tasse sur le plateau et je me suis assise près de Meggie. Le regard de Minerva allait de Meggie à moi et de moi à Meggie.

– J'étais dans le quartier, alors je me suis dit que je pourrais passer vous faire un petit coucou et voir comment va ma nièce, a souri Minerva.

– Elle est en haut, elle dort, ai-je dit.

– Dommage.

Oui, dommage. Juste dommage. Minerva n'a pas demandé à la regarder endormie, n'a pas posé de questions sur son poids, sa taille, sa santé. Rien. Nous sommes restées silencieuses pendant un moment. C'était un silence gêné. Je n'avais aucune intention de le briser la première.

– Meggie, j'ai été désolée d'apprendre… ce qui est arrivé à Jude, s'est décidée Minerva avec une sincérité incroyablement bien feinte.

– Merci, a dit Meggie en buvant une gorgée de thé.

Il était pourtant beaucoup trop chaud.

– Parvient-il à… parvient-il à rester positif ?

– Je crois. Je l'espère, a répondu Meggie. Il a le droit de son côté.

– Minerva… ai-je prévenu.

Mais elle m'a complètement ignorée.

– Ça doit être difficile, malgré tout. Est-ce que vos voisins vous soutiennent dans cette épreuve ? a continué Minerva.

– Vous plaisantez, a tristement ricané Meggie.

Les voisins ne nous disaient même plus bonjour. Même Mme Straczynski nous avait lâchées. Après l'arrestation de Callum, j'ai compris que mes soi-disant amis pensaient que la malchance était contagieuse.

– Et qu'espérez-vous, Meggie ? a demandé Minerva.

– Que justice soit faite.

C'en était trop. Je devais définitivement désarmer Minerva. Elle était têtue comme une mule... oui, je sais, moi aussi.

– J'espère que tout se passera comme vous le souhaitez, a souri Minerva.

– Oui, a soupiré Meggie. Au moins, j'ai Sephy avec moi. Je ne sais pas ce que je ferais sans elle.

– Ah oui ? a lâché Minerva sèchement. Et de quelle façon aides-tu Meggie, Sephy ?

– Je fais tout ce que je peux.

Minerva a froncé les sourcils.

– Tu es convaincue de l'innocence de Jude ?

– Il m'a juré qu'il n'avait rien fait, est intervenue Meggie. Mon garçon ne me mentirait pas. Pas à moi.

Mais la question de Minerva n'était pas destinée à Meggie.

– Vous êtes donc allée le voir en prison ? a repris Minerva, un peu excitée.

– Nous y sommes allées la semaine dernière quand il était encore au commissariat.

– Nous ? Toutes les deux ? s'est exclamée Minerva.

– Sephy est venue pour m'apporter son soutien moral, a expliqué Meggie. Mais elle est retournée voir Jude en prison toute seule, il y a deux jours. Elle a été merveilleuse...

– Sephy...

– Alors, Minerva, parle-nous un peu de ton travail au *Daily Shouter*, l'ai-je interrompue. Ça ne doit pas être facile d'être jeune reporter et de se battre pour être reconnue parmi les plus grands.

La bouche de Meggie s'est soudain refermée comme une tapette à souris. Enfin. Minerva a pincé les lèvres.

– Tu ne penses pas beaucoup de bien des journalistes, n'est-ce pas ? a-t-elle fini par me demander.

– Non, c'est vrai. Je vous ai vus à l'œuvre. J'ai été la matière de trop d'histoires, j'ai lu trop de vérités tordues, trop de méchancetés, trop de vitriol m'a été jeté au visage, trop de journalistes ont dansé sur moi et Callum comme autour d'un feu de joie…

Après une pause, j'ai ajouté :

– Mais je suppose que ce n'est pas du tout comme ça que tu comptes faire ton boulot.

– Minerva, a calmement dit Meggie. Je ne savais pas que vous étiez journaliste au *Daily Shouter*.

– Oui. Je travaille au *Daily Shouter* depuis quelques mois.

– Sephy ne me l'avait pas dit.

Il m'a fallu un moment pour déchiffrer l'expression de son visage. Elle était en train de se demander pourquoi je ne lui en avais pas parlé.

Attention, Sephy. Fais attention.

– Je suis sûre que tu dois avoir beaucoup de choses à faire à présent, ai-je dit à ma sœur en me levant.

– Oh, je… a commencé Minerva.

Et puis elle a vu mon regard.

– Euh… oui, j'ai un autre rendez-vous.

– Je dirai à Rose que tu es passée la voir, ai-je ajouté.

Meggie s'est levée à son tour.

– Non, ne bougez pas, Meggie, lui ai-je dit. Je raccompagne Minerva à la porte.

Meggie s'est rassise. Minerva m'a suivie dans le couloir de l'entrée. Elle n'a pas protesté. Elle avait compris.

– Merci pour rien, Sephy, m'a-t-elle glissé à l'oreille avant de sortir.

– Je t'avais prévenue, Minerva. Tu n'as rien à faire ici, si tu ne viens que pour ton travail.

– Tu aurais pu me laisser lui poser quelques questions de plus, s'est plainte Minerva. Et tu n'étais pas obligée de dire à Meggie que je suis journaliste.

– Tu n'as pas besoin de nous pour ton article. Tu n'as qu'à faire comme les autres et inventer.

– Je pensais qu'entre sœurs, on devait s'entraider, a lâché Minerva avec amertume.

– Moi aussi, ai-je rétorqué. Mais tu m'as prouvé que je me trompais quand tu as essayé de me convaincre en me faisant du chantage.

– Je me suis déjà excusée. Tu es vraiment rancunière.

J'ai regardé Minerva et j'ai compris qu'elle était incapable de comprendre qu'elle avait fait quelque chose de mal. J'aurais pu essayer de lui expliquer jusqu'à la fin des temps, elle n'aurait toujours rien compris. Alors, à quoi bon ?

– Au revoir, Minerva. Fais attention de ne pas te prendre les pieds dans la marche en sortant.

Minerva est passée devant moi sans rien ajouter. J'ai claqué la porte derrière elle. Voilà. Quand je me suis retournée, Meggie se tenait dans le couloir. Depuis combien de temps ?

Peu importe.

À l'étage, Rose s'est mise à pleurer.

– Je vais la voir, si tu veux, a offert Meggie.

– Non, merci.

Je commençais déjà à monter les premières marches. À la moitié de l'escalier, je me suis retournée. Meggie ne m'avait pas quittée des yeux.

– Meggie, vous me faites confiance ? n'ai-je pu m'empêcher de lui demander.

Elle a attendu un petit peu trop longtemps avant de répondre.

– Oui, je te fais confiance.

Mais elle mentait. J'ai continué mon ascension.

Peut-être que Meggie était comme moi, s'attendant en permanence à être trahie. Espérant toujours le meilleur, mais se préparant toujours au pire. Peut-être qu'elle était comme moi. Trop blessée pour continuer encore à croire en quelque chose ou en quelqu'un.

Jude

Qu'est-ce qu'elle fait ? Est-elle allée voir les journaux, les radios, les télévisions ? Pourquoi est-ce que je n'ai encore entendu parler de rien ? Elle a peut-être changé d'avis. Mon plan ne fonctionnera pas si elle nie tout au dernier moment.

Quelle ironie ! Ma vie, mon avenir reposent entre ses mains, entre les mains d'une Prima. Entre les mains de Perséphone Hadley. Tout ce qu'elle a à à faire est de me traiter de menteur et elle me tue.

Mais j'ai deux éléments en ma faveur.

Son sentiment de culpabilité.

Et sa peur.

Cara valait cent Sephy. Mais je ne pense plus à Cara de cette façon. J'ai enfoui son image profondément en moi. J'ai oublié son sourire, sa façon de me regarder, sa façon de parler, son rire. J'ai tout oublié. Sauf la nuit, quand je m'endors. Elle hante chacun de mes rêves. Et je me réveille en sueur. Et, pris de frissons, je ne peux plus me rendormir.

Mais je suis en sueur parce qu'il fait trop chaud dans ma cellule.

Et je frissonne parce qu'il y fait trop froid.

Comment appelle-t-on ça déjà ? Quand deux événements opposés se déroulent au même moment et au même endroit. Je ne me rappelle plus et je me force à rire.

Parce que dans mes rêves, je suis agenouillé près de Cara et je pleure.

Alors, je ris et je ris. Je ris jusqu'à ce que mes pleurs s'arrêtent.

Sephy

Je suis désolée, Minerva. Je répète sans arrêt ces mots dans ma tête. Je suis désolée, Minerva. J'ai brisé la promesse que je t'avais faite et je t'ai utilisée. Je n'avais pas d'autre choix. Je le devais à Meggie.

Je n'avais pas le choix.

Mais cette phrase ne me procure aucun soulagement. À cause de moi, Jude va sans doute être libéré. À cause de moi...

Arrête ! Arrête de penser à tout ça ! Occupe ton esprit à autre chose.

Je n'avais pas le choix. Un sanglot me fait hoqueter. J'essaie de ne pas me laisser aller, même quand je suis seule. Mais je me sens si... je me dégoûte. Je réalise doucement l'énormité de mon acte. Je me sentais déjà seule avant, mais ce n'était rien en comparaison de ce que je ressens maintenant. J'ai déjà contacté trois journaux. Pas le *Daily Shouter*. Les deux premiers ont refusé de me recevoir et le troisième n'a toujours pas publié mon histoire. J'ai appelé les radios locales. On m'a interrogée au téléphone, mais rien n'a été diffusé.

Je suis en partie soulagée. Chaque instant, chaque seconde, chaque minute, la réalité de mon choix m'oppresse un peu plus. J'ai envie de tout oublier. À quoi pensais-je en prenant cette décision ? Je ne peux que prier pour que Jude se taise. Qu'il ne se serve pas de mon alibi bidon. S'il affirme que nous étions ensemble le soir où Cara est morte, que ferais-je ? Je le soutiendrai ? Je soutiendrai un meurtrier ? Ou je nierai tout et je sacrifierai Meggie ? Impossible. Je ne pouvais pas. J'étais responsable de la mort d'un de ses fils. J'avais l'impression qu'un rocher était sur le point de m'écraser. De me réduire en poussière.

J'étais dans le salon, mon calepin sur les genoux, un stylo à la main. La télévision faisait un bruit de fond. Rose dormait dans la chambre. Je l'enviais. Si je pouvais moi aussi me plonger dans un sommeil sans rêve, ce serait une bénédiction. J'étais si fatiguée. Mes pensées étaient confuses. Comment pouvais-je avoir décidé d'aider un type comme Jude ? Jude m'avait menée là où il le voulait. Et son coup de maître avait été de m'avouer qu'il avait tué Cara Imega.

Arrête. Arrête de penser à tout ça !

Mais je n'y arrivais pas. Les mots empoisonnés de Jude se répandaient en moi. Une expression qu'il avait utilisée me nouait l'estomac. Ton petit joujou érotico-exotique.

Est-ce que c'est ce que Callum avait fini par penser ? Est-ce pour cela qu'il s'était mis à me détester ? Est-ce que tout le monde pensait comme lui : qu'il était mon joujou érotico-exotique ?

J'ai écrit ces mots sur la première page de mon carnet. *Érotico-exotique*. Je les ai écrits des dizaines de fois, dans tous les sens, en diagonale, à l'envers, tout petit, très gros, soulignés…

Érotico-exotique.

Et d'autres mots ont coulé de mon stylo sans que j'aie le sentiment d'y avoir pensé.

Je ferme les yeux, tu m'embrasses
Tu me touches, tu me caresses
Tu entres en moi, tu bouges en moi
Je prononce ton nom.
Je respire ta respiration
Tu me tiens contre toi, tu ne me laisseras pas.
Je plonge mes yeux dans ton regard de feu
Je sens ton amour en moi.

Mais ce n'est qu'un rêve, un fantasme, une illusion
Tu ne m'entends même pas
Nous rêvons,
Nous jouons,
Et à ce jeu, donnons un nom

Je suis ton amante
Tu es mon fruit interdit
Notre amour est ludique
Érotico-exotique

Mais mon inspiration a été coupée brutalement par une image à la télé. Jude, encadré de policiers, sortait de la prison et était assailli par une meute de journalistes. J'ai frissonné. J'ai monté le son. Il y avait tant de journalistes autour de lui que les gardiens avaient du mal à l'entraîner vers la fourgonnette qui devait l'amener au tribunal. Même maintenant, je ne pouvais m'empêcher de trembler en voyant

Jude bousculé par les journalistes. Son visage reflétait la cruauté et la méchanceté. Après tout ce qu'il m'avait dit en prison, j'avais le sentiment que plus jamais, je ne me sentirai propre. Il me terrifiait. Non, il me pétrifiait.

– Jude, comment vous sentez-vous ?

– Jude, êtes-vous coupable ?

– Voulez-vous faire une déclaration ?

Jude a repoussé un des gardiens qui essayaient de le faire entrer dans le fourgon et s'est retourné vers la horde de journalistes qui lui mettaient leurs caméras et leurs micros sous le nez.

– Est-ce que ça va passer en direct ? a-t-il demandé.

– Oui.

Mon cœur s'est mis à battre douloureusement dans ma poitrine. Nous y étions. Qu'allait faire Jude à présent ?

– Je veux juste faire une déclaration, a lancé Jude. Je n'ai pas tué Cara Imega. Dieu m'est témoin, je suis complètement innocent. Oui, je la connaissais et nous étions amis, mais Perséphone Hadley, la fille de Kamal Hadley, sait que je n'ai pas tué Cara. J'étais bien chez Cara le soir du meurtre, mais quand Sephy est venue me chercher avec un ami à elle, Cara était toujours en vie. Et elle l'était encore quand j'ai quitté sa maison en compagnie de Sephy. Sephy et moi sommes restés ensemble jusqu'aux premières heures du jour.

Jude a regardé directement une des caméras. J'ai eu l'impression qu'il s'adressait particulièrement à moi à travers l'écran.

– Sephy, pourquoi ne viens-tu pas dire la vérité à la police ? Je n'arrive pas à croire que tu veux me laisser pendre, pour un acte que je n'ai pas commis.

J'avais mal au cœur. Envie de vomir mes tripes. Quel menteur ! Quel acteur ! Jude mentait avec tant de conviction, avec l'exacte dose de colère et de surprise nécessaire pour persuader n'importe qui. Et qui était cet ami avec qui j'étais censée être venue ? Pourquoi inventait-il un autre personnage ? Ça ne faisait que tout compliquer.

– Qu'est-ce que Sephy et vous avez fait, après avoir quitté la maison de Cara ?

Jude a soupiré.

– Nous avons parlé, parlé, parlé. De mon frère Callum, principalement. Nous avions décidé de laisser de côté nos rancœurs passées et de nous battre ensemble pour la réhabilitation de mon frère. Il n'aurait pas dû être pendu. Vous, les Primas, semblez déterminés à exterminer toute ma famille.

– Perséphone est donc votre alibi ?

– Il faut croire que oui.

Jude articulait chaque syllabe devant les micros tendus vers lui, pendant que les gardiens essayaient de le tirer en arrière.

– Je le regrette parce qu'elle n'a même pas daigné venir. Mais Sephy au moins sait que je suis innocent. Je suis incapable de tuer.

– À votre avis, pourquoi ne s'est-elle pas manifestée ?

Jude a de nouveau poussé un profond soupir. C'était sa spécialité.

– Franchement je l'ignore. Peut-être veut-elle couvrir son ami. Mais je n'arrive pas à croire qu'elle me laissera pendre pour un meurtre que je n'ai pas commis.

C'était comme si mon esprit se rétrécissait. Se fermait. J'arrivais à voir, entendre, respirer, mais rien de plus. Un gardien a tiré Jude en arrière, cette fois plus fermement.

– Jude, savez-vous qui a tué Cara ?

Jude s'est dégagé de l'étreinte du gardien pour se pencher une dernière fois vers le micro.

– Oui, je le sais. C'est l'homme qui accompagnait Sephy ce soir-là. Il s'appelle Andrew Dorn. Il est resté chez Cara après notre départ. Il a demandé à Cara s'il pouvait passer un coup de téléphone parce que la batterie de son portable était morte. Cara était ravie de lui rendre ce service. C'est Andrew Dorn qui devrait se trouver derrière les barreaux à ma place.

– Vous êtes sûr que c'est lui ?

– Certain. Sephy m'avait déjà dit qu'Andrew est agent double pour le compte de son père Kamal Hadley, alors qu'il est non seulement membre de la Milice de libération mais aussi le bras droit du général. J'ignore pourquoi il a tué Cara. Peut-être a-t-elle entendu quelque chose qu'elle n'aurait pas dû pendant qu'il téléphonait…

Je me suis étranglée. Et je n'étais pas la seule. Les flashs ont crépité. J'étais sonnée. Comment Jude savait-il qu'Andrew Dorn travaillait pour mon père ? Je me suis rappelé : je l'avais dit à Callum après m'être échappée de… Callum avait dû en informer son frère avant d'être arrêté. Jude venait de faire d'une pierre deux coups : en sauvant sa tête, il avait signé l'arrêt de mort d'Andrew Dorn. Désormais, Andrew Dorn pouvait se considérer comme mort. Il ne serait plus d'aucune aide aux services secrets, au contraire même, il allait représenter une grande gêne. Et la Milice de libération allait très certainement l'exécuter pour trahison. En plus de ça, Jude avait réussi à me faire passer pour une lâche et une traîtresse. Jude était le type le plus sournois et le plus manipulateur du monde.

– Quoi qu'il arrive, Andrew Dorn est un traître et un meurtrier, a poursuivi Jude. J'ignore s'il travaille pour la milice ou pour le gouvernement, mais c'est lui qui a tué Cara. Les autorités doivent le savoir et c'est peut-être pour ça qu'ils le protègent. Mais je ne me laisserai pas pendre à sa place. Pas sans me battre...

Jude a été pratiquement jeté dans le fourgon et les portes se sont refermées sur lui. La journaliste s'est tournée vers la caméra, toujours aussi choquée par la nouvelle.

– Comme vous venez de l'entendre, a-t-elle commencé, Jude McGrégor vient de faire une déclaration à propos de la mort de Cara Imega. Il nie catégoriquement le meurtre et affirme son innocence en allant même jusqu'à accuser celui qu'il considère comme le véritable meurtrier. La police va sans doute se mettre aussitôt à la recherche de cet homme, Andrew Dorn. Il est très étonnant...

J'ai éteint la télé. Je suis restée assise dans le silence assourdissant de la maison ; mon cœur était prêt à éclater. Ma bouche se remplissait d'une bile amère. J'ai bondi et j'ai couru jusqu'aux toilettes pour vomir. J'avais l'impression de rendre tout ce que j'avais mangé dans la semaine. Pendant que je me lavais la bouche et les mains, des milliards de pensées assaillaient mon cerveau. J'allais nier. J'allais tout nier. Mais j'avais déjà contacté trois journaux et la radio. J'avais été enregistrée et mes propos recoupaient à peu près ceux de Jude.

Ils n'avaient pas encore utilisé mon histoire mais ils ne tarderaient plus à le faire, à présent.

Grâce à moi, le meurtrier de Cara Imega ne serait pas puni.

Grâce à moi, le meurtrier de Cara Imega allait s'en sortir.

Grâce à moi, Meggie McGrégor ne perdrait pas son fils.

Grâce à moi, Andrew Dorn ne passerait plus une seconde de sa vie tranquille.

J'avais remboursé ma dette à Meggie. À cause de moi, Callum était mort, grâce à moi, Jude allait vivre.

J'ai regardé mes mains, mes paumes, mes doigts tendus. Ce n'était pas d'eau qu'elles étaient couvertes, mais de sang.

BLEU

Attendre
Regarder
Secrets
Sang-froid
Sans goût
Mer calme
Poisson froid
Glace
Sans goût
Murmures
Position fœtale
Feu
Bleu marine violet émeraude
Glacial
Meurt

THE DAILY SHOUTER

www.dailyshouter.new.id   Vendredi 10 septembre

Andrew Dorn retrouvé mort

Par Minerva Hadley

© CADMIUM/BRAND X

Andrew Dorn, l'homme accusé du meurtre de Cara Imega par Jude McGrégor, a été retrouvé mort, hier après-midi. Il a été tué d'une seule balle dans la tête. Très ironiquement, le meurtre a été perpétré dans la rue du Tourneveste.

Un policier a déclaré : « *Cette façon d'agir est typique de la Milice de libération. Nous ne nous épargnerons aucun effort pour retrouver le meurtrier d'Andrew Dorn.* »

Lors d'une interview exclusive qu'il m'a accordée, Kamal Hadley, notre Premier ministre, a déclaré : « *Jude McGrégor n'a peut-être pas appuyé sur la détente mais il est le seul responsable de la mort d'Andrew Dorn. Cet homme n'avait plus aucune chance après avoir été dénoncé de la sorte. Le pire de tout, c'est que Jude s'en tire une fois de plus.* »

Jude McGrégor avait été à l'origine arrêté pour le meurtre de Cara Imega. On sait aujourd'hui que le procès n'aura pas lieu, pour « manque de preuves ». Le témoignage de Perséphone Hadley lui fournissant un alibi a été déterminant. Perséphone Hadley réside aujourd'hui chez la mère de Jude, dans le quartier des Prairies. Jude reste malgré tout en prison, toujours accusé d'appartenir à la Milice de libération. Il risque au maximum deux ans d'emprisonnement. Un policier a tenu à préciser…

(suite page 4)

Jude

À nouveau les beaux jours ! Je ne suis plus accusé du meurtre de… cette Prima. Ils n'ont plus rien contre moi. Noël est arrivé tôt cette année. Et Luke, un camarade de la Milice de libération, m'a dit que j'étais de nouveau bienvenu dans le groupe.

J'ai eu le sentiment d'être de retour chez moi. C'était bon.

Mais pour le moment, ils me gardent en prison. Ils n'ont pas non plus réussi à m'inculper pour le kidnapping de Perséphone Hadley, mais ils cherchent encore. Ils me tiennent pour mon appartenance à la Milice de libération. La sentence dans ce cas est automatique : deux ans de prison. Ils sont prêts à tout pour me garder plus longtemps. Mais je peux sortir pour bonne conduite, dans six ou huit mois. Et même l'idée de passer les six prochains mois derrière les barreaux ne m'empêche pas de sourire. J'ai acheté le *Daily Shouter* ce matin, et les gros titres m'ont tellement plu que mes lèvres me font presque mal.

Andrew Dorn est mort.

Tout s'est passé comme je l'avais espéré. Un de moins. Me reste plus qu'à m'occuper de Sephy et de sa fille. Le seul point noir, c'est que Sephy vit chez ma mère. Je n'arrive pas à y croire. Je ne l'ai appris qu'en les voyant toutes les deux à la télé. Cela dit, avec toute la publicité faite autour de cette histoire, elle va bien être obligée de déménager. Elle n'a plus d'amis à présent, ni d'un côté, ni de l'autre. Ses potes primas vont lui reprocher d'avoir fourni un alibi à un Nihil accusé du meurtre d'une Prima ; ils considéreront qu'elle a trahi sa caste. Et les Nihils la détesteront pour ne pas être venue déclarer plus tôt qu'elle était avec moi. À vrai dire, si elle n'avait pas donné une interview à un journal et à une radio avant ma déclaration, je crois qu'elle aurait tout nié. Mais il était trop tard. Dieu merci. À la télévision, j'ai vu les journalistes amassés devant la porte de ma mère, dans l'espoir d'obtenir une déclaration de Sephy. Mais elle n'a pas lâché un mot. Elle n'a ni confirmé, ni nié mon histoire. Mais ça n'avait aucune importance. Et même si elle n'avait – évidemment – jamais mentionné Andrew Dorn dans les interviews données à ce journal et à cette radio, ça ne changeait rien. Les journaleux l'ont pressée de questions. Tout le monde est persuadé que Sephy le connaissait, qu'elle s'est rendue en sa compagnie chez Cara et qu'elle a essayé de le couvrir en ne se présentant pas à la police après la mort de Cara. Elle est coupable par association. Mais les journalistes n'ont rien tiré d'elle. Elle leur a toujours opposé un silence de pierre. Un silence éloquent.

Un silence qui amène un sourire sur mes lèvres, qui me met du baume au cœur. Je t'ai eue, Sephy. Et ce n'est qu'un début.

J'espère que tu es fier de moi, Callum.

J'ai fait tout ça pour toi.

Andrew Dorn a payé. Et où que Sephy aille maintenant, elle sera seule et méprisée de tous. Et le mieux, c'est que je pourrais toujours me venger d'elle à ma sortie. Je n'aurais pu rêver une meilleure issue.

Et même si je ne l'ai pas encore achevée, ça ne va plus tarder.

Sephy

— Et celui-là, Rose, il te plaît ?

— Yang yang, m'a répondu Rose.

— Tu as raison, ai-je souri.

J'ai reposé le pyjama sur son cintre. L'orange n'allait pas à Rose. Ce n'était pas sa couleur. Mais toutes les autres la mettaient en valeur.

J'avais décidé d'aller lui acheter de nouveaux vêtements parce qu'elle grandissait à vue d'œil. C'était la première fois depuis longtemps que Rose et moi n'avions pas autre chose à faire que passer du temps toutes les deux sans nous préoccuper de rien. Après tout ce qui s'était passé, je n'avais envie de partager la compagnie de personne sauf celle de ma fille. Je n'avais plus été capable d'affronter le monde. La photo de Cara Imega, celle qui était parue dans le journal, dansait sans cesse devant mes yeux, hantait mes rêves et me répétait que j'avais aidé son meurtrier à s'en sortir. Pendant toute cette période où j'étais restée repliée sur moi-même, il avait pourtant fallu que je m'occupe de Rose. Je n'avais pas beaucoup d'argent, mais suffisamment pour lui acheter deux ou trois vêtements. Quand j'habitais chez mes parents, quand j'étais riche, je ne regardais pas les prix. Maintenant, je vérifiais chaque étiquette. Je ne m'étais rien acheté pour moi depuis des siècles. À vrai dire, je n'avais jamais été très shopping, mais ça aurait été agréable d'avoir la possibilité de me choisir quelque chose sans réfléchir. J'ai embrassé Rose sur le front, avant de la glisser dans le porte-bébé accroché sur mon ventre. Je l'ai placée le visage tourné vers l'avant, de façon qu'elle puisse me donner son opinion sur les vêtements que je m'apprêtais à lui prendre. Je me suis assurée que les bretelles du porte-bébé étaient bien attachées et que Rose était à l'aise et j'ai pris un autre pyjama, qui avait attiré mon œil. J'ai embrassé Rose sur le haut de la tête. Je ne pouvais pas m'en empêcher. Peut-être que mon instinct maternel commençait à se développer. Peut-être. Quand mon moral n'était pas complètement délabré et que je ne me sentais pas aussi minable et inutile.

— Et ceux-là, Rose ? Ils sont jolis, tu ne trouves pas ?

C'étaient trois ensembles très mignons. Un rouge vif avec des fleurs bleues, un autre jaune avec des fleurs rouges et le dernier bleu foncé avec des fleurs jaunes.

— Yangaa ! a gazouillé Rose.

— Tu as très bon goût, mon cœur, lui ai-je dit.

— Vous êtes Perséphone Hadley, n'est-ce pas ?

Je me suis retournée brusquement. Et je l'ai regretté aussitôt.

— C'est vous, n'est-ce pas ? a insisté une femme d'une quarantaine d'années devant moi.

Si on pouvait tuer quelqu'un du regard, je me serais écroulée raide morte sur le sol. Il n'y aurait plus eu qu'à tracer la forme de mon corps à la craie autour de moi.

— Merci beaucoup. Grâce à vous, le meurtrier d'une des nôtres va s'en tirer. Mais je me doute que vous vous en fichez, hein, pute à Néants !

J'ai reposé les pyjamas et j'ai tenté de m'éloigner, mais la femme m'a agrippé le bras et m'a obligée à lui faire face. D'autres personnes s'étaient approchées ; mon visage était apparu dans tous les journaux, ces derniers jours, mais je ne m'attendais pas à être reconnue de la sorte ; du coin de l'œil, je me suis rendu compte que petit à petit chaque badaud me reconnaissait à son tour. J'ai posé la main sur Rose, comme pour la protéger, et je suis restée silencieuse. Qu'aurais-je pu dire ?

– C'est elle…

– C'est celle qui…

– La fille de Kamal Hadley…

– C'est le gosse de Callum McGrégor ? Vous savez, le terroriste qui a été pendu ?

Et encore, et encore. Et de pire en pire.

– Mon mari est policier, a lancé la femme qui m'avait interpellée, il dit que tout le monde sait que Jude McGrégor a tué cette fille, mais à cause des mensonges de Perséphone Hadley, il n'y a plus moyen de le condamner !

Si son affirmation avait pu être prouvée, Jude et moi serions en ce moment même en train de croupir en prison. La police n'avait pas de preuves évidentes, pas de sang, pas d'ADN, juste des empreintes. Mais j'ai gardé ça pour moi.

– Est-ce que tu détestes ta race à ce point-là ? m'a craché au visage un homme prima, accompagné de sa petite amie prima.

– C'est terrible pour l'enfant, a lancé un autre type en montrant Rose du doigt. Avec une mère comme toi, elle n'a aucune chance !

Et encore, et encore. Et de pire en pire.

J'ai essayé de reculer, mais je ne pouvais aller nulle part. Ils me cernaient.

– Excusez-moi, s'il vous plaît.

J'ai essayé de me frayer un chemin à droite de la femme du policier, mais elle n'a pas bougé.

Si je n'avais pas eu ma fille avec moi, je l'aurais poussée. Mais si je n'avais pas eu ma fille avec moi, ils ne se seraient pas contentés d'insultes. J'ai de nouveau essayé de passer et, à contrecœur, elle s'est très légèrement écartée.

– Pute à Néants !

– Ordure !

– Salope !

– Roulure !

Rose s'est mise à pleurer.

– Tout va bien, mon bébé, lui ai-je murmuré à l'oreille. Tout va bien.

Mais c'était faux. Mes larmes roulaient sur mes joues, s'écrasaient sur son crâne et coulaient sur son front. Ils avaient raison. Je n'avais rien d'une mère. Rose serait mieux sans moi. Rose méritait d'être heureuse. Et avec moi, elle ne le serait jamais.

Je devais m'assurer qu'elle aurait un bel avenir, heureux.

J'avais échoué. Lamentablement échoué en tout.

Je devais au moins réussir une chose.

INDIGO

Anticipation
Vengeance, récompense
Contemplation
Fausses divisions
Tombée de la nuit
Obscurité
Absence de lumière
Illusions
Désillusions
Ombres effrayantes
Éclat
Enterré
Immobilité
Pourpre
Sacrifice

L'intégration des Nihils dans le système éducatif est un échec

Le rapport concernant l'intégration des Nihils dans les écoles primas était attendu depuis plus de deux mois. Il a enfin été rendu public hier après-midi. Pour ceux qui soutenaient l'idée que Nihils et Primas pouvaient apprendre ensemble, il était très décevant. Le rapport montre que les Nihils ont des résultats très inférieurs à ceux des Primas. En particulier les garçons nihils.

Sofia Taylforth, ministre de l'Éducation, a déclaré : « *Les Nihils n'ont pu profiter du même système éducatif que les Primas que pendant quelques années. Il était tout à fait irréaliste de supposer qu'ils rattraperaient le retard qu'on leur a imposé pendant tant d'années en si peu de temps. Il est en effet perturbant de s'apercevoir que les résultats des Nihils et en particulier des garçons nihils, sont très en dessous de la moyenne, mais il est simpliste de conclure que leurs capacités d'apprentissage ne sont pas à la hauteur de celles des Primas. Les attentes des professeurs, les méthodes d'éducation, le soutien parental, l'environnement social, sont des facteurs que nous ne devons en aucun cas négliger. Au gouvernement, nous continuons d'étudier ce rapport plus profondément avant d'en tirer des conclusions hâtives.* »

Cédric Hardacre, membre du Parlement, a confié au *Daily Shouter* : « *Ce rapport prouve ce que nous affirmons depuis le début. L'intégration des Nihils dans nos écoles ne fonctionne pas. Il est temps d'avoir un débat honnête sur la question, et de nous débarrasser de tous ceux qui confondent réflexion avec racisme et exclusion.* »

Cédric Hardacre s'est également prononcé contre les mariages interraciaux et a évoqué la possibilité de rapatrier les Nihils dans leur pays d'origine.

Jasmine

– Sephy, écoute-moi. Tu ne dois pas te laisser abattre par tout ça. Je sais que c'est plus facile à dire qu'à faire, mais tu dois te reprendre.

– Oui, Maman.

Elle me parlait de nouveau avec ce ton morne, mort. Son regard aussi était morne et mort. J'avais envie de la secouer et de la serrer contre moi. J'avais envie de retrouver ma Sephy. De faire disparaître ce fantôme triste et désespéré qui avait pris sa place.

– Comment va Callie ? ai-je demandé.

– Bien. Désolée, je ne suis pas venue te voir cette semaine.

– Sephy, tu avais d'autres chats à fouetter. Et même si j'apprécie que tu me rendes visite chaque semaine, je peux moi aussi venir jusque chez Meggie.

Sephy a haussé les épaules.

– Ça ne doit pas être très agréable pour toi d'aller jusque là-bas.

J'ai secoué la tête. Sephy avait une étrange vision de moi. Pensait-elle réellement que j'étais une espèce de fleur délicate qui fanait dès qu'elle mettait un pied hors de chez elle ? Ne comprenait-elle pas que j'étais prête à traverser la planète entière si elle avait besoin de moi ?

– Sephy, voudrais-tu venir habiter à la maison, avec moi, quelque temps ?

Sephy a immédiatement secoué la tête et je me suis hâtée d'ajouter :

– Je ne te parle pas de vivre avec moi. Je sais que tu tiens à rester chez Meggie. Je te propose juste de venir passer quelques jours. Je pourrais te protéger des journalistes et des caméras. Ils ne pourront pas franchir les sécurités de la maison.

– Mais tu ne peux pas me protéger de ce que les gens pensent de moi, a tristement répondu Sephy. Presque tout le monde estime qu'il est coupable et que, grâce à moi, il ne paiera pas pour ce meurtre. Ceux qui le croient vraiment innocent me méprisent pour ne pas avoir révélé son alibi à la police plus tôt.

– Je me fiche de tous ces gens, ai-je dit. Je ne m'inquiète que pour toi et Rose.

Sephy a levé les yeux vers moi. Une ébauche de sourire s'est inscrite sur ses lèvres.

– Merci.

– Je suis sérieuse, Perséphone. Ma maison t'est ouverte, quand tu veux, de jour comme de nuit. Tu n'as même pas besoin de demander.

Sephy a acquiescé. Puis elle m'a demandé :

– Tu penses que Jude est coupable ?

– Je n'ai pas suffisamment d'éléments pour me faire un avis, ai-je prudemment répondu.

Mes erreurs passées m'avaient appris à me montrer méfiante.

Sephy a hoché la tête.

– Sephy, ma chérie, ai-je repris. Je m'inquiète pour toi. Est-ce que tu vas bien ?

Elle a secoué la tête.

– Non, mais ça ne va pas durer.

Je n'en étais pas si sûre. Sephy avait toujours été prête à affronter la vie, à se battre, mais cette fois, elle semblait KO. Épuisée. Au bout du rouleau. L'étincelle qui l'animait s'était éteinte.

– Comment va Minerva ?

J'ai baissé les yeux. Et j'ai tout de suite pensé que c'était une erreur. J'aurais dû soutenir le regard de Sephy.

– Est-ce qu'elle me déteste ?

– Elle est un peu… bouleversée. Mais ça lui passera, ai-je affirmé.

– Ça m'étonnerait. Elle t'a raconté pourquoi elle était en colère après moi ?

– Pas vraiment. Elle m'a dit qu'elle t'avait confié un secret et que tu l'avais utilisé. Contre elle ?

– Non, pas contre elle, a dit Sephy. Je l'ai utilisé contre moi-même, mais pas contre elle. Est-ce qu'elle a eu des ennuis par ma faute ?

– Elle travaille toujours au *Daily Shouter*… Elle m'a dit que personne ne sait d'où est venue la fuite. Mais son patron l'a interrogée de très près. Minnie suppose qu'elle n'aura plus jamais la première page.

– Je ne lui en voudrai pas si elle me déteste, a dit Sephy.

Que pouvais-je répondre à ça ? Rien.

– Est-ce que je peux te dire quelque chose ? m'a demandé Sephy après un long silence.

– Je t'écoute.

– Je… je t'aime, Maman. Tu le sais… tu le sais, n'est-ce pas ?

Je ne m'attendais pas à ça.

Mes yeux se sont remplis de larmes. J'ai détourné le regard et je me suis pincé le nez comme quand j'avais un début de migraine. Mais c'était inutile. Mes larmes étaient au bout de mes cils. J'ai pris un mouchoir et je me suis mouchée.

– Ce pollen est vraiment agaçant, ai-je murmuré.

Quand mes yeux sont redevenus plus secs, Sephy me souriait.

Elle me regardait comme si elle me découvrait, comme si elle se nourrissait de moi pour la première et la dernière fois. Je ne sais pas comment l'expliquer. Son regard me disait au revoir.

– Sephy, ma chérie, s'il te plaît, laisse-moi t'aider.

– Non, Maman. Tu ne peux plus rien pour moi, maintenant, a dit Sephy d'une voix douce. Personne ne peut plus rien pour moi.

Meggie

Je m'inquiète terriblement pour Sephy. Depuis cette histoire au centre commercial, elle n'a pas prononcé un mot. Elle reste dans sa chambre ou assise dans le salon, Callie dans ses bras comme si elle avait peur de la lâcher. L'expression de son visage m'effraie. Elle semble si triste que ça me brise le cœur.

Sa peine est emprisonnée en elle. Chaque tentative d'approche la fait se refermer plus profondément encore. J'ai appelé mon médecin et il est venu voir Sephy. Elle s'est laissé examiner, elle a répondu aux questions du médecin, mais elle ne m'a pas reproché de me mêler de ce qui ne me regardait pas. Elle ne m'a pas crié dessus, ne m'a pas demandé de m'occuper de mes affaires. Elle n'a pas râlé, ne s'est pas mise en colère. Et pour une fois, j'avais tellement envie qu'elle le fasse.

Elle n'a pas dit un mot.

Le docteur Mossop nous a dit que Sephy souffrait d'une dépression post-natale et il lui a prescrit de l'exercice, des promenades, il lui a conseillé de se rendre dans des associations où elle pourrait rencontrer d'autres mères. Il a ajouté quelques tranquillisants.

Sephy n'en a pris aucun.

Elle a acquiescé sagement. Dit « oui, docteur », quand il le fallait, mais l'ordonnance a fini à la poubelle. Je l'ai récupérée et je suis allée chez le pharmacien. Puis j'ai posé les tranquillisants de Sephy sur son lit pour être sûre qu'elle les voie. Une heure plus tard, j'ai retrouvé la boîte dans la poubelle. Elle ne l'avait même pas ouverte.

J'ai laissé tomber. Je ne peux pas les lui enfoncer de force au fond de la gorge. Et, à vrai dire, je ne suis pas vraiment sûre qu'elle ait vraiment besoin de ça. Les tranquillisants, les calmants peuvent aider les gens qui n'ont rien à quoi se raccrocher, mais Sephy a une jolie petite fille. J'aimerais seulement trouver un moyen de lui montrer l'importance de Callie.

Jaxon est venu hier avec Sonny et Rhino. Quand j'ai ouvert la porte, j'ai su qu'ils n'apportaient pas de bonnes nouvelles.

– Sephy est là ? a demandé Jaxon.

Sephy descendait déjà les marches, Callie dans les bras. Je n'ai même pas eu besoin de répondre.

– Sephy, on a besoin de te parler, a dit Rhino.

Sephy les a emmenés dans le salon. J'ai hésité à les suivre. Ça semblerait indiscret mais avec ce qui s'était passé récemment, je ne voulais pas laisser Sephy seule.

Quand je suis entrée dans la pièce, Sephy était debout près de la fenêtre. Elle avait toujours Callie contre elle, et le soleil qui passait à travers les carreaux les entourait d'un halo de lumière. Sephy était magnifique. Elle ressemblait à une madone à l'enfant, peinte par un artiste de la Renaissance. Sonny, Rhino et Jaxon étaient debout et se regardaient.

Rhino, qui, d'après ce que Sephy m'avait raconté, parlait très peu, s'est approché d'elle et a posé sa main sur son épaule. Sephy a sursauté.

– Sephy, je veux que tu saches que je n'y suis pour rien, a-t-il susurré.

Sephy s'est tournée vers Sonny et Jaxon.

Je suis restée immobile près de la porte.

– Y a-t-il quelque chose que tu veux me dire, Jaxon ? a demandé Sephy.

– Sephy, on ne peut pas te garder dans le groupe. Du moins pas pour le moment. Nous n'obtiendrons aucun engagement tant que tu seras notre chanteuse.

Sephy n'a pas répondu.

– Ce n'est pas définitif, a ajouté Sonny. C'est juste le temps que la tempête se calme.

Rhino a jeté un regard de dégoût à Sonny et Jaxon, avant de se tourner à nouveau vers Sephy.

– Ils ont peur de se faire lyncher si tu montes sur scène avec nous. Ils pensent que tout le monde te déteste et ils ont la trouille que tu sois contagieuse !

– Et toi Rhino, qu'en penses-tu ? a demandé Sephy.

– Je pense que c'est des ordures, mais ils étaient deux contre moi.

Sephy a caressé la joue de Rhino, du bout des doigts.

– Merci, a-t-elle susurré.

Le visage de Rhino est devenu très rouge.

Il me semble me rappeler que Sephy m'avait dit que Rhino était celui qui l'acceptait le moins bien. D'après elle, il ne lui avait pas adressé plus de cinq fois la parole depuis qu'elle était entrée dans le groupe.

Peut-être que je me rappelle mal.

– Sonny, tu es d'accord avec Jaxon ? a repris Sephy en regardant le jeune homme dans les yeux.

À ma grande surprise, le visage de Sonny est instantanément devenu écarlate. Il a baissé les yeux, cherchant quelque chose à répondre.

– Ce n'est que pour un temps, a-t-il marmonné. Tu peux continuer les répétitions avec nous…

– Je vois, l'a interrompu Sephy.

– On peut toujours se voir, a plaidé Sonny. Tous les quatre… je veux que… que tu restes avec… nous.

– Oui, mais pas trop près, a soupiré Sephy.

– Ça n'a rien de personnel, a tenté Jaxon.

Sephy a haussé les épaules.

– Ce n'est jamais personnel. Mais ne vous inquiétez pas, je comprends.

– Quand toute cette histoire sera terminée, nous serons ravis de te reprendre, a continué Jaxon.

Sa voix était emplie de quelque chose qui ressemblait à du désespoir.

– Est-ce que vous pouvez partir maintenant ? a doucement demandé Sephy. Je suis très fatiguée.

Sephy s'est tournée vers la fenêtre. Je me suis immédiatement approchée des garçons pour les faire sortir.

– Elle devrait nous laisser nous expliquer, m'a dit Jaxon dans le couloir.

– Sephy et moi comprenons parfaitement ! ai-je assuré. Au moins, Sephy connaît ses véritables amis.

– Vous devez vous mettre à notre place.

– Non. Vous n'avez même pas eu le courage de demander à Sephy si elle était coupable de ce dont on l'accuse, ai-je lâché avec dégoût.

Au moins, Sonny avait un air honteux. Jaxon a pincé les lèvres et a serré la mâchoire comme un gamin réprimandé par son maître d'école. Une bonne gifle l'aurait remis à sa place et ma main me démangeait fortement.

Je me suis tournée vers Sonny.

– Vous êtes Sonny, n'est-ce pas ?

Je n'avais pas envie de déverser ma bile à la mauvaise personne.

– Je pensais que Sephy et toi étiez proches !

– Oui, c'est vrai. Nous sommes… nous étions…

– Et c'est comme ça que tu la soutiens ? Dès que le vent tourne, tu la laisses tomber ?

– Vous êtes injuste. C'est seulement le temps que cette affaire se calme, a faiblement protesté Sonny.

– Un jour quelqu'un te poignardera en plein cœur, exactement comme tu viens de le faire à Sephy, lui ai-je lancé. Et tu comprendras ce qu'elle ressent.

Jaxon m'a dévisagée. Rhino a lancé un regard noir à Jaxon et Sonny. Sonny m'a regardée droit dans les yeux, sans la moindre parcelle d'excuse sur le visage. Je lui avais dit ce que j'avais sur le cœur, il en faisait ce qu'il voulait.

– Partez maintenant. Et ne prenez pas la peine de revenir.

Ils ont obéi en silence. J'ai claqué la porte derrière eux. Ces articles de journaux, ces images à la télé avaient brisé la pauvre Sephy. Sa mère était venue et lui avait dit de garder la tête haute, quoi qu'il arrive. Sephy, je crois, avait au moins entendu ce conseil. Mais elle refusait de parler de ce qu'elle ressentait. Et elle ne cessait de se laver les mains. Avant les repas. Et après. Même avant de prendre Rose dans ses bras.

Ce matin, je lui ai demandé :

– Sephy, quand allons-nous prendre le temps de parler de Jude ?

– Votre fils ne sera pas pendu pour le meurtre de Cara Imega, a-t-elle répondu. Il n'y a rien à ajouter.

Ensuite, elle s'est tue. Les yeux fixes, elle a regardé Callie qui dormait dans ses bras.

Je suis inquiète.

Je suis plus qu'inquiète.

J'ai peur.

Jasmine

J'ai échoué. Échoué sur toute la ligne. Sephy souffre et je ne sais pas comment la consoler. Je ne sais pas comment l'atteindre. Et j'ai peur. Minerva a toujours été la plus forte des deux. Celle qui retombe toujours sur ses pieds. Mais Sephy... Sephy vit avec son cœur, pas avec sa tête.

Je l'ai laissée aller au pensionnat de Chivers parce que je pensais qu'un peu de temps loin de la maison l'aiderait à se sentir plus forte. Elle serait obligée de ne compter que sur elle-même. J'ai pensé qu'elle apprendrait d'autres façons d'appréhender la vie, loin du petit cercle de ses amis du collège.

Et ça a marché.

Jusqu'à ce que ce garçon réapparaisse dans sa vie. Jusqu'à ce qu'il la trompe, qu'il lui mente pour que ses amis de la Milice de libération l'enlèvent. Je ne comprends toujours pas comment Callum a pu se résoudre à ça. Je pensais qu'il aimait ma fille. Et pourtant... Il l'a enlevée, l'a séquestrée et a couché avec elle. Sephy jure qu'il ne l'a pas violée mais ce n'est pas le propos. Elle était si fragile. Il le savait. Il en a profité.

C'est ce qu'il appelle de l'amour ?

Et maintenant, voilà où en est ma fille.

Vilipendée, moquée, incapable de sortir sans qu'un imbécile quelconque fasse de sa vie un enfer. Et tout ça à cause de Callum. J'aime beaucoup ma petite-fille. Elle est très précieuse à mes yeux, mais ma fille aussi. Et quand je vois les yeux de Sephy emplis de cette tristesse permanente, ses épaules rentrées, sa nuque courbée... je ne peux rien faire pour elle.

Rien.

Je donnerais ma vie pour aider Sephy à trouver la paix. Mais ça ne marche pas comme ça. Sephy est en train de faire une dépression. Meggie et moi sommes au moins d'accord sur ce point. Mais Sephy refuse toute aide. Et son visage est si connu qu'elle ne peut plus mettre le nez dehors.

J'aimerais avoir Jude McGrégor sous la main et lui briser le cou. Je sais que tout ce qu'il a raconté à propos de Sephy n'est qu'un tissu de mensonges. Pourquoi ne se dresse-t-elle pas pour se défendre ? Quel pouvoir a-t-il sur elle ?

J'ai essayé de téléphoner à Kamal pour lui parler de Sephy, mais il est trop occupé pour s'intéresser à tout ça. Il a une nouvelle famille à présent. Nous sommes le passé pour lui. Ça m'est égal, mais je m'inquiète pour ma fille. Et Sephy était très proche de son père. Comment peut-il l'abandonner ainsi ?

Sephy est comme un navire sans capitaine, sans voile, sans gouvernail. Elle essaie de tout faire par elle-même. Mais c'est trop lourd. Si elle n'obtient pas très vite de l'aide, je ne sais pas ce qui va se passer. Tout ce que je peux faire, c'est m'assurer qu'elle sait que je suis là pour elle.

Il faut que je le lui répète.

Je regrette de ne pas le lui avoir fait comprendre plus tôt.

VIOLET

Mort
Ça commence comme violence
Ça commence comme viol'
C'est comme de la musique
Sombre
Froid
Vide
Promesses
Fleurs sous la pluie
Acceptation de la douleur
Silence
Paix

THE DAILY SHOUTER

www.dailyshouter.new.id   Jeudi 23 septembre

Cédric Hardacre surpris en compagnie d'une prostituée nihil

Par Jon Gresham

La carrière de Cédric Hardacre s'est effondrée quand sa femme a révélé qu'il entretenait, depuis plus d'un an, une relation avec une prostituée nihil. Mme Hardacre a convoqué une conférence de presse durant laquelle elle a annoncé que la maîtresse de son mari se nommait Edwina Hewitt et résidait rue Granada, à Hackton.

« Je sais que beaucoup de gens vont penser que je suis une femme vindicative, a indiqué Mme Hardacre. *Mais ce n'est pas le cas. Cédric est un membre du Parlement et il a obtenu son siège en professant son intolérance raciale. Son hypocrisie est insupportable. Il prend parti contre les mariages interraciaux et contre l'intégration scolaire, alors qu'il prouve, par l'exemple, être complètement en faveur des échanges interraciaux quand ils sont sexuels. »*

Cédric Hardacre n'a pas souhaité commenter les propos de sa femme, lorsque nous avons tenté de le rencontrer dans son appartement, hier soir. En revanche, Edwina Hewitt a confié à une amie : « *Entre Cédric et moi, ce n'était rien d'autre que du business. Je ne vois pas pourquoi on en fait tout un plat. Pour moi, c'est un client, rien de plus.* »

Sephy

Rose, tu es si jolie. Trop jolie pour tout ce violet autour de toi. Tu mérites mieux. Je t'ai mis ta plus jolie robe. Celle en satin crème avec des rubans en soie et des manches bouffantes. C'est Grand-Mère Jasmine qui t'a acheté cette robe. Ma mère a toujours eu bon goût. Cette robe fait si bien ressortir ta peau café au lait. Tu es si jolie. Je te regarde, je plonge mes yeux dans les tiens si bleus et je n'arrive pas à croire que tu es ma fille. Que tu étais dans mon ventre. Meggie est partie faire des courses et nous sommes seules dans la maison. C'est bien. Je souris et je te regarde te mordiller le poing avec tes gencives sans dents. Tu baves sur ta main, et tu baves sur moi ; je ne peux pas m'empêcher de sourire. Je te murmure :

– Je t'aime, Rose. Je veux que tu sois heureuse. Tu mérites d'être heureuse.

Et tu peux être heureuse. Nous pouvons toutes deux être heureuses. Nous pourrions si les gens nous laissaient tranquilles.

Mais ils ne nous laisseront jamais tranquilles.

Je le sais maintenant.

Ce monde n'est pas fait pour une petite fille aussi jolie que toi, ma Rose. Je te serre dans mes bras et je t'emmène en bas. Dans le salon. Tu gazouilles. Je t'embrasse sur le front, sur le nez, sur les lèvres. Je susurre à ton oreille :

– Chut, mon bébé, Maman t'aime très fort. Maman t'aime plus que sa propre vie. Tu sais, ma Rose, aujourd'hui, c'est mon anniversaire et je veux que ce jour soit spécial. Spécial pour toi.

À la radio, comme par hasard, commence cette chanson : « L'enfant arc-en-ciel ». Je te souris, tu me souris. Je te serre contre moi, je pose ta joue sur la mienne. Je veux être proche de toi. Si proche de toi. Que nos cœurs se confondent. Tu gémis un peu ; je te serre trop fort. Je suis désolée, ma chérie, mais je ne peux pas desserrer mon étreinte. Je ne sais pas comment faire. Je chante avec la radio. Tout doucement.

Chaque jour, tu me ravis,
Et ce sourire sur tes lèvres
Me rend heureux,
Mon enfant arc-en-ciel,
L'automne n'est plus gris,
Tu m'apportes une trêve,
Tu es si merveilleux
Mon enfant arc-en-ciel.

Qu'était la vie avant toi ?
Je t'ai, je te garde, désormais,
Ce que j'éprouve pour toi
M'effraie.
Et quand je t'embrasse,
Mes douleurs passées s'effacent,
Mon enfant arc-en-ciel.

Tu m'apportes la paix
Et un sens à ma vie,
Mes pensées deviennent vraies,
Tu combles mes envies,
Mon enfant arc-en-ciel,
Tu entres dans la ronde,
Toi plus pur que le miel,
Tu es l'espoir du monde,
Mon enfant arc-en-ciel.

Je te serre contre moi,
Je te serre contre moi,
Mon enfant arc-en-ciel.

Quand j'ai arrêté de chanter, tu ne gémissais plus. Tu es si calme, Rose. Si calme. Meggie entre dans la pièce, un sac de courses dans chaque main. Je la distingue très mal à cause des larmes qui embuent mes yeux. J'essaie de me lever, mais je n'y arrive pas ; je te regarde. Tu es si calme. Si calme. Tu es en paix. C'est tout ce que je veux pour toi.

La paix.

– Meggie, ai-je murmuré. Qu'est-ce que je dois faire ? Rose ne respire plus.

Meggie

Je cours vers Callie et je l'arrache des bras de Sephy, qui ne m'oppose aucune résistance. Callie est chaude mais molle comme une poupée de chiffon.

Oh, mon Dieu. Je n'arrive pas à parler. Mes mots se sont envolés, pourvu qu'ils n'aient pas emporté ma raison avec eux. Chaque parcelle de mon corps est sous le choc. Mais ça ne dure qu'un instant. Un instant plus long que l'éternité. À présent, c'est la terreur qui me submerge. Callie... Je me force à réfléchir. Réfléchir. Réfléchir. Je dois aider Callie à respirer de nouveau.

Je vous en supplie, mon Dieu
Je sais que vous m'entendez
Si vous êtes là-haut...

Je pose ma bouche sur le nez de Callie et je souffle. Doucement, pas trop fort. Elle n'a que des poumons de bébé. Je risquerais de lui faire plus de mal que de bien. Je ne sais pas quoi faire. La panique me gagne comme une envie de vomir. Je la refoule. Mais elle revient sans cesse. Je frissonne. Je tremble. Je tourne la tête pour reprendre de l'air et je repose ma bouche sur le nez de Callie.

Je recommence. Souffle. Doucement.

Je pose deux doigts sur sa poitrine et j'appuie en suivant un rythme lent et régulier.

Un, deux, trois, j'appuie.

Un, deux, trois, je souffle.

Un, deux, trois... est-ce que c'est bien ? Je n'en sais rien. Devrais-je compter jusqu'à quatre ? Cinq ? Je ne sais pas. Je devrais savoir. J'ai eu trois enfants. Je devrais savoir. Mais je ne sais pas.

Appeler une ambulance.

C'est trop tard.

Callie n'a plus le temps. Nous n'avons plus le temps.

Oh, mon Dieu, je vous en supplie...

Allez, Callie, allez, ma chérie, tu peux y arriver, respire, ma chérie, respire, je t'en supplie.

– Elle va aller bien ? murmure Sephy.

Je me tourne vers elle et je hurle :

– Sephy, qu'est-ce que tu as *fait* ? QU'EST-CE QUE TU AS FAIT ?

Le visage de Sephy se décompose mais je m'en fiche ; je me fiche d'elle. Je ne veux pas voir son visage baigné de larmes ; si je la regarde, je la tue. Là tout de suite, maintenant.

– Est-ce qu'elle va mieux ? pleure Sephy. Est-ce que mon bébé va mieux ?

Je continue de souffler, j'essaie d'insuffler la vie à Callie.

Callie Rose, respire pour moi, ma chérie.

À côté de moi, Sephy émet un bruit étrange, un gargouillement rauque. C'est comme un craquement. Je jette un œil vers elle. Elle regarde sa fille avec l'expression la plus triste que j'aie jamais vue de ma vie. Ce bruit était-il celui d'un cœur qui se brise ?

Je l'espère.

Je crie :

– Va appeler une ambulance !

Mais elle ne m'entend pas. Elle fixe Callie sans un mot, sans ciller.

Ses larmes roulent sur ses joues, des milliers de larmes.

Allez, Callie, respire, n'abandonne pas.

Callum, si tu nous regardes là où tu es, si tu as aimé Sephy, si tu aimes ta fille, ramène-la à la vie.

Ramène-la-nous.

Je t'en supplie, ramène-la-nous.

– Sephy, qu'est-ce que tu as fait ?

Callie Rose, respire pour moi, ma chérie.

Respire.

RESPIRE.

Respire...

À suivre...

DANS LA MÊME SÉRIE

MILAN

Entre chiens et loups
de Malorie Blackman

Traduit de l'anglais
par Amélie Sarn

Imaginez un monde. Un monde où tout est noir ou blanc. Où ce qui est noir est riche, puissant et dominant. Où ce qui est blanc est pauvre, opprimé et méprisé. Un monde où les communautés s'affrontent à coups de lois racistes et de bombes.

C'est un monde où Callum et Sephy n'ont pas le droit de s'aimer. Car elle est noire et fille de ministre. Et lui blanc et fils d'un rebelle clandestin ...

Et s'ils changeaient ce monde ?

Extrait :

Callum m'a regardée. Je ne savais pas, avant cela, à quel point un regard pouvait être physique. Callum m'a caressé les joues, puis sa main a touché mes lèvres et mon nez et mon front. J'ai fermé les yeux et je l'ai senti effleurer mes paupières. Puis ses lèvres ont pris le relais et ont à leur tour exploré mon visage. Nous allions faire durer ce moment. Le faire durer une éternité. Callum avait raison : nous étions ici et maintenant. C'était tout ce qui comptait. Je me suis laissée aller, prête à suivre Callum partout où il voudrait m'emmener. Au paradis. Ou en enfer.

Le Choix d'aimer
de Malorie Blackman

Traduit de l'anglais
par Amélie Sarn

Imaginez un monde. Un monde où tout est noir ou blanc.
Où ce qui est noir est riche, puissant et dominant. Où ce qui
est blanc est pauvre, opprimé et méprisé.
Dans ce monde, une enfant métisse est pourtant née, Callie
Rose. Une vie entre le blanc et le noir. Entre l'amour et la
haine. Entre des adultes prisonniers de leur propres vies, de
leurs propres destins.
Viendra alors son tour de faire un choix. Le choix d'aimer,
malgré tous, malgré tout…

Extrait :
« Voilà les choses de ma vie dont je suis sûre :
Je m'appelle Callie Rose. Je n'ai pas de nom de famille.
J'ai seize ans aujourd'hui. Bon anniversaire, Callie Rose.
Ma mère s'appelle Perséphone Hadley, fille de Kamal Hadley.
Kamal Hadley est le chef de l'opposition – et c'est un salaud
intégral. Ma mère est une prima – elle fait donc partie de la
soi-disant élite dirigeante.
Mon père s'appelait Callum MacGrégor. Mon père était un
Nihil. Mon père était un meurtrier. Mon père était un violeur.
Mon père était un terroriste. Mon père brûle en enfer. »

DANS LA MÊME COLLECTION

MILAN

Manhattan macadam
d'Ariel et Joaquin Dorfman

Traduit de l'anglais (États-Unis) par
Nathalie M.-C. Laverroux

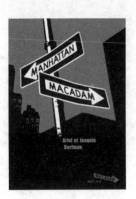

New York.

Une ville monstrueuse, sans état d'âme. Une ville qui avale les gens sans aucune pitié. Chacun vit dans son coin, vaque à ses petites affaires… Et quand les mauvaises nouvelles arrivent, plus personne n'est là pour tendre la main. Sauf Heller, ce garçon anonyme qu'on ne remarque pas, mais qui rappelle à chacun ce qu'il y a d'humain en lui.

Extrait :

« Le monde entier va fondre », se dit Heller.

C'était le 4 juillet, et tout Manhattan transpirait. La sueur suintait des rues, des immeubles, des robinets. Toutes les radios parlaient d'un temps inhabituel. Les couples se réveillaient dans des draps humides. Les ouvriers du bâtiment travaillaient torse nu, et les agents de change desserraient leurs cravates avec un soupir d'envie. Les touristes se plaignaient, les vendeurs de glaces souriaient, et le mercure menaçait de faire exploser le thermomètre.

Heller Highland voyait tout ça, et ce qu'il ne pouvait pas voir, il le savait, tout simplement.

XXL
de Julia Bell

Traduit de l'anglais
par Emmanuelle Pingault

Le poids a toujours été un sujet épineux pour Carmen. Rien de surprenant : sa propre mère lui répète comme une litanie qu'être mince, c'est être belle ; c'est réussir dans la vie ; c'est obtenir tout ce que l'on veut… Alors c'est simple : Carmen sera mince. Quel qu'en soit le prix.

Extrait :
– Si j'étais aussi grosse qu'elle, je me tuerais, dit Maman en montrant du doigt une photo de Marilyn Monroe dans son magazine.
Je suis dans la cuisine, en train de faire griller du pain. Maman n'achète que du pain danois à faible teneur en sel, le genre qui contient plus d'air que de farine. Son nouveau régime l'autorise à en manger deux tranches au petit déjeuner.
– Tu me préviendrais, hein ? Si j'étais grosse comme ça ?
Je me tourne vers elle, je vois ses os à travers ses vêtements. Je mens :
– Évidemment.

Pacte de sang
de Wendelin Van Draanen

Traduit de l'anglais (États-Unis)
par Nathalie M.-C. Laverroux

Joey ne devrait pas être inquiet. Il sait qu'un véritable ami ne trahit jamais un secret. Même un secret terrible, qui les ronge peu à peu...

Extrait :

J'ai l'impression que Joey et moi, nous passions notre temps à sceller des pactes. Un nombre incroyable, qui nous a conduits à cet ultime serment. Joey me disait toujours :

– Rusty, j'te jure, si tu en parles à quelqu'un...

– Je ne dirai rien ! Juré !

Il tendait le poing et nous exécutions toujours le même rituel, qui consistait à cogner nos phalanges les unes contre les autres. Puis, après nous être entaillé un doigt avec un canif, nous mélangions nos sangs, et Joey poussait un soupir.

– Rusty, tu es un véritable ami.

Et notre pacte était scellé.

Pour la vie.

La Face cachée de Luna
de Julie Anne Peters

Traduit de l'anglais (États-Unis)
par Alice Marchand

Le frère de Regan, Liam, ne supporte pas ce qu'il est. Tout comme la lune, sa véritable nature ne se révèle que la nuit, en cachette. Depuis des années, Liam « emprunte » les habits de Regan, sa sœur. Dans le secret de leurs chambres, Liam devient Luna. Le garçon devient fille. Un secret inavouable. Pour la sœur, pour le frère, et pour Luna elle-même.

Extrait :
En me retournant, j'ai marmonné :
– T'es vraiment pas normale.
– Je sais, a-t-elle murmuré à mon oreille. Mais tu m'aimes, pas vrai ?
Ses lèvres ont effleuré ma joue.
Je l'ai repoussée d'une tape.
Quand je l'ai entendue s'éloigner d'un pas lourd vers mon bureau – où elle avait déballé son coffret à maquillage dans toute sa splendeur –, un soupir de résignation s'est échappé de mes lèvres. Ouais, je l'aimais. Je ne pouvais pas m'en empêcher. Cette fille, c'était mon frère.

11h47 Bus 9 pour Jérusalem
de Pnina Moed Kass

Traduit de l'anglais
par Alice Marchand

Le hasard. C'est le hasard qui les réunit, dans le même bus, à
la même heure. Quelque part entre un aéroport et Jérusalem.
Des voyageurs de passage, et un poseur de bombe. Chacun a
son histoire, qui l'a conduit à cet endroit. À cette heure-là, à
cette minute-là.

Prisonnière de la lune
de Monika Feth

Traduit de l'allemand
par Suzanne Kabok

Il y a les Enfants de la lune. Comme Maria et Jana. Elles suivent les règles, aveuglément. Pour elles, pas de bonheur possible hors de la communauté.

Et il y a les autres. Ceux du dehors. Comme Marlon, un garçon normal, avec une vie normale.

Des jeunes gens destinés à ne jamais se rencontrer.

À ne jamais s'aimer…

Extrait :

– *Que doit faire un Enfant de la lune qui s'est écarté de la Loi ? demanda Luna avec son sourire compréhensif.*

– *Se repentir, répondit Maria.*

– *Et qu'est-ce qui favorise le repentir ? poursuivit Luna.*

– *La punition, dit Maria.*

Les membres du Cercle restreint entourèrent Luna.

– *Je vais maintenant t'annoncer ta punition, dit Luna. Es-tu prête ?*

– *Oui, répondit Maria d'une voix étrangement absente.*

– *Trente jours de pénitencier, annonça Luna. Use de ce temps à bon escient.*

L'affaire Jennifer Jones
d'Anne Cassidy

Traduit de l'allemand
par Nathalie M.-C. Laverroux

Alice Tully, 17 ans, jolie, cheveux coupés très court. Étudiante, serveuse dans un bistrot. Et Frankie, toujours là pour elle.
Une vie sans histoire.
Mais une vie trop lisse, sans passé, sans famille, sans ami. Comme si elle se cachait. Comme si un secret indicible la traquait...

Extrait :
Au moment du meurtre, tous les journaux en avaient parlé pendant des mois. Des dizaines d'articles avaient analysé l'affaire sous tous les angles. Les événements de ce jour terrible à Berwick Waters. Le contexte. Les familles des enfants. Les rapports scolaires. Les réactions des habitants. Les lois concernant les enfants meurtriers. Alice Tully n'avait rien lu à l'époque. Elle était trop jeune. Cependant, depuis six mois, elle ne laissait passer aucun article, et la question sous-jacente restait la même : comment une petite fille de dix ans pouvait-elle tuer un autre enfant ?

CSU

PORTÉE DISPARUE

de Caroline Terrée

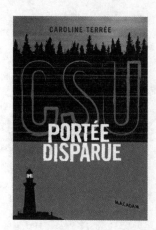

Sur le parking d'une forêt de Vancouver, la voiture d'une jeune femme est retrouvée abandonnée.

C'est celle de Rachel Cross, 24 ans, étudiante… et fille unique d'un sénateur américain multimillionnaire.

Fugue ? Enlèvement ? Assassinat ?

Pour Kate Kovacs et son équipe du CSU, tout est possible. Et le temps est compté…

CSU

LE PHÉNIX

de Caroline Terrée

Incendie criminel. Une évidence devant les restes calcinés de l'église de la petite ville de Squamish, non loin de Vancouver. Une piste s'impose : la secte du Phénix, installée dans les montagnes qui surplombent la ville.

Affaire délicate pour le CSU. Très vite, Kate Kovacs et son équipe se retrouvent au cœur d'un terrible engrenage de haine, de violence et de drames humains...

CSU

LE DRAGON ROUGE

de Caroline Terrée

OD : mort d'un officier de police.

L'un des pires codes qui soient…

Pour Kate et son équipe, l'enquête se révèle peut-être plus délicate que les autres. D'autant que la fusillade a fait plusieurs victimes, dont un membre de la Triade du Dragon Rouge, la mafia locale.

Chinatown, règlements de comptes, racket… Un mélange explosif entre les mains du CSU.

MORT
BLANCHE

de Caroline Terrée

« Mort blanche ». Pour les amateurs de montagne, ce nom signifie désastre. Mais pour d'autres, il est synonyme d'adrénaline.

Suite à un accident d'hélicoptère, les membres du CSU sont amenés à enquêter sur les causes de ce drame... Un drame aux circonstances troubles, entre parois rocheuses et couloirs d'avalanche. Un drame où la vie ne pèse pas grand-chose, face à la mythique mort blanche...

CSU

LE PRÉDATEUR

de Caroline Terrée

Coast Plaza Hotel. Un homme d'affaires est retrouvé mort dans sa chambre. Ligoté. Bâillonné. Un étrange message codé déposé entre ses mains. C'est une signature, celle d'un tueur en série. Pour le CSU (Crime Support Unit), le temps est désormais compté. Car dans les rues de Vancouver, le prédateur est déjà en train de traquer sa prochaine victime…

Achevé d'imprimer en Italie par Canale
Dépôt légal : 1er trimestre 2008